D0652930

Les Éditions du Boréal
4447, rue Saint-Denis
Montréal (Québec) H2J 2L2
www.editionsboreal.qc.ca

L'ENFANT
DU CINQUIÈME NORD

DU MÊME AUTEUR

L'Ogre de barbarie, roman, Montréal/Paris, Éditions du Jour/Robert Laffont, 1972 ; Montréal, Québec Amérique, 1984.
La Chausse-trappe, roman, Montréal, Frenette éditeur, 1980.
Le Livre de Seul, roman, Ottawa, Archambault, 1983.
L'Ultime Alliance, roman, Paris, Seuil, 1990; coll. « Points », 1992.
Un bâillement du diable, roman, Paris, Stock, 1998.

Pierre Billon

L'ENFANT DU CINQUIÈME NORD

roman

Boréal

Les Éditions du Boréal remercient le Conseil des Arts du Canada ainsi que
le ministère du Patrimoine canadien et la SODEC pour leur soutien financier.

Les Éditions du Boréal bénéficient également du Programme de crédit d'impôt
pour l'édition de livres du gouvernement du Québec.

Dépôt légal : 3e trimestre 2003
Bibliothèque nationale du Québec

Diffusion au Canada : Dimedia
Diffusion et distribution en Europe : Les Éditions du Seuil

Données de catalogage avant publication (Canada)

Billon, Pierre

L'enfant du cinquième Nord

3e éd.
(Boréal compact ; 147)
Éd. originale : Montréal : Québec Amérique, 1982.
Publ. à l'origine dans la coll. : Collection 2 continents. Série Best-sellers.
ISBN 2-7646-0247-2

I. Titre.

PS8553.I45E54 2003 C843'.54 C2003-941274-1
PS9553.I45E54 2003

Ce livre est dédié
à Yvette Altmann,
en mémoire d'Yves Sandrier
à Michel Dansereau,
en mémoire de Madeleine
à Sophie et Anne Tessier,
en mémoire de Michèle.

L'humanité gémit, à demi écrasée sous le poids des progrès qu'elle a faits. Elle ne sait pas assez que son avenir dépend d'elle. A elle de voir d'abord si elle veut continuer à vivre. A elle de se demander ensuite si elle veut vivre seulement, ou fournir en outre l'effort nécessaire pour que s'accomplisse, jusque sur notre planète réfractaire, la fonction essentielle de l'univers, qui est une machine à faire des dieux.

Henri BERGSON

PROLOGUE

Le blizzard empêcha l'envoi d'une expédition de secours pendant les trente-six heures qui suivirent la réception du signal de détresse. Les Américains profitèrent de ce délai pour obtenir du haut commandement canadien l'autorisation de participer aux opérations de sauvetage, qui furent désignées sous le nom de Mission Orphanage. *La requête du Pentagone fut formulée en des termes qui n'offraient guère de prise à un refus de la part d'Ottawa, et elle paraissait d'autant plus justifiée que l'objet des recherches était un appareil de l'armée américaine. Officiellement, les deux gouvernements traitèrent l'affaire comme s'il s'agissait d'une question de routine, et personne ne sembla s'étonner que les effectifs dépêchés dans la région de Hornby Bay fussent trois fois plus nombreux que ne l'exigeaient les circonstances.*

Lorsque la tourmente se fut apaisée, une formation de cinq hélicoptères transporta les équipes de secours sur les lieux de l'accident, que les pilotes n'eurent pas de difficulté à repérer grâce au signal automatique de l'émetteur de localisation d'urgence. Ils se posèrent sur la plaine en soulevant un nuage de poudrerie, d'où sortirent des chapelets de soldats au pas de course, qui encerclèrent l'épave de l'avion à une distance de cent cinquante pieds, comme s'ils s'apprêtaient à l'attaquer. L'appareil était en partie recouvert de neige et, contrairement à ce qu'on aurait pu croire, il ne s'était pas écrasé au sol, mais semblait avoir réussi à se poser en catastrophe sur le ventre, le train d'atterrissage rentré.

Une demi-douzaine d'hommes, qui s'étaient tenus jusqu'alors en retrait des opérations, s'approchèrent lentement en échangeant des commentaires à voix basse. Deux d'entre eux portaient les uniformes matelassés de l'armée canadienne, les autres étaient vêtus d'anoraks de différentes couleurs et leurs visages disparaissaient presque entièrement dans la fourrure des capuchons. Le groupe s'arrêta au pied du fuselage, guettant en vain des signes de vie derrière les hublots sombres, où se reflétait le ciel blafard. Enfin, un des militaires se hissa sur l'aile et, avançant avec précaution, gagna la portière de secours. Il souleva un volet métallique et tira sur un levier, qui se brisa dans un craquement sec.

— What the fuck? *murmura-t-il en regardant le morceau de métal qui lui était resté dans les mains.*

Son collègue l'avait rejoint et, ensemble, ils s'acharnèrent sur le mécanisme d'ouverture. Soudain, le battant entier de la portière céda et se détacha de ses gonds pour glisser sur l'aile et tomber d'un bloc sur le sol gelé.

— Hold it! *cria un des civils.*

Il consulta rapidement ses compagnons, puis tenta de se servir du walkie-talkie qu'il portait en bandoulière, mais ses moufles épaisses l'empêchaient de manipuler les contrôles et il les ôta avec un grognement d'impatience. Il communiqua alors ses instructions aux chefs des sections qui encerclaient l'avion à distance et ceux-ci, après lui avoir demandé quelques précisions, lancèrent un ordre à leurs hommes, qui l'exécutèrent dans un certain désarroi. Ils firent demi-tour, et ceux d'entre eux qui jetaient machinalement un coup d'œil pardessus leur épaule se firent aussitôt rappeler à l'ordre sans ménagement.

Les deux militaires qui avaient ouvert la portière de l'avion restèrent sur l'aile pour prêter main-forte aux quatre civils qui, l'un après l'autre, entrèrent dans la cabine en courbant la tête. La scène qui les y attendait était atroce. Les huit occupants de l'appareil avaient été figés par la mort dans une position fœtale comme si, en se recroquevillant sur la chaleur de leur propre chair, ils avaient espéré échapper à l'emprise du froid, après que le système de chauffage eut cessé de fonctionner. A l'exception d'une jeune femme accroupie à l'entrée du poste de pilotage, les passagers étaient restés assis dans leur siège, dont le recouvrement et l'armature s'étaient effondrés sous le poids des corps, les laissant dans une position grotesque qui ajoutait à l'horreur. Certains des cadavres étaient presque entièrement nus, d'autres avaient la tête et le torse couverts d'une sorte de duvet blanchâtre comme si, avant de mourir, ils avaient dans un accès de démence éventré leurs vestes molletonnées pour en extraire le rembourrage, afin de le répandre sur eux à la façon d'une extravagante parure.

Bien que l'avion fût d'un modèle récent et eût quitté la base de Wabashikokak l'avant-veille, l'état intérieur de la cabine donnait l'impression qu'il avait été abandonné en cet endroit depuis trente ou quarante ans et que le froid, tout en assurant la conservation des corps, s'était acharné en revanche contre l'engin qui avait transporté ces malheureux dans cette région désertique du Grand Nord canadien.

Le professeur Dorfstetter s'engagea dans l'allée étroite entre les sièges disloqués, mais s'immobilisa brusquement en réalisant que le plancher de l'appareil se fissurait sous ses pas. Il poussa un sifflement de nervosité avant de reprendre sa marche avec une prudence accrue, sans prêter attention aux corps dénudés qui l'entouraient. Il gardait ses yeux fixés sur une forme assise dans la dernière rangée, qui disparaissait complètement dans les replis d'un épais manteau de laine écarlate. Quand il l'eut rejointe, il avança le bras mais hésita au dernier instant, sans doute par peur de ce qu'il allait découvrir. Il se décida enfin et écarta le col relevé du vêtement. L'enfant le regardait, les yeux grands ouverts. Son visage, qui était pâle et amaigri, avait été inexplicablement épargné du bleuissement qui teintait les chairs des autres passagers. Sa vue n'en était pas moins saisissante, car il avait conservé dans la mort une expression de bonheur intense, et sa bouche gardait le pli d'un sourire espiègle et ironique, que Dorfstetter ne lui avait jamais vu de son vivant.

Le Dr Patterson attendait son confrère près de la sortie de secours et lui dit à voix basse, en se détournant avec gêne pour lui permettre de reprendre contenance :

— Le cockpit et les toilettes sont vides.

— Et alors ? dit Dorfstetter sans comprendre.

— Alors il manque quelqu'un.

Le médecin se raidit et ne put s'empêcher de faire à son tour le décompte des passagers. Puis il se pencha pour s'extraire de la cabine à la suite de Patterson et, debout sur l'aile, ils scrutèrent avec perplexité l'étendue désolée qui les environnait. Le silence et le froid, comme la qualité de la lumière, étaient ceux d'un autre monde. Les soldats formaient un immense cercle autour de l'épave et regardaient eux aussi vers l'horizon, obéissant à une consigne qui les inquiétait parce qu'ils ne la comprenaient pas. Ils montaient une garde d'honneur devant ce catafalque tombé du ciel, sans rien savoir des circonstances extraordinaires qui avaient précipité sa chute.

CHAPITRE 1

L'endroit était vaste et désert et sa sonorité me fit du bien. Je m'y étais réfugié faute de mieux, pour récupérer. J'avais suivi la rue O'Connor, avançant au ralenti comme dans un milieu liquide, les oreilles bourdonnantes et la bouche sèche. Pas question de prendre la voiture — et marcher à ciel ouvert me donnait le vertige. L'église sur la droite m'était apparue comme un compromis, un espace intermédiaire où je retrouverais mon souffle, où les sons cesseraient de m'agresser en trouvant une résonance accordée à mon état d'âme. Les paroles de Chénier m'avaient étourdi, mais la fuite ne changerait rien, la nouvelle finirait par faire son chemin jusqu'à l'os.

— Bonjour, ça va?

Il avait un pied sur l'agenouilloir et tenait la tête penchée à la façon d'un merle des Indes. Je sus qu'il était prêtre à sa familiarité avec les choses du lieu, car pour le reste il ne se distinguait pas à l'apparence, velours côtelé et col roulé. Le boîtier d'un récepteur *bell boy* dépassait de sa poche, qui émettrait une tonalité en cas d'urgence; il s'excuserait avant de se précipiter vers le téléphone le plus proche. On l'appelait Maurice, dit-il, à l'exception des paroissiennes âgées qui lui donnaient du *mon Père*, et pour lui c'était du pareil au même.

— Des fois, on a besoin de solitude, dit-il en se redressant comme s'il n'attendait que ma confirmation pour s'éloigner.

— C'est la première fois que j'entre ici, dis-je, je passe devant tous les matins, mais aujourd'hui c'est différent, vous comprenez?

Il hocha la tête, ce qui était conciliant de sa part, car ce que je voulais dire était que mon cœur jusqu'à ce jour heureux s'était affaissé sur lui-même et qu'un gouffre l'avait remplacé dans ma poitrine, comme un de ces trous noirs dont parlent les astronomes. Mon être tout entier était aspiré par le vide et se contractait, sans doute pour offrir moins de prise au malheur. *A partir de maintenant, c'est une course contre la montre*, avait dit Chénier en frappant de la branche de ses lunettes sur le dossier ouvert devant lui. *Vous devez prendre vos décisions dans les tout prochains jours.* Il m'avait parlé sans ménagement. Derrière lui, je voyais par la fenêtre les squelettes noirs des grands arbres du square Victoria et j'avais l'impression que cet hiver faisait déjà partie d'une autre époque de ma vie.

— Je peux vous demander un coup de main? disait la voix de Maurice.

Je refusai, croyant qu'il m'offrait son aide, puis réalisai ma méprise et me levai en acquiesçant avec gêne. Mes pas claquèrent sur les dalles alors que ceux du prêtre ne faisaient devant moi qu'un chuintement feutré.

Nous étions dans la sacristie qui sentait l'encaustique et l'encens froid, devant une longue table murale où s'étalaient divers modèles d'aubes pour premiers communiants — et laquelle à votre avis est la plus appropriée à la fois pour garçons et pour filles? Je palpai le tissu, l'esprit ailleurs, tournant et retournant la phrase qui finirait par parler de cancer et que j'allais devoir dire ce soir à Sandy, tôt ou tard, et ma mémoire repassait en chapelet les nuances et les atténuations dont Chénier avait enrobé son diagnostic. Ne pas oublier de téléphoner à Olivier.

— C'est nous qui fournissons l'habit, dit Maurice, comme ça tous les petits sont pareils. Ça ne pouvait plus continuer, c'était devenu un défilé de mode, surtout pour les filles, on reconnaissait au premier coup d'œil les riches et les pauvres. Vous avez des enfants?

Il cessa de se savonner les mains et les frappa l'une contre l'autre, une seule fois, un applaudissement qui se fige.

— Ça ne va pas? dit-il.

Je m'étais détourné pour écarter de mon front d'invisibles fils. (Je pleurais comme un enfant.) Maurice dit en parlant des aubes que ça pouvait attendre et qu'il faisait beau dehors.

— Vous voulez qu'on marche un peu?

— Je crois que j'ai besoin d'être seul, dis-je.

— Alors on ira chacun de son côté.

Il me serra vigoureusement la main en même temps que l'épaule, moderne et chaleureux, un peu appliqué, un peu boy-scout sur le tard. Mais ses yeux étaient bons.

* * *

Je marchai sur la glace du canal Rideau, le soleil indolent se moquait de ma souffrance, les patineurs me dépassaient en me frôlant, acrobatiques, glissant sans bruit sur le plan d'une autre réalité. J'avais l'intention de suivre la voie gelée jusqu'au pont Prétoria, mais il y avait alentour trop de jeunesse et de rires et je bifurquai vers le premier escalier de bois pour regagner la promenade. Les passants soufflaient une buée blanchâtre dans l'air coupant, je leur en voulais de leur indifférence et de ne pas savoir ce qui m'arrivait, ils s'occupaient de leur petite vie médiocre et certainement la plupart n'étaient que des fonctionnaires qui s'étaient défilés avant l'heure. J'étais le centre d'un monde qui se détournait de moi. *A partir de maintenant, c'est une course contre la montre.* Chénier voulait dire « contre la mort » mais n'avait pas osé, c'était une crapule comme les autres, je les détestais tous! L'air ambiant finirait par se raréfier, si les gens sans importance continuaient de le respirer à tort et à travers.

J'appelai Olivier d'une cabine téléphonique, espérant lui parler longuement et qu'il s'inquiéterait de mon humeur, mais je devinai au son de sa voix que, tout en parlant, il suivait la télévision du coin de l'œil.

— Tu as eu des nouvelles de ta mère?

— Non, pourquoi?

— Elle arrive ce soir, c'est sa fin de semaine. Je me demandais juste si elle avait téléphoné.

— C'est quoi, l'idée? dit-il.

C'était l'expression à la mode dans son école, il la sortait vingt fois par jour, à tout propos. L'idée, c'est d'aller attendre Sandy à la gare et de l'emmener au restaurant, avant de rentrer à la maison.

— Nous avons des choses à discuter, dis-je. Tu peux t'occuper de Florence?

— Quoi? Ah oui, bien sûr! Je suis passé prendre les billets pour samedi soir, ça marche toujours?

— Samedi soir?

Il me rappela que Sandy l'avait invité au Centre national des arts, pour le spectacle d'Anna Prucnal. Je devinai au son de sa voix qu'il se réjouissait de voir sa mère et j'en fus vaguement irrité. Annulerait-elle cette sortie après avoir appris la nouvelle? C'était une question intéressante, à ne pas poser.

— Pour Flo, dis-je, fais-lui un macaroni au fromage, qu'elle ne mange pas n'importe quoi...

— Je sais. Quelqu'un a téléphoné pour toi, un docteur je crois.

— Chénier?

— Non, c'est un Anglais, j'ai pris le numéro. Tu le veux tout de suite?

Comment Olivier prendrait-il la chose? Sous le cuir adolescent, la peau était sensible et le cœur frémissant. Il faudrait trouver le moment propice, un tête-à-tête tard le soir, quand la veille s'étire. La cabine téléphonique était en retrait de la route, près d'une roulotte qui vendait des *hot-dogs* et des frites. Je sortis dans une odeur de graisse chaude qui me souleva le cœur.

Je me rendis à pied au terminus *Voyageurs*. Les congressistes d'un quelconque club Rotary arrivaient par autobus entiers pour leur assemblée annuelle, un comité d'accueil patrouillait dans le hall en brandissant des pancartes et je m'imaginai homme-sandwich, attirant l'attention de cette foule affairée en portant un écriteau qui leur dirait à tous en lettres grasses mon malheur. Sandy agitait la main en riant, à deux pas de moi, l'épaule affaissée sous le poids de son équipement.

— Je ne t'avais pas vue! Ça va? Je t'emmène chez Agostino, Olivier s'occupe de la Souris.

— Agostino? C'est le grand soir, dit Sandy.

— Si on veut, dis-je, la gorge serrée. J'ai à te parler, c'est important.

Au restaurant ce fut la table bancale, derrière la fontaine de stuc, notre table des débuts qu'il fallait chaque fois caler en glissant une pochette d'allumettes sous le pied de fonte. Sandy était heureuse et volubile, stimulée par sa journée à Montréal et très vite par le chianti, Samuel avait dit que le contrat avec les Arabes était pratiquement dans la poche, sa femme avait embouti la Mercedes en sortant du carrossier, mille huit cent dollars tu te rends compte, et un mannequin de l'agence avait piqué une crise de nerfs à cause de cette pédale de Jeremy. Je la regardais boire et manger avec son appétit prodigieux et ses gestes brusques, elle disait trois phrases entre deux bouchées, solidement ancrée dans le présent, new-yorkaise comme c'est pas possible, se léchant le bout des doigts avec cette insouciance de manières qui m'avait toujours secrètement déplu et qui ce soir m'emplissait d'un sentiment proche de l'attendrissement. Il y avait entre nous un fond de complicité, les alluvions de la vie à deux.

— Tu es bien silencieux...

— Je t'écoute.

Je ne l'écoutais pas. Je la regardais respirer et, parce qu'elle était vivante et délibérément un peu écervelée en son bavardage, j'étais incapable de l'interrompre pour lui dire la nouvelle, paralysé par la facilité avec laquelle je pouvais en quelques mots lui briser l'échine. Elle avait vécu trente-huit ans en bons termes avec le destin et le bail expire ce soir sans préavis, *too bad.* Je lui avais pourtant dit que je voulais lui parler et que c'était important, alors qu'est-ce qu'elle attendait pour me poser des questions? Je pensai avec amertume: « C'est bien elle! », et me rendis compte au même instant que je me taisais non pour l'épargner, mais par peur d'éprouver de la satisfaction à lui faire du mal. Je diluai dans le vin mon angoisse et ma honte.

Elle fit prestement main basse sur l'addition, en disant quelque chose à propos de dépenses déductibles et de frais de représentation.

— Il n'y a pas de raison, dis-je, avec l'impression touchante d'avoir été invité par le fisc.

— Laisse, dit-elle, ça me fait plaisir.

J'avais appris à ne pas m'obstiner contre sa redoutable générosité. Elle avait autrefois reporté de trois mois sa demande en divorce pour me laisser le temps de prendre une hypothèque sur notre maison, de façon que je puisse l'aider à financer l'aménagement de son laboratoire à New York.

Je prévoyais de passer une nuit blanche, mais la tête à peine posée sur l'oreiller, je m'endormis sans vergogne.

— *My God, what time is it?* dit Sandy, la bouche sèche.

— Six heures. Écoute, cette fois il faut que je te parle.

J'étais venu la rejoindre au salon, où elle dormait sur le lit de camp qu'on dépliait trois jours par mois à l'occasion de sa visite. La maison était silencieuse, dehors un chien aboyait dans le quartier tranquille à peine blanchi par l'aube. Je dis que j'avais vu Chénier pour le résultat des tests, je croyais que c'était une affaire de routine mais il m'attendait en compagnie d'un collègue et tout de suite je sus que quelque chose ne tournait pas rond. Florence était malade et c'est sérieux, rien à voir avec de l'anémie ou une crise de croissance comme on pensait, c'est comme une sorte de forme de cancer, c'est le cancer... mais dis quelque chose !

C'est ainsi que ça a commencé, il y a un an presque jour pour jour. Je me souviens, j'étais jeune à l'époque.

CHAPITRE 2

C'était le troisième jour de la première hospitalisation et le trajet en voiture faisait déjà partie des habitudes. La neige s'était fait attendre tout l'après-midi et, dans un paysage qui rappelait les scènes d'hiver de Krieghoff, les bâtiments blafards de l'hôpital se dressaient contre un ciel de plomb.

La femme me fit signe d'avancer et qu'elle attendrait avant de monter dans sa voiture, dont elle cherchait la clé dans son sac. Elle m'interpella alors que je m'éloignais, je ne l'avais pas reconnue car elle avait échangé sa blouse de médecin contre une tenue de ville passe-partout. C'était le Dr Davis, une grande bonne femme déterminée, sèche de façons mais pas laide, elle avait le même âge que moi dans un autre univers et je ne savais pas que j'allais gagner à la connaître.

— On fait quelques pas?

— Ça va, dit-elle, mais la radio a prédit de la pluie verglaçante, on ne s'éloigne pas. Mme Lecoultre vous a parlé de notre discussion? Je n'avais pas l'intention de la froisser, mais personnellement, je préfère mettre les choses au point dès le début.

Dans tous les cas de parents séparés ou divorcés, l'hôpital avait adopté la politique de ne traiter qu'avec le conjoint qui avait la garde légale de l'enfant. Au premier abord, la mesure pouvait sembler un peu raide, mais plusieurs expériences malheureuses l'avaient rendue inévitable.

Je tentai de justifier la conduite de Sandy, car j'avais accumulé trop de rancune contre elle pour laisser à d'autres le soin de la critiquer. Elle avait eu tort de s'emporter, dis-je, mais elle croyait sincèrement que Florence aurait été mieux soignée à la clinique de Riverdale, question d'ambiance. L'hôpital ici était si grand, une véritable usine, vous comprenez ses sentiments et après tout c'est sa fille...

Le Dr Davis comprenait mais coupa court. Elle était furieuse. Riverdale voyait passer une demi-douzaine de cas dans les meilleures années, alors que dans le même temps le Memorial en traitait une bonne centaine. L'« usine », comme disait Mme Lecoultre, avait l'équipement le plus perfectionné et toutes les pièces de rechange. On y appliquait des approches thérapeutiques combinées, et on y offrait aussi des services de physiothérapie, de psychothérapie et d'ergothérapie. Elle avait expliqué ça en long et en large à mon ex-femme, c'était pourtant clair.

— Chez nous, c'est le premier cas qu'on voit passer, dis-je, on manque de recul.

Elle grimaça et se radoucit pour dire que le problème lui était familier ; puis, avec un effort de patience d'autant plus méritoire qu'un vent glacé s'était levé et nous soufflait des aiguilles de grésil au visage, elle expliqua que la mère de Florence se sentait subitement incompétente pour prendre soin de sa fille, une rivale s'était interposée, à la science de qui elle devrait dorénavant soumettre son jugement et ses intuitions. L'explication était plausible et je ne jugeai pas utile de la nuancer en mentionnant que, depuis deux ans, Sandy vivait à New York pour mieux exercer sa compétence en matière d'éducation.

— Elle voudrait montrer la petite au professeur Silberberg, à Philadelphie, dis-je avec hésitation. J'aimerais savoir ce que vous en pensez.

En dépit de sa décision de ne pas s'éloigner, nous avions

marché en ligne droite dans la mince couche de neige tôlée qui se brisait sous nos pas, pour atteindre à la limite de la propriété un bâtiment trapu d'où émergeait une gigantesque cheminée en brique rouge, qui crachait une fumée horizontale dans le ciel noir.

— La morgue, dit sèchement le Dr Davis en réponse à ma question.

Pourquoi pas Silberberg en effet, enchaîna-t-elle sans transition, mais c'était beaucoup d'argent pour faire confirmer un diagnostic qui ne faisait pas l'ombre d'un doute. Elle se souvenait d'un magnat frénétique qui avait trimballé son fils sur quatre continents, l'enfant avait été vu par les plus hautes sommités médicales et était mort faute de soins. Je coulai un regard de son côté, elle n'était pas un modèle de tact, mais au moins me parlait comme si j'étais un être de raison, ce que l'orthodontiste d'Olivier ne s'était jamais résolu à faire. Il n'empêche que ma première impression était la bonne: elle s'habillait comme l'as de pique et plus elle parlait, plus la mante de tweed aux boutonnières en cuir se dissociait de sa personne. (Dans son français approximatif et décontracté, Sandy aurait dit de son manteau qu'il était *improbable*.) Indifférente à mon examen, Davis disait que l'étape après Silberberg serait celle des fakirs, du pèlerinage à Lourdes et des cures macro-biotiques.

— Pas question, dis-je vivement. Un ami nous parlait justement d'un guérisseur à Boston, mais Sandy l'a envoyé paître. Non, je ne pense pas qu'elle tombe dans ce panneau, ce n'est pas son genre.

— Tant mieux, dit-elle sans conviction, parce qu'il n'y a pas de temps à perdre.

En l'occurrence, j'avais forgé cet ami bien intentionné pour masquer mon embarras, car j'étais coupable d'avoir amené le guérisseur sur le tapis un soir de découragement. Nous avions tourné le dos à la morgue. Dans le crépuscule, des corbeaux se démenaient contre le vent et un coup de tonnerre éclata derrière les arbres dénudés.

— Un orage, en cette saison ? dis-je. Je ne savais pas que c'était possible.

— Il faut croire que si, dit-elle sans montrer le moindre intérêt pour la météorologie. Votre fils est venu hier après-midi, c'est un garçon qui promet. Il pense que nous devrions dire la vérité à Florence.

— Je sais, mais sa mère n'est pas du même avis. Ils se ressemblent beaucoup.

Elle s'arrêta pour inspecter d'une mine revêche la pointe de ses chaussures et, quand elle releva la tête, je découvris avec un choc que ses yeux aussi étaient improbables : de couleur verte, avec un détestable mélange de perspicacité et de scepticisme.

— Vous ne dites rien de vos pensées, dit-elle, vous parlez surtout de votre ex-femme. Je la connaissais déjà de réputation, on m'a offert un de ses albums pour Noël. Elle a beaucoup de talent.

— Elle a même des qualités, dis-je.

Sandy avait pris trois jours pour encaisser le coup et sortir de sa prostration, puis elle avait sonné le branle-bas de combat et mobilisé le réseau des amies pour une chasse à l'information, un service artisanal de revue de presse et le recensement des meilleurs centres de traitement du cancer au Canada et aux États-Unis. Je connaissais depuis longtemps son esprit d'entreprise, mais je ne soupçonnais pas en elle une telle réserve de combativité et d'obstination.

Elle avait prolongé son séjour à la maison d'une semaine puis, de retour à New York, me téléphonait chaque après-midi au bureau en me demandant de la rappeler sur la ligne directe du gouvernement. Son instinct maternel avait le sens de l'économie.

— Ça ne doit pas être facile pour elle d'être si loin, dit Davis.

— C'est son choix, dis-je, plus sèchement que je ne l'aurais voulu. (Il m'avait semblé entendre dans la remarque une intonation de solidarité.)

— C'est justement parce que c'est son choix que ça doit être difficile, dit-elle.

Elle chercha une nouvelle fois la clé de sa voiture dans un trousseau volumineux, qui laissait supposer un accès privilégié à une multitude de portes, d'armoires et de coffres. Après qu'elle se fut assise au volant, elle baissa la vitre et me sourit pour la première fois.

— Je ne sais toujours pas ce que vous pensez, dit-elle.

La main sur le contact, elle me donnait tout le temps nécessaire pour répondre à brûle-pourpoint. Chénier et Grant avaient décrit le Dr Davis comme l'un des meilleurs spécialistes de la place. En me rendant à l'hôpital pour la première fois je vis que le spécialiste était une femme et j'eus l'impression d'avoir été joué.

— J'aurais donné plus facilement ma confiance à un homme, dis-je avec effort.

Elle souriait encore, mais plus de la même façon. Je voulus me reprendre en lui démontrant que chauvinisme avoué est à moitié pardonné, mais elle m'interrompit en faisant démarrer le moteur, l'air excédé. En remontant la vitre, elle fit une remarque selon laquelle la compétence du médecin se mesurait à sa façon de traiter une migraine, alors que l'état de Florence n'exigeait que les soins d'un bon technicien. Je n'étais pas certain de l'avoir bien comprise, car la moitié de son propos m'avait échappé et je m'interrogeais encore, alors que la voiture tournait déjà le coin de l'allée.

Les lampadaires du parc s'allumèrent dans la nuit tombante et les premières gouttes de pluie éclatèrent sur l'asphalte. J'hésitai à gagner l'hôpital à la course (j'en aurais eu le temps) et décidai plutôt de me réfugier dans la voiture, en me demandant si l'allusion à Florence avait été de la part du Dr Davis une manière de me reprocher de n'avoir pas profité de notre rencontre pour lui parler davantage de sa malade. Je n'eus pas à me tourmenter longtemps à ce sujet, car la tempête se déchaîna, suspendant en moi toute réflexion. Derrière les trombes d'eau glacée qui se déplaçaient en ondulant, le paysage noyé surgissait dans l'illumination de la foudre et, sous les rafales du vent, les branches des arbres craquaient comme du bois mort et s'abattaient sur les voitures avec fracas. L'idée ne m'effleura pas un instant que je courais un danger. J'étais transporté par une joie sauvage, une exaltation qui m'étourdissait : la nature se faisait soudain mon interprète en libérant les forces rebelles qui couvaient en moi depuis des jours et que j'avais été incapable d'exorciser par des cris ou des pleurs.

La tempête s'apaisa, le parc et l'hôpital étaient maintenant plongés dans l'obscurité et je gagnai le bâtiment principal sous les dernières bourrasques, marchant lentement par peur de trébucher, les joues ruisselantes et l'âme à neuf.

* * *

Dans le dernier lit de la chambre commune, Florence dormait tournée contre la paroi. La panne de courant était générale et le seul éclairage venait des veilleuses de secours qui balisaient les murs à un pied du sol, en posant des flaques de lumière jaune sur le linoléum luisant. Je m'assis pour reprendre mon souffle, j'avais gravi cinq étages à pied dans la cage d'escalier en béton de l'aile nord, au milieu d'un fantastique ballet de créatures blanches qui montaient et descendaient les marches en s'interpellant à voix basse, portant des cuvettes émaillées et des instruments qui étincelaient dans les feux croisés des torches électriques. Mais ici, à l'étage des enfants, c'était le grand calme. Pourquoi n'avaient-ils pas été réveillés par le tonnerre ? On les droguait peut-être à l'heure du souper...

— Non, c'est insensé, murmurai-je en frissonnant.

Comme pour me donner raison, une ombre se détacha de la fenêtre et vint se glisser sans bruit dans le lit voisin de celui de Florence.

— Tu as vu l'orage ? dis-je à voix basse en m'approchant

de l'enfant qui devait avoir dans les dix ans et me regardait sans ciller.

Je lui posai la même question en anglais, sans plus de succès et je finis par me taire, dans la certitude croissante qu'il tentait de me dire quelque chose, de me communiquer un message qu'il comprenait à peine lui-même et dont la portée était si grave et si terrifiante qu'il n'avait d'autre recours pour l'exprimer que l'immobilité du corps et la fixité du regard. Je m'éloignai à reculons pour rompre le charme et raisonner ma peur — la peur qui était dans ma prunelle et donnait un relief menaçant aux moindres ombres, ce n'était rien d'autre, n'est-ce pas? que mon imagination.

En sortant de la chambre, j'entendis un craquement singulier, dont la source me parut à la fois proche et lointaine. Ce fut comme si la structure du bâtiment avait subi une distorsion, l'espace d'une seconde.

— Tu as entendu? dis-je en me retournant.

L'étrange garçon sortit de sa léthargie et, sans me quitter des yeux, leva la main, les doigts écartés en deux rayons. Il ne répondit pas plus que la première fois, mais son visage s'était animé et j'eus l'impression qu'il m'invitait à écouter quelque chose avec lui, et à partager son émerveillement. Mais j'eus beau tendre l'oreille, je n'entendis rien d'autre que les bruits feutrés et indistincts de l'hôpital.

Je me promenai silencieusement sur l'étage, ombre dans la pénombre, deux infirmières me croisèrent sans m'accorder un regard, on entrait donc ici comme dans un moulin? Et si un maniaque s'introduisait dans l'hôpital pour quelque expédition sanguinaire? Des visions de carnage me traversèrent l'esprit, la poursuite du meurtrier dément dans les couloirs obscurs, le labyrinthe d'une cave, un coup de feu à l'entrée de la morgue. Je m'ébrouai pour chasser le fantasme et reprendre pied dans le réel — et la réalité était que personne ne voulait assassiner Florence et nous gratifier d'un deuil rapide et sans bavure : elle mourrait à petit feu, comme pour prolonger indéfiniment notre peine.

Par la paroi vitrée je devinais l'intérieur des chambres, les trésors entassés sur le rebord des fenêtres, les ours sempiternels et les lions en peluche qui montaient la garde au chevet de leurs propriétaires inconscients. Je m'imaginai soulevant les draps d'un lit au hasard et découvrant l'abomination, car j'étais déjà venu ici dans le passé de la semaine dernière, tenant le bras raide de Sandy et la main confiante de Florence, nous nous étions assis dans la salle d'accueil face à une balance sur pied surmontée d'un écriteau : REMOVE PROTHESIS BEFORE BEING WEIGHED, et, bien que le temps nécessaire pour le lire m'eût été accordé en abondance, je n'eus pas la prévoyance d'y voir un avertissement de ce qui nous attendait de l'autre côté de la porte.

Deux patients externes partageaient notre attente, plongés dans des bandes dessinées dont il étaient eux-mêmes d'inavouables incarnations, deux anciens combattants d'une guerre d'usure : un vieillard de quinze ans et une petite fille noire dont les dernières mèches étaient tenues par des papillotes bleu ciel, il y avait davantage de ruban sur sa tête lisse que de cheveux — et qu'est-ce que Sandy regardait de si intéressant au plafond ?

J'entrai dans la pénombre d'une vaste pièce aux murs tapissés de dessins d'enfants, qui disaient la souffrance d'espérer. Sur une table, parmi des pots de gouache et des pinceaux, une planchette avec une étiquette au nom de *Max* supportait les restes d'une forteresse en pâte à modeler, qui était tombée sous le pilonnage d'un assaillant sans merci. Plus loin, une poupée était écartelée et des flocons de mousse synthétique sortaient par la fente d'une césarienne sauvage.

— Ah, Docteur, je vous trouve ! Cette panne, quelle affaire ! C'est l'orage, c'est chaque fois la même chose, ils devraient savoir à la fin ! Regardez ça, c'est incroyable...

Un homme de courte taille dont toute la personne respirait l'asepsie m'avait rejoint en gesticulant, le cheveu électrique et les yeux clignotants. Il brandissait un flacon et d'un coup de pouce alluma son briquet pour me permettre d'en mieux voir le contenu. Pour autant que je pouvais en juger, c'était un carré de tissu grisâtre piqué de moisissure, qui me semblait bien inoffensif pour justifier une telle agitation.

— Ça, c'est après trente-six heures d'exposition ! dit le petit homme. Soixante pour cent coton, quarante pour cent polyester ! Mais qu'est-ce que... Vous n'êtes pas le Dr Kardash !

Il avait élevé son briquet à la hauteur de mon visage et, poussant des grognements d'indignation, fit prestement disparaître le flacon dans la poche de sa blouse. Je lui appris que j'étais le père de Florence.

— Un visiteur, il ne manquait plus que ça ! dit-il d'une voix haut perchée. Vous n'avez pas vu la panne ?

Il s'éloigna en secouant la tête et se retourna sur le pas de la porte en me recommandant de ne pas le dénoncer à Kardash, qui le boufferait tout rond s'il savait, vous le connaissez pas !

— Allez-vous-en, dis-je dans un souffle.

Il s'éclipsa et Florence vint me rejoindre, deux pieds nus trottant au bas d'une chemise de nuit, petit fantôme les bras levés, prends-moi !

— Comment tu savais ? dis-je.

Elle savait parce que j'étais venu tantôt la voir dans sa chambre, pourtant elle dormait en me tournant le dos et je ne comprenais plus.

— C'est Max, dit-elle en faisant la grenouille, les jambes croisées derrière mes reins. Il est venu dans mon rêve pour me raconter.

— C'est le garçon qui est dans la même chambre que toi ?

— Il est pas malade, dit Florence avec gravité. Il fait seulement de l'observation. Tu as vu, ils ont fermé toutes les lumières.

Je désignai le fortin en ruine sur la table :

— C'est lui qui a fait ça ?

— Il l'a fait exploser du dedans, expliqua-t-elle. Le docteur Vecchio a dit que c'était chaque fois la même histoire avec lui.

Nous nous sommes parlé pour nous dire les choses les plus profondes avec les mots les plus légers et comme elle n'était pas bien grande, l'imprévu d'une conversation chuchotée, la magie du moment de veille volé à la nuit et l'histoire du petit rat qui monte et qui monte jusqu'au grenier suffisaient à la combler de bonheur. Et comme elle n'était pas bien lourde non plus, elle flottait avec détachement dans les remous de surface, pendant que je me déplaçais avec mes semelles de plomb au creux de la vague. *Olivier pense que nous devrions dire la vérité à Florence*, avait dit le Dr Davis. Qui ça, *nous*?

— Dis, ils vont encore me faire des piqûres?

Elle leur avait pourtant dit d'enfoncer l'aiguille lentement, que ça ferait moins mal, mais c'était toujours la même chose, surtout avec Nurse Eva.

— Elle est méchante, dit Florence. Je ne veux pas aller au neuvième étage, c'est là qu'ils ont emmené Cathy.

Elle parla alors de Cathy, puis de John, de Jane, de Geneviève et de Max qui s'était perdu au pôle Nord avec son père. Je la questionnai au sujet du garçon, le regard qu'il m'avait donné me poursuivait et peut-être un pressentiment nourrissait ma curiosité. Parlait-il français ou anglais ?

— Je sais pas.

— Mais quand tu causes avec lui, c'est comme avec Maman ou comme avec moi?

Florence réfléchit, une double croche entre les sourcils, ce n'était ni l'un ni l'autre parce qu'il ne parlait pas.

— Comment tu sais tout ça s'il ne parle pas?

C'était difficile à expliquer, il lui parlait dans sa tête comme quand on dort.

— Il a un truc pour ne pas sentir les piqûres, dit-elle en jouant avec mon oreille. Si j'avais rien que le cancer, je pourrais rentrer plus vite à la maison?

— Tu vas rentrer bientôt, dis-je en regardant ses cheveux.

Elle me dit de ne pas avoir de peine, se laissa couler par terre et me conduisit par la main jusqu'à l'entrée de sa chambre. On se fit des promesses, Maman viendrait à la fin de la semaine et Olivier peut-être demain à la sortie de ses cours. Le lit de Max était vide.

* * *

Le courant fut rétabli à l'instant où je sortais de l'hôpital et j'eus l'impression qu'une force amie avait réglé cet intermède et accordé à mes sentiments un espace d'ombre et d'intimité. La tempête s'était déplacée et avait laissé derrière elle le parc dans un état de désolation. Le sol était recouvert d'une couche de glace et je faillis me rompre le cou à trois ou quatre reprises en me rendant au terrain de stationnement. Je marchais avec d'autant plus de précaution que mon esprit était resté en arrière de moi, quelque part au cinquième nord — l'étage où se trouvait Florence et que je désignais déjà dans le jargon de l'hôpital. Je me dis que si j'avais gagné le gros lot à la loterie, j'aurais probablement pris des mois avant de réaliser pleinement ma bonne fortune et mon indépendance soudaine des hiérarchies. Le sort m'avait accablé et je m'étais adapté à ma nouvelle condition avec une célérité troublante, c'était le temps de l'insouciance qui me paraissait maintenant lointain et étranger.

Un garde des services de sécurité de l'hôpital s'éloignait à l'instant de ma voiture, il avait été obligé de dégager mon essuie-glace de sa gangue de verglas afin de pouvoir fixer son avis de contravention contre le pare-brise. Je rejoignis l'homme à la course pour lui agiter son papillon sous le nez et il entreprit de me sermonner en un français exécrable. N'avais-je pas vu l'écriteau ? L'espace était réservé aux soins d'urgence, quinze minutes seulement et il regrettait, mais ce n'était pas lui qui faisait les règlements. Je fus aussitôt dominé par une colère démesurée et déchirai la contravention pour lui en jeter les morceaux à la face.

— ... le regretterez, dit le garde en reculant d'un pas.

Je l'insultai copieusement, encore que la fluidité de ma diction laissât à désirer (je bégayais de rage), et je fus près de lui sauter à la gorge. Je démarrai avec l'intention de faire crier les pneus et manquai d'emboutir deux voitures dans un dérapage spectaculaire. Sur la patinoire du retour, je méditai divers plans de vengeance et écrivis en pensée une lettre ouverte aux journaux pour dénoncer la conduite du microcéphale qui m'avait épinglé. En même temps que je ruminais ma colère, j'en étais le spectateur, pas dupe un instant de son théâtre et connaissant trop bien sa véritable origine.

* * *

Olivier était vautré sur le canapé du salon, les yeux clos, la tête encerclée du casque d'écoute de la chaîne stéréo, la conscience entre parenthèses. Une enveloppe décachetée de l'agence de Samuel traînait par terre, et les agrandissements des photographies que Sandy avait prises dans le courant de la semaine dernière étaient étalés sur la table basse. Je m'agenouillai pour les passer en revue, c'étaient les mille visages de Flo, de face, de profil, polarisée, à contre-jour, souriante, grave, espiègle, rêveuse, vivante, vivant encore.

Un chagrin venu de nulle part et sans rapport avec elle s'ajouta à ma tristesse. Les portraits qui défilaient sous mes yeux me renvoyaient à Sandy comme si, en les examinant, j'étais subitement contraint de voir ma fille par le regard de sa mère, de la découvrir à travers la sensibilité d'une femme que je n'aimais plus. Je lui tenais rigueur d'avoir ainsi mis sa détresse au service de son talent. A l'instant même, je fus traversé par l'intuition puissante que mon ressentiment contre Sandy m'empêchait de saisir certains ressorts vitaux de son comportement. L'amour se serait volontiers accommodé de l'inexplicable, cependant que ma rancœur ne pouvait qu'en être inquiétée.

— Elles sont pas mal réussies ! cria Olivier dans le silence de la maison.

Il avait ouvert les yeux et désignait l'éventail des photographies sur la table. La musique emprisonnée dans ses écouteurs l'assourdissait et, sans s'en rendre compte, il me parlait comme si je m'étais trouvé à une grande distance de lui.

— Tu pourrais dire bonsoir.

— Quoi ? dit-il en se décidant enfin à ôter son casque.

— Je me fais une omelette, dis-je. As-tu faim ?

— Tu parles ! dit-il. Et toi, ça va ?

Plus tard dans la soirée, il vint me trouver dans la mansarde où je m'étais aménagé un coin de retraite. Il tenait sous son bras une boîte allongée qu'il tentait gauchement de dissimuler, car il était venu pour m'en montrer le contenu.

— Qu'est-ce que tu as là ?

— C'est rien, dit-il en me tendant distraitement la boîte.

Il avait flambé ses économies pour acheter un xylophone. Mon premier mouvement fut de lui dire : « Si tu crois que tu vas t'en tirer si facilement ! », mais je choisis de me taire et, avec le petit marteau de bois, égrenai quelques notes sur le jouet.

A l'époque du départ de Sandy, Florence avait à peine quatre ans et Olivier un peu plus de quatorze. Je m'étais mis en tête de trouver une gouvernante *de qualité* pour tenir la maison à flot et, durant six mois, une dizaine de créatures à l'abri du génie se succédèrent chez nous, dans une débauche d'idiosyncrasies domestiques. En fin de compte, Olivier, qui tenait de sa mère le sens des affaires, me proposa d'arranger son horaire en fonction de celui de Florence, moyennant une augmentation substantielle de son argent de poche. A ma surprise, il prit son rôle au sérieux et montra pour l'éducation de sa sœur plus de rigueur et d'exigence que je n'en avais jamais témoigné pour la sienne. Une relation nouvelle, faite de complicité et de dépendance, s'était établie entre eux et, bien que la vie familiale se déroulât maintenant sans anicroche, je me demandais parfois si Olivier n'assumait pas des responsabilités excessives pour son âge, et si les compliments des amis de la famille sur sa maturité précoce ne contribuaient pas à l'emprisonner dans une image de lui qui ne laissait guère de place aux frasques et à la révolte. Connaissant son attachement pour sa sœur, je m'étais beaucoup inquiété de sa réaction à l'annonce de sa maladie. Or il me prit complètement au dépourvu en ne manifestant sur le coup qu'une émotion de circonstance, et en se montrant par la suite distant et presque hostile à l'égard de Florence. Je tentai à quelques reprises de discuter avec lui de son comportement, qui me restait inexplicable, mais me heurtai chaque fois à une barrière de faux-fuyants.

La veille, je lui avais demandé de porter au Memorial un plein sac de bagatelles de première nécessité réclamées par Florence, et il s'était acquitté de sa tâche en les déposant au bureau du Dr Davis, sans prendre le temps de passer dire bonjour à sa sœur, qui l'avait attendu en vain tout l'après-midi. En apprenant la chose, j'étais entré dans une colère noire et, alors qu'il me répondait avec insolence, je l'avais frappé au visage, pour la première fois. Il s'était réfugié dans sa chambre en brisant au passage une lampe de table. L'achat du xylophone représentait sans doute de sa part une tentative de réconciliation.

— Tu as bien choisi, dis-je, incapable à cet instant de lui faire observer qu'il était passé à côté du problème.

— C'est trop con, dit-il en évitant mon regard.

Il hésita à ajouter quelque chose et, me reprenant le jouet des mains, sortit en traînant les pieds.

J'aurais voulu qu'il reste pour me rassurer, qu'il me prête sa mémoire un instant pour me dire ce qu'il voyait sur le panneau de l'ascenseur à l'hôpital. Dans mon souvenir, il n'y avait pas de neuvième étage au Memorial, et ce que Florence avait dit d'une certaine Cathy me remplissait à présent de terreur.

CHAPITRE 3

La température était singulièrement douce pour un début de février, les équipements de sports d'hiver se liquidaient à moitié prix dans les grands magasins et l'homme rond sur son siège avait un nom aussi impossible à retenir que difficile à oublier, Kenneth Hnatzynshyn. Après avoir été pour trois semaines une signature au bas d'une lettre personnelle et confidentielle adressée à l'honorable John Butler, il prenait forme ce matin comme un bonhomme Michelin gonflé d'air frais et ses lunettes, ses yeux, sa bouche, son crâne, sa silhouette, tout en lui était rond. Stella m'avait dit à la réunion de neuf heures de me méfier, la rumeur courait que c'était un génie en son genre. Il réussit en tout cas à me prendre de court en m'assurant qu'il se rendait compte à quel point l'agenda du ministre était surchargé.

— Que puis-je faire pour vous?

— Vous pouvez *inquiéter* le ministre et je ne parle pas pour moi, dit-il avec assurance et en articulant soigneusement, ce qui n'était pas un luxe, car une autre de ses rondeurs était un grasseyement abominable. Je parle de façon anonyme et, dans l'immédiat, je ne peux rien prouver. Qu'est-ce que vous voyez dans mon dos?

Il se leva et fit lentement demi-tour pour me donner le

loisir d'inspecter la face cachée de sa personne, puis se rassit avec une égale componction.

— Des couteaux ont été plantés dans mon dos et je saigne encore, dit-il. Cela je l'oublie, la vie est trop courte pour s'abandonner à l'amertume. Vous, vous avez l'oreille du ministre, alors j'en profite. Voilà !

Un cinglé pontifiant, c'était bien ma journée et je me connaissais, il aurait sa demi-heure avant que je trouve l'énergie nécessaire pour le mettre à la porte — et d'ailleurs, quiconque reconnaissait que la vie était courte méritait une chance. Il m'expliqua posément que les premiers suspects avaient été les rayons cosmiques, mais qu'un écran de cent livres de plomb n'avait pas réglé le problème et tenez-vous bien, la clé du mystère était dans l'enrobage de la plaquette de silicium, car les atomes de thorium et d'uranium présents dans les couches géologiques d'où provenaient les argiles servant à la fabrication des céramiques étaient radioactifs, et voilà pourquoi les ordinateurs à mémoires dynamiques avaient le hoquet.

— Le hoquet, dis-je en me maîtrisant.

Il hocha la tête avec une satisfaction grave et, l'index levé, dessina dans l'air le trajet d'une particule alpha dans le silicium, coup de frein sur une vingtaine de microns, donc dégagement d'énergie, un million de paires de porteurs de charge électrique dans les trous du semi-conducteur, vous me suivez et bref, les trous annulent les électrons du transistor-condensateur, le un se transforme en zéro et la fusée pour Moscou explose à Paris.

— Les ordinateurs font des erreurs, dis-je. (Mon visiteur n'était pas aussi ennuyeux que je l'avais espéré.)

— Par défaut, monsieur, et voici la vérité : ils ont des trous de mémoire, un bit ici, un autre là, mais ça c'est de l'histoire ancienne. Est-ce que je viendrais vous importuner pour de la bricole ?

— Vous craignez que les ordinateurs ne finissent par remplacer l'homme...

Je tendais cette perche pour gagner du temps, car ce

n'était pas le premier énergumène à solliciter une entrevue avec le ministre pour le prévenir contre les machinations des robots. Derrière les verres épais de ses lunettes rondes, Hnatzynshyn levait vers moi un regard attristé, ça faisait longtemps que la machine s'était substituée à l'homme, d'abord le bras, maintenant le cerveau et qui aime faire des additions toute sa vie ? Il se leva sans hâte et je l'imitai, pris au dépourvu et pensant qu'il était sur le point de partir.

— Regardez-moi bien, dit-il, vous avez devant vous quelqu'un qui a beaucoup réfléchi. Je dis que l'homme n'a rien à craindre des ordinateurs. Mais la réciproque, monsieur, avez-vous pensé à la réciproque ?

— Non, dis-je, quelle réciproque ?

Sa peur était que le robot soit atteint des maladies de l'homme. Avais-je déjà considéré le problème de l'encombrement ? Tout le monde savait que la solution était dans les mémoires semi-biologiques, les gens du M.I.T. travaillaient là-dessus depuis trois ans et on était à deux pas de l'intelligence artificielle, monsieur, mais ce n'est pas de ça que je suis venu vous parler. J'acquiesçai, un peu étourdi par les dérapages de la conversation et ne sachant s'il fallait m'asseoir ou rester planté face à lui, les bras ballants. Mais Hnatzynshyn ne semblait nullement troublé par le tour de notre entretien. Il avait pris le risque de sauter par-dessus trois têtes pour parler au ministre, disait-il, parce que le réseau téléphonique du grand Manhattan avait eu le mois dernier un comportement erratique pendant quarante-huit heures, pas moyen de savoir pourquoi et, subitement, tout était rentré dans l'ordre.

— Une panne ? dis-je avec un faible soupir.

— Une panne, c'est trois fois rien, répondit-il en sortant son mouchoir pour s'éponger le front, les ordinateurs malades, on connaît ça ! Mais une panne sans explication, monsieur, une panne qui se répare toute seule, ça c'est effrayant !

Il finit par s'en aller en emportant ma parole que l'honorable Butler serait informé de sa démarche, il ne savait pas comment assez mille fois me remercier, disait-il en jouant avec les boutons de son gilet et je fermai vivement la porte de crainte qu'il ne se dépoitraille devant les secrétaires pour me montrer son cœur débordant de gratitude.

Son départ laissa un creux dans le matin maussade. A la pause café, Stella me demanda s'il était venu se plaindre pour l'affaire des Arabes et j'appris à cette occasion qu'un des couteaux plantés dans son dos avait rapport à un contrat de 43 millions de dollars récemment signé entre le ministère des Postes & Télécommunications et l'Arabie Saoudite, pour la vente et l'installation à Riyad d'un système intégré de télématique. Je ne m'étais pas occupé personnellement de ce dossier, mais je savais que nos conseillers juridiques s'inquiétaient d'une certaine clause, ajoutée au contrat à la demande formelle des Saoudiens, afin de leur permettre de se désister si la technologie canadienne se révélait incompatible avec les préceptes religieux de l'Islam. Les mauvais esprits du ministère murmuraient que ce paragraphe renvoyait implicitement à une entente secrète ratifiée par l'honorable Butler, selon laquelle la totalité des experts canadiens affectés à ce projet seraient des non-Juifs. Bien entendu, le ministre avait opposé un démenti catégorique et indigné à ces rumeurs « dénuées de tout fondement » — ce qui n'avait pas empêché le directeur du personnel, M. Bisaillon, de faire quelques jours plus tard une intervention discrète en haut lieu pour 1) signaler que la présence de Kenneth Hnatzynshyn à la tête de la section de la télématique soulevait des problèmes diplomatiques délicats et 2) proposer en conséquence sa mutation au centre de contrôle de la gestion du spectre.

Le plus beau de l'affaire, selon Stella, était que le malheureux Hnatzynshyn n'avait pas la moindre ascendance juive et s'était refusé à le faire savoir dans son appel de la décision de transfert, sous prétexte qu'une telle rectification aurait constitué une atteinte à sa dignité. « J'ai beau être catholique pratiquant, avait-il déclaré à des intimes, personne ne me fera dire que je ne suis pas juif.» Stella en rajoutait peut-être, mais je n'avais pas de peine à imaginer le personnage, en sa solennité grasseyante, faisant cette singulière déclaration de foi.

* * *

J'avais été détaché au cabinet de l'honorable Butler par l'administration du ministère, au titre hyperbolique de Premier conseiller. Mes pairs m'avaient félicité à l'époque pour ce qu'ils jugeaient être une promotion, mais la réalité bureaucratique était que ni mon grade ni mon salaire n'avaient été modifiés par mon passage du dix-septième étage au vingtième. Faute d'avoir été promu dans la hiérarchie, on m'avait élevé dans le bâtiment. J'étais en réalité le francophone de service et ma compétence en matière de communications se révéla vite être un handicap dans l'accomplissement de mes fonctions, car on attendait de moi que j'exprime en un français châtié des politiques ministérielles dont la sottise me sautait aux yeux, ou que je supervise la syntaxe et le style des réponses que le ministre donnait à la Chambre des Communes et qui étaient autant de faux-fuyants aux questions pertinentes soulevées par l'Opposition.

Je n'avais jamais rencontré John Butler en personne avant d'être nommé à son cabinet, mais je le connaissais de réputation. C'était un politicien de la vieille école, bien introduit dans les cercles fermés de la capitale, qui passait pour un intellectuel libéral et dont l'influence considérable au sein du Cabinet était attribuée en grande partie à son amitié de longue date avec le Premier ministre. Au demeurant, c'était un parlementaire redoutable, qui excellait dans cet art que l'Anglo-Saxon ne pratique généralement bien qu'en public, celui d'exercer son humour à ses dépens. C'est ainsi que je l'avais entendu déclarer dans une entrevue à la télévision: « Plus les gens me connaissent et plus ils admirent ma femme. » J'avais de fait rencontré Mme Elizabeth Butler à quelques reprises à l'occasion de mondanités et, bien qu'elle ne donnât pas prise à l'admiration même la plus complaisante, elle témoignait cependant à son insu de l'utilité de prendre au pied de la lettre les mots d'esprit de son mari.

Pour qui connaissait à l'époque le gratin d'Ottawa, la médiocrité chez un politicien fédéral ne pouvait être tenue pour un signe distinctif. La réputation de John Butler m'avait cependant laissé croire que, sur le plan intellectuel pour le moins, il pouvait prétendre au trône du borgne dans un royaume d'aveugles. Or je m'aperçus bientôt que l'exercice de son génie se confinait à l'entretien de son mythe. Butler passait en effet le plus clair de son temps à cultiver les apparences et réussissait à faire illusion grâce à son talent consommé pour la casuistique. Je participais régulièrement à ses réunions de travail avec les hauts fonctionnaires du ministère et j'avais observé avec quelle habileté il leur faisait perdre pied dans la discussion, en retournant contre eux leur argumentation et en réussissant, par des astuces pseudo-dialectiques, à leur faire dire le contraire de ce qu'ils pensaient. Ce jeu de massacre me divertissait d'autant moins qu'à plusieurs reprises je m'étais fait moi-même clouer le bec, alors que j'avais en main toutes les preuves pour faire valoir le bien-fondé de ma position. Mon humiliation s'apaisa lorsque je découvris que ce formidable bretteur était mentalement infirme. Au cours d'une réunion du Cabinet, il avait réussi selon son habitude à confondre quelques-uns de ses collègues, et le Premier ministre s'était interposé pour lui demander de rédiger pour la semaine suivante un court document expliquant son point de vue. Il y travailla deux nuits d'arrache-pied et me donna une mouture d'une vingtaine de pages, en me demandant de la mettre en forme. C'était un incroyable salmigondis de sophismes grossiers, de raisonnements fallacieux et d'arguments d'autorité, qui tous m'étaient familiers, car je les avais entendus cent fois dans sa bouche, où ils avaient une force de persuasion, un sens commun et une logique irréfutable — toutes qualités dont il ne restait trace sur la surface impitoyable du papier.

Je le vis brièvement ce jour-là avant son entrée en Chambre pour la période de questions et lui rapportai de mon mieux ma conversation avec M. Hnatzynshyn. Il claqua de la langue avec réprobation en regardant par la fenêtre, pourquoi ne l'avais-je pas mis au courant pour... tttut ! (il consulta furtivement son bloc-notes) pour Florence, mon pauvre ami — tttut ! — quelle épreuve, je suis de tout cœur avec vous et on dit que les Conservateurs vont me cuisiner sur les stations terrestres du Grand Nord, des camps de bûcherons qui piratent les signaux des satellites américains, il ne manquait plus que ça.

Cette discussion anodine me laissa dans un état d'esprit singulier. J'y repensai en me rendant à l'hôpital, cherchant l'élément nouveau qui s'ajoutait à ce malaise que me causaient habituellement les attentions de Butler. Celui-ci me réservait en effet un traitement ambigu, n'accordant pour ainsi dire aucun crédit à mes recommandations sur les grandes politiques de son ministère, mais s'obstinant en même temps à me faire d'interminables confidences sur les problèmes que lui causait son administration, ou sur son incapacité à trouver le moindre intérêt aux questions de haute technologie. Je n'avais pas d'objection à aller ainsi traîner l'oreille dans le bureau du patron, si mon écoute passive pouvait lui être de quelque réconfort, mais je ne savais trop comment réagir lorsque des tiers me rapportaient tout le bien qu'il disait de moi derrière mon dos, et sa considération pour ma sagacité et la clarté de mon jugement. J'éprouvais comme un embarras métaphysique à concilier la piètre opinion que j'avais de son intelligence et l'admiration qu'il exprimait à mon endroit.

Mais ce fut son allusion à Florence qui, ce jour-là, ajouta à ma perplexité. Sans les discerner encore, je devinai l'existence de liens mystérieux entre le ministère que je venais de quitter et l'hôpital où je me rendais — et tout ce que je savais de l'honorable Butler me semblait entretenir soudain une parenté troublante avec la maladie terrifiante qui se développait dans l'organisme de mon enfant.

* * *

La masse blanche du Memorial émergeait dans la vallée comme la partie visible d'un sinistre iceberg et, alors que je gagnais à pied le hall d'entrée, mon imagination m'entraîna dans des étages souterrains interdits au public ; on y dépeçait des cadavres d'enfants dans d'immenses laboratoires aux projecteurs aveuglants, on y étudiait les effets des grands froids sur des vieillards enfermés dans des cages de verre, mais qu'est-ce qui m'arrivait ? J'entrai dans l'ascenseur en compagnie de trois auxiliaires à la peau noire, qui retenaient mal un fou rire inexpliqué, en se masquant la bouche du bout des doigts.

Florence n'était pas dans sa chambre. En suivant le corridor, je vis par la paroi vitrée que Max occupait à présent une petite pièce à part, encombrée de divers appareils scientifiques dont l'usage m'échappait et auxquels il n'était relié d'aucune façon visible, ce qui m'intrigua. Une sorte d'aquarium rectangulaire aux vitres aveuglées par du papier d'emballage était posé sur le rebord de la fenêtre et une jeune femme, le dos tourné à l'enfant, en observait le contenu, les bras frileusement croisés sur sa poitrine.

A cet instant, j'entendis un craquement semblable à celui qui m'avait intrigué l'autre soir, et tentai à nouveau d'en déterminer la cause, mais sans succès. Le bruit ne manquait pourtant pas d'amplitude et je m'étonnai de ne voir personne autour de moi s'en inquiéter ou y réagir de quelque façon, à l'exception peut-être de cette infirmière qui secouait son doigt dans le creux de son oreille.

— Qu'est-ce que c'est? lui demandai-je alors qu'elle passait devant moi. La maison s'écroule?

Elle s'arrêta pile et son visage couvert de taches de rousseur s'éclaira d'une surprise joyeuse.

— Alors vous l'avez aussi entendu? s'écria-t-elle. Je ne suis pas folle! Je n'ose plus en parler, les autres m'appellent Jeanne d'Arc et me conseillent d'aller voir le Dr Vecchio! Mais je vais leur dire!

Elle partit à la course en gloussant, les mains voltigeantes.

Un groupe d'enfants jouait plus loin dans la vaste salle où j'avais rencontré le petit homme électrisé qui m'avait pris pour un autre. Une collection de poupées singulières était disposée sur une étagère, certaines costumées en infirmières, d'autres en médecins, stéthoscopes miniatures autour du cou.

Je n'avais pas encore rencontré le Dr Vecchio, un psychiatre que Sandy tenait en grande estime pour lui avoir parlé au téléphone de New York sans avoir eu l'impression d'abuser de son temps. Il était assisté d'un quinquagénaire chauve qui suivait les jeux des enfants avec un regard pénétrant de clown démaquillé et qui faisait tache dans le décorum hospitalier avec sa veste de laine tricotée aux couleurs passées, dont les poches tombantes étaient gonflées de trésors. Florence, assise par terre au milieu d'autres enfants, lardait une poupée-infirmière avec une seringue véritable, elle va se blesser, mais qu'est-ce qui lui prend? L'expression de son visage était méconnaissable, cette bouche au pli méchant et ces yeux luisants de rage, ce n'était pas ma fille! Elle m'aperçut derrière la vitre et se métamorphosa, une fossette creusée à chaque extrémité du sourire et je m'étais fait des peurs pour une grimace. A sa droite, une fillette blond cendré s'exerçait à ouvrir et refermer les pinces qui terminaient ses bras.

J'entrai et soulevai la Souris de terre pour la serrer contre moi, avant d'aller donner la main au Dr Vecchio, je ne veux rien interrompre et je peux revenir plus tard, mon ex-femme vous a téléphoné l'autre jour. Il me sourit largement dans sa barbe soignée, il était stagiaire et se nommait Pépin, et voici justement le docteur.

— Daniel ne m'a pas reconnu, interpréta le psychiatre à son intention.

J'acquiesçai en silence, ne sachant s'il croyait réellement que nous nous étions déjà rencontrés ou s'il avait deviné que son accoutrement bohème m'avait induit en erreur. Qu'il m'appelât par mon prénom n'était pas bon signe dans un cas comme dans l'autre, je perdais la mémoire ou il se payait ma tête.

— Tu me prêtes ton papa? dit-il à Florence. Nous voulons parler de toi.

— Tu vas lui dire pour le xylophone?

Il fit signe que c'était bien son intention et me précéda dans une pièce adjacente; l'arrière de son crâne était allongé par une épaisse couronne de cheveux blancs frisés qui ajoutaient à son non-conformisme — mais c'était peut-être un test pour analyser les réactions des gens. J'étais sur la défensive et l'entrevue qui suivit ne fit rien pour améliorer mon humeur, car sa façon d'écouter donnait l'impression qu'il entendait des choses intelligentes, et j'avais beau me cuirasser de cynisme, sa manière de ne pas être d'accord inspirait confiance. Au reste, c'était la coqueluche des enfants de l'hôpital et le contenu de ses poches évasées tenait du bazar persan et de la cache d'un kleptomane.

J'achevai ma tirade avec difficulté, la récitation du malheur et les mêmes questions encore et encore, comme si j'ignorais ce que je ne voulais pas comprendre — et pas moyen de soutirer aux médecins traitants une indication ferme: « Docteur, dites-moi trente pour cent, dites-moi qu'elle n'en a que pour six mois, si c'est ça que vous pensez...» J'en avais plein les oreilles de leurs échappatoires, de les entendre répondre qu'il était trop tôt pour se prononcer, que l'évolution du mal différait selon les organismes, que le temps jouait en notre faveur. Connaissaient-ils seulement la torture de l'attente, quand, à force de faire des hauts et des bas, l'espoir finissait par vous donner la nausée?

— Demandez-lui une onzième fois, dit-il en faisant allusion au Dr Davis. Vous avez le droit d'être sourd.

— Celle-là, c'est pas la patience qui l'étouffe, dis-je, surpris de voir que les mots outrepassaient mon ressentiment.

La patience demandait du temps et sa collègue était prise dans une course contre la montre, expliqua-t-il avec cette placidité et cette expression lunaire qui semblaient être sa marque. L'important était qu'elle fût avec nous dans le camp de la petite.

— Avez-vous dit à Florence que vous étiez de son côté? Je sais, je sais, mais elle doit vous l'entendre *dire*... Je suis avec toi... on est dans le même camp! Regardez ça.

Je patientai et vis surgir de ses poches un sifflet, un lacet de soulier, une photographie (« Mais où est-ce que je l'ai mis ? », et finalement un pliage de papier, on y enfilait pouces et index, une petite gueule qui s'ouvre et se ferme, dites un chiffre, un deux trois quatre cinq, c'est bleu! Il défit les plis du papier, ses doigts boudinés s'activaient avec une impatience enfantine, la contagion du merveilleux. Le bleu, c'était le paradis et un dessin cruel couvrait l'envers de la feuille de papier.

— Le sens de la justice, disait Vecchio. La maladie est une punition, je souffre parce que j'ai été méchant.

— Vous voulez dire que Florence...

Il voulait dire tous les enfants et Florence avec, mais si tu prends leur parti la punition était contre toi aussi, contre la famille, contre le cinquième nord: le cancer devenait l'ennemi commun.

— On en voit ici de toutes les couleurs, me confia-t-il soudain sur un autre ton, mais il n'y a rien qui me décourage plus que de voir un petit qui cherche à faire la paix avec son mal...

Il soupira et s'apprêtait à ajouter quelque chose, mais

ce qu'il vit apparemment sur mon visage le fit changer d'avis et il se renversa sur son siège, ajoutant de l'espace entre nous. Un long voyage m'attendait encore, dit-il, mais la partie la plus difficile était derrière moi. Comme j'avais de la peine à suivre, il m'expliqua d'un air intéressé que beaucoup de parents réagissaient plus mal au diagnostic de la maladie qu'à la mort de leur enfant, si celle-ci survenait en fin de compte. Le seul mot « cancer » véhiculait une telle charge émotive de désespoir et d'horreur qu'il fallait souvent attendre des semaines après l'avoir prononcé, avant de convaincre ceux qui l'avaient entendu que la réalité était plus nuancée que leur panique. D'après son expérience, il était plus facile de prévenir des parents que leur enfant avait un souffle au cœur nécessitant une opération extrêmement risquée, que de leur annoncer un cancer dont le pronostic était plutôt favorable.

Vecchio avait beau parler de la moyenne des gens et de la généralité des cas, je reconnaissais à tout instant la description de mon comportement dans sa désolante banalité. J'avais cru que mon malheur était unique et on me démontrait que ma façon d'y réagir était aussi prévisible que la course d'un rat dans un labyrinthe.

— Je suppose qu'il n'est pas nécessaire de vous demander votre opinion, je veux dire pour dire la vérité à Florence... Sa mère vous a expliqué, je crois.

— Florence se pose la même question, répondit-il. Elle a peur de vous faire de la peine en vous annonçant qu'elle va probablement mourir.

Je finirai par prendre en grippe cet Auguste compatissant, qui paraissait tirer une satisfaction sans borne de l'exercice de sa profession, des signes de connivence que lui envoyaient les enfants derrière la porte vitrée et des découvertes que ses mains remuantes faisaient secrètement dans ses poches. Florence connaissait donc sa maladie, mais comme nous n'avions pas eu le courage de lui en parler ouvertement, elle s'imaginait qu'elle était plus gravement atteinte que ses compagnons de jeux, plus obscurément menacée que la petite Judith aux pinces d'acier. *Si j'avais rien que le cancer, je pourrais rentrer plus vite à la maison?* m'avait-elle demandé la veille, et je l'avais si peu comprise que je m'en souvenais encore.

— Ne vous excusez pas, ça soulage, dit Vecchio en me tendant un mouchoir de papier surgi de nulle part, c'est la vieille histoire de la bouteille à moitié vide ou à moitié pleine.

— Quelle bouteille? dis-je misérablement.

— C'est une question d'optique, mais qui a son importance. Vous avez quel âge, Daniel, trente-neuf, quarante ? Vous êtes à mi-chemin, vous pensez que la petite se bat contre la mort et c'est décourageant. Mais elle a six ans et elle se bat pour vivre.

Il avait raison sur le fond, mais sur la forme on pouvait ergoter, la seconde moitié du chemin me serait la plus longue. Personne ne me l'avait dit, mais je le savais d'instinct: les années devaient être interminables pour l'homme qui survit à son enfant.

— Êtes-vous certain que Florence réalise la gravité de son état? demandai-je, hésitant encore à admettre mon aveuglement.

— Oui, elle est venue m'en parler. D'ailleurs, elle vous l'a certainement dit, à vous aussi.

— Mais non! Qu'est-ce qui vous le fait croire?

— Vous ne l'avez pas écoutée... J'en laisse passer moi-même tous les jours, et pourtant c'est mon métier d'écouter les enfants. *Ils savent*, et nous sommes presque sourds.

Il ouvrit un tiroir de son bureau, plein à craquer d'un bric-à-brac indescriptible, et dénicha du premier coup une petite enveloppe brune, qui portait pour toute mention le nom de *Sieber*, et contenait deux carrés de papier, de la taille d'un grand timbre-poste chacun. L'un deux montrait le dessin d'un visage au sourire stylisé et l'autre, qui semblait avoir été découpé dans une serviette de table, un visage aux traits tombants.

— *Jean-qui-rit* et *Max-qui-pleure*, dit le psychiatre. C'est un jeu qui a été inventé par un de nos enfants. Vous allez voir !

Il trempa son doigt dans une carafe qui faisait office de vase à trois œillets rouges, puis le laissa égoutter sur son bureau, sans égard pour la patine du bois. Tenant ensuite chaque effigie par un coin, il les approcha lentement de la petite flaque d'eau et, comme il fallait s'y attendre, le bout de papier glacé resta imperméable, pendant que l'autre absorbait le liquide à la façon d'un buvard.

— *Max-qui-pleure* s'est rempli de larmes, dit-il.

— C'est une image très poétique, dis-je, un peu déconcerté par le tour que prenait notre entretien.

— Ma foi oui ! dit-il comme s'il n'avait jamais pensé à considérer la chose sous cet angle. C'est aussi une clé pour nous aider à comprendre le problème de cet enfant. Malheureusement, nous n'avons pas encore trouvé la façon de nous en servir.

J'objectai que ce petit jeu des papiers n'avait peut-être aucune signification particulière, mais il secoua la tête avec un curieux mélange de fermeté et de mansuétude, et déclara qu'il ne croyait pas au hasard.

— La plupart des gens pensent que les choses qui leur arrivent sont fortuites, poursuivit-il. Ils ne voient pas les complicités entre les événements auxquels ils sont mêlés, les rencontres qu'ils font, leurs rêves... Mon point de vue est différent. Il arrive sans doute que des rencontres soient vraiment accidentelles, mais rien ne me fait plus peur. C'est comme si le destin perdait la tête !

L'anniversaire de Florence tombait le même jour que la fête de l'Épiphanie. Mais étais-je au courant que parmi les quinze enfants hospitalisés au cinquième nord, quatre autres étaient nés un six janvier ? Et quatre autres encore sous l'ascendance du Capricorne ?

— C'est une coïncidence extraordinaire ! dis-je.

Il me sourit avec une gentillesse un peu absente et murmura : « Ah oui, une coïncidence ! ». Puis il me demanda si je consentais à participer de bonne foi à une expérience.

— Pourquoi pas? dis-je en pensant que cette conversation m'obligerait au moins à reconsidérer mon image des psychiatres.

— Posez-vous à haute voix une question personnelle, dont la réponse vous importe, dit-il.

Je réfléchis un instant, écartant d'emblée les premières interrogations qui me venaient à l'esprit et qui concernaient l'état de Florence. Je me décidai finalement à demander quelque chose qui correspondait à une inquiétude réelle et lancinante.

— Ai-je fait tout ce qu'il est humainement possible de faire? dis-je.

Il me désigna les rayons de la bibliothèque qui occupait une paroi entière de la pièce, me pria de choisir un livre au hasard et de l'ouvrir à n'importe quelle page. Je lui remis un ouvrage intitulé *le Réveil des dieux* et, après avoir de nouveau fouillé dans ses poches en levant les yeux au plafond, il chaussa une paire de lunettes ovales cerclées de métal, et parcourut le texte du regard.

— Voici qui pourrait vous intéresser, dit-il avec une assurance tranquille. *Je n'échangerai pas, moi, sache-le bien, mon malheur contre ton esclavage. Je me trouve mieux d'être asservi à ce rocher que d'être le fidèle messager de Zeus. C'est ainsi qu'aux outrages, il faut riposter par des outrages.* Alors, Daniel, ça vous dit quelque chose?

J'étais pris au dépourvu, car j'attendais un quelconque jeu de société, et une réponse aussi insignifiante qu'une prédiction d'horoscope. Or les lignes qui venaient de m'être lues plongeaient aux racines de la question que j'avais posée, et correspondaient à des préoccupations plus secrètes, qu'elles me révélaient en quelque sorte à moi-même. J'aurais été incapable de formuler au Dr Vecchio les raisons exactes pour lesquelles ce texte en apparence insignifiant me bouleversait — et d'ailleurs il ne semblait pas anxieux d'entendre mes explications, et se contentait d'observer ma surprise avec une bienveillance vaguement ironique. Je le quittai en me promettant d'être davantage sur mes gardes à notre prochaine entrevue, car j'avais découvert au cours de celle-ci que c'était un homme à qui on pouvait faire confiance.

* * *

La jeune femme m'adressa la parole dans le hall d'entrée et je n'en fus pas surpris, car nous étions de vieilles connaissances depuis que nos regards s'étaient croisés tout à l'heure dans le corridor, lorsqu'elle attendait derrière la porte vitrée de la chambre de Max qu'on vînt lui ouvrir.

Les parents du cinquième nord se connaissaient de vue, se saluaient d'un signe de tête avec une ombre de sourire, et en règle générale se parlaient peu, ou alors échangeaient des banalités sur la température. Ils se distinguaient des autres visiteurs à une façon particulière de se déplacer sans faire de courant d'air et à une sorte de retenue dans leurs démonstrations émotives, comme si leur cœur à demi rongé par l'espoir économisait ses forces pour les épreuves à venir. Le rite d'initiation à leur franc-maçonnerie n'était pas compliqué : le néophyte devait traverser le cinquième nord à l'heure des traitements, les yeux ouverts.

— Le service des autobus me complique l'existence, disait la jeune femme en boutonnant le col de son manteau, je dois prendre trois correspondances jusqu'à la gare. Je m'appelle Lotte, je suis la mère de Max.

Elle accepta mon offre avec une surprise appliquée et se révéla bientôt ne pas être institutrice, ni mariée à un agent d'assurances, ni franco-ontarienne, ni rien de tout ce que j'aurais pu supposer. Elle était originaire de Bâle, en Suisse (ce qui expliquait les aspérités de son accent) et vivait à Terrebonne depuis son mariage avec un gardien du pénitencier de Saint-Vincent-de-Paul. Elle prit place dans ma voiture en disant qu'elle en aimait la couleur, elle trouvait Florence si mignonne et le personnel de l'hôpital terriblement compétent, elle dressait entre nous une barricade d'amabilités, avec son bon vouloir, ses ongles faits et son air de santé fortifié à la vitamine.

Trois questions encourageantes firent fondre sa réserve et elle m'abandonna à mes pensées en parlant sans interruption jusqu'à la gare, incapable de relater un événement sans remonter à ses origines ou de rapporter une conversation sans digresser scrupuleusement sur chacun des interlocuteurs. Je lui prêtai une oreille distraite, car je n'étais pas alors en mesure de distinguer dans son discours ennuyeux les prémisses de ce qui allait devenir pour nous tous un terrible cauchemar.

Je déduisis de son récit obscurci par les exactitudes et les pataquès que Max était tombé malade au début de l'hiver, quelques mois après la disparition de son oncle qui était son frère à elle et qui avait fait un crochet par Montréal pour leur rendre visite, parce qu'elle avait oublié de me le dire, mais il était d'abord allé à Toronto pour affaires, étant donné qu'il travaillait en Suisse pour les laboratoires Kaufmann de réputation internationale et que lui-même était passé plusieurs fois à un cheveu du prix Nobel.

— Et qu'est-ce qui lui est arrivé? demandai-je pour la forme.

Personne ne le savait. Il était allé passer cinq jours à Goose Bay, dans le nord de Terre-Neuve, et on ne l'avait jamais revu. Bien sûr que c'était incroyable et elle ne voulait pas m'ennuyer avec les détails, mais ce M. Graber était venu spécialement de Zurich pour la question des assurances, parce que Walter n'était pas marié, et il l'avait questionnée comme s'il la soupçonnait d'une combine à cause de l'héritage, vu qu'elle était sa sœur unique. De toute façon, les choses n'étaient pas si simples, un défunt sans corps devait attendre cinq ans avant d'être un mort en règle et pendant ce temps, dit-elle, l'argent était gelé dans une banque suisse à numéro. N'empêche que M. Graber était revenu à la charge comme s'il se croyait tout permis, tellement que Richard s'était plaint aux autorités.

— Richard, c'est votre mari, dis-je en accélérant pour brûler un feu qui venait de passer au rouge.

— C'est bien ça, dit-elle, et il a attrapé une amende de vingt-huit dollars en faisant la même chose.

Nous étions arrivés à destination et Lotte me pria de bien vouloir lui faire le plaisir d'accepter une consommation à la cafétéria de la gare ; leur café avait un goût chimique, mais c'était de bon cœur et son train ne partait pas avant dix-neuf heures trente. Je n'étais pas autrement pressé, si ce n'était de me débarrasser d'elle, pourtant j'acceptai de la suivre, peut-être par désœuvrement, ou encore parce que j'étais touché par le formalisme de son invitation.

— Et Max? dis-je en m'asseyant à côté d'elle au comptoir.

— Vous voulez dire... Oh, c'était rien qu'une coïncidence. (Elle inspectait discrètement la propreté des couverts.) C'était la première fois qu'il voyait son oncle, il ne pouvait pas être vraiment attaché... Bien sûr, ça lui a fait un choc, surtout que la police et les journalistes sont venus poser des questions, vous savez ce que c'est. Mais il n'était pas vraiment malade et, au début, on pensait que... (Elle fit de la bouche un petit cul-de-poule alémanique.) C'était une allergie, vous comprenez? C'est-à-dire une allergie aux choses qui ne sont pas naturelles, vous comprenez?

Je reposai ma tasse en grimaçant, n'osant lui dire que non, je ne comprenais rien à ses histoires. Était-elle naïve au point de croire que son fils avait été hospitalisé au cinquième nord pour une simple allergie? J'hésitais à poursuivre sur ce sujet, et lui demandai finalement pourquoi Max avait été isolé des autres enfants, et quelle était l'utilité des appareils qui encombraient sa chambre.

— Je savais que vous alliez poser ces questions, dit-elle, mais ils m'ont fait signer des papiers.

— Je ne comprends pas.

Elle n'avait pas le droit de donner des renseignements sur Max, Richard avait signé lui aussi et il était à cheval sur les questions de sécurité, la déformation professionnelle comme on dit. Ça la gênait de me répondre comme ça pour ne rien dire, elle ne demanderait pas mieux de se vider le cœur.

— Je vois, dis-je (ce qui était une façon de parler). Mais pourquoi avez-vous choisi Ottawa? J'ai entendu dire beaucoup de bien de l'hôpital Sainte-Justine...

— Nous aussi, mais c'est justement Sainte-Justine qui nous a conseillé de le mettre ici. Vous savez, il paraît que le Dr Davis est une célébrité *authentique*. Elle a reçu des médailles aux États-Unis, et tout le tralala.

Elle ajouta que c'était une véritable bénédiction que l'assurance-santé du Québec accepte de rembourser les traitements donnés dans une autre province. Avec le salaire de Richard, ils n'auraient jamais pu se le permettre.

— Vous avez parlé tout à l'heure de... d'une allergie, dis-je à voix basse, sans savoir pourquoi la maladie de son enfant m'intriguait à ce point.

— Je préfère que vous n'insistiez pas, dit-elle, je vous en prie.

— Excusez-moi, dis-je après un silence. Vous venez le voir tous les jours de Montréal?

Elle avait espéré que sa relation avec son fils serait différente maintenant qu'il était malade et non, elle venait le voir deux fois par semaine seulement, d'ailleurs elle restait l'après-midi sans rien trouver à lui dire, ce n'était pas qu'il fût difficile, mais il ne parlait pas beaucoup et le Dr Vecchio disait qu'il manquait d'atomes crochus.

L'objectivité avec laquelle elle parlait des difficultés de sa relation avec son fils me prenait au dépourvu, tant elle était étrangère à tout ce que je vivais par rapport à Florence. Elle ouvrit son sac et sortit une petite plaquette de bois, qui portait une inscription maladroitement calligraphiée. Les mots *Maman* et *Max K.* étaient disposés l'un sous l'autre, et l'enfant avait utilisé pour les deux la même majuscule.

— Il me l'a donné tout à l'heure, dit-elle en regardant l'objet avec une sorte d'incertitude. Il a dû passer un temps fou à ne faire que ça. C'est la première fois qu'il me fait un cadeau, depuis que...

— Il a sans doute utilisé un pyrograveur, dis-je en examinant la plaquette.

— Oh non ! Une loupe, il m'a expliqué. Il s'est servi des rayons du soleil pour brûler la surface du bois. C'est de la patience !

— *Max K... ?* dis-je, en me souvenant que l'enveloppe brune dans le tiroir du Dr Vecchio portait le nom de *Sieber.*

Le visage de Lotte s'enflamma et des larmes embuèrent ses yeux clairs.

— Je... Il s'est trompé ! bredouilla-t-elle. C'est mon nom de jeune fille, mais ça ne veut rien dire. C'est un drôle de garçon, je ne sais jamais...

— Je comprends, dis-je. On se demande des fois si on agit comme il faut.

Je fis une tentative pour régler les consommations, mais elle s'y opposa avec une détermination farouche. Un nouveau silence embarrassant flotta entre nous, qu'elle rompit de la façon la plus inattendue en se penchant vers moi pour m'embrasser au coin de la bouche.

— J'aime parler avec vous, dit-elle , merci ! Vous êtes un homme très confortable.

Je la regardai pour la première fois, elle était plus jeune que je ne l'avais supposé (elle devait avoir dans les vingt-huit ans) et son visage n'était pas aussi ingrat que son expression studieuse le faisait paraître. *Il y a un concept fondamental qui nous échappe. On ne sait pas plus définir le cancer qu'on ne savait définir le principe des maladies contagieuses avant Pasteur*, avait dit le Dr Davis lors de notre première visite, en réponse à une question de Sandy, qui s'était documentée. Pourquoi cette phrase entre mille me revenait-elle à l'instant où on me disait que j'étais « confortable » ?

Lotte devait prendre son train dans quelques instants, elle picorait de l'index les miettes de brioche tombées sur le comptoir, elle était ennuyeuse et sans génie, désireuse de plaire et tragiquement dépourvue de séduction. Et voici que je me confiai à elle sans résistance, avouant ma lâcheté devant la maladie de Florence, il aurait fallu remuer monts et mers pour trouver le remède miracle qui existait quelque part ou consulter le spécialiste qui la tirerait d'affaire — et je ne m'étais même pas souvenu de recommander à l'infirmière de garde de veiller à ce que la petite prenne régulièrement son Maltavol, sa mère avait vérifié avec Chénier qui était d'accord et quand on voit ce qu'ils leur donnent à manger à l'hôpital, un tonique ne pouvait lui faire que du bien. Cependant ni Chénier, ni Davis, ni même Vecchio ne m'entendraient jamais dire ce que cette femme rencontrée dans l'heure écoutait en hochant la tête d'un air pénétré : ma fille se meurt et je ne trouve en moi ni la force de me battre ni le courage de me résigner, je fais le dos rond sous le malheur, le souffle court, saisi de gratitude admirative pour ces gens qui se dépensent sans compter alentour d'elle. Ce fatalisme m'emplissait de honte, et je me surprenais parfois à composer en pensée des inscriptions de pierre tombale, de façon à conjurer le mauvais sort en devançant ses coups.

— Vous devriez demander de l'aide à Florence, dit Lotte la simple.

CHAPITRE 4

Sur le point de partir, j'hésitai à fermer la radio, le réseau FM de la CBC diffusait un trio de Schubert qui me plaisait d'autant plus que j'avais été capable de le reconnaître. Olivier était déjà parti pour l'école et j'éprouvais un secret réconfort à l'idée de laisser derrière moi la maison habitée par cette seule musique. Sur le chemin du bureau, je me dis que j'avais changé et qu'une réflexion de cette nature ne me serait jamais venue auparavant, ou alors je l'aurais écartée aussitôt comme de la sensiblerie. J'étais devenu attentif à l'exercice quotidien de la vie.

L'ascenseur du ministère décolla à pleine charge et comme ma destination était l'Olympe du vingtième, j'eus le loisir d'observer les allées et venues au long des étages, et de rendre des sourires entendus à des inconnus qui me reconnaissaient. Chaque fois qu'une grappe de fonctionnaires se détachaient de la cabine, ceux qui restaient se livraient aussitôt à une chorégraphie singulière, de façon à réaménager la division de l'espace. Je pensai aux métastases, aux lymphocytes et aux mystérieuses cellules K, jouant des coudes sous le microscope.

Stella m'attendait avec un message incompréhensible, le père de Maurice me demandait de l'appeler d'urgence. Non elle ne savait pas, c'était Louise qui avait pris l'appel et la pauvre confondait régulièrement tour et alentours. Florence m'avait parlé des enfants du cinquième nord, de Mark, de John, de Jacques, mais je ne me souvenais pas d'avoir entendu le nom de Maurice. Je me transportai par la pensée dans les corridors du Memorial, et je n'eus pas à y rôder longtemps avant de comprendre ma méprise.

— Vous ne me reconnaissez pas? Pour une fois que l'habit fait le moine! m'avait dit le prêtre en s'asseyant en face de moi, dans la cafétéria de l'hôpital.

Avec une grimace de contrition, il m'avait désigné le plateau qu'il venait de poser sur la table et qui contenait une tranche de gâteau marbré et une monstrueuse coupe de fruits rafraîchis, perdus dans des volutes de crème fouettée. Il m'expliqua que son métabolisme exigeait des sucreries pour son bon fonctionnement et que la gourmandise était un péché contestable du point de vue de la médecine. A l'intérieur de l'hôpital, il avait dû se résoudre à porter le col romain, l'expérience lui ayant enseigné que les malades attachaient de l'importance aux signes extérieurs de son sacerdoce — surtout quand ils étaient dans un état critique.

Alors qu'il parlait, j'eus la curieuse impression d'apercevoir, comme dans un fondu enchaîné, le visage de l'enfant qu'il avait été et qui semblait profiter de cette surimpression fugitive pour m'adresser un clin d'œil.

— Il faut les comprendre, ajouta-t-il sans sourire, ils veulent être présentés au Bon Dieu par un intermédiaire qui respecte les traditions. Comment ça va depuis qu'on s'est parlé?

— J'étais entré dans votre église par accident, dis-je.

L'abbé m'était plutôt sympathique, encore que j'eusse préféré le trouver comme l'autre jour dans sa tenue de moniteur de terrain de jeux, mais je prenais mes distances par peur de sa sollicitude, et d'avoir à lui expliquer les raisons de ma présence au Memorial. Je ne voulais pas qu'il apprenne qu'un de mes enfants était hospitalisé au cinquième nord, car je ne me sentais pas la patience de débattre de l'existence de Dieu en comptant les jours de Florence à rebours, ni d'entendre parler de miséricorde divine envers une âme pour qui le mal n'était pas tentation, mais souffrance.

— Votre petite fille m'a battu au jeu du *Qui perd gagne*, dit-il en considérant avec regret son dernier morceau de gâteau avant de l'engouffrer. Elle m'a dit que les cases étaient numérotées par ordre alphabétique.

Je souris jaune, en pensant que cet « anonymat » dont parlait Sandy à propos du Memorial n'était pas aussi étanche que je l'aurais souhaité à cette minute. Faisant contre mauvaise fortune bon cœur, je manifestai de l'intérêt pour le travail que Maurice accomplissait auprès des enfants, mais il ne fut pas dupe et me rassura avec bonne humeur. Il n'allait pas les voir avec l'extrême-onction en poche et quand il s'intéressait à la couleur de leur extrait de baptême, c'était pour éviter de commettre des impairs dans ses rencontres avec les parents.

— Puis-je vous faire une confidence ? demanda-t-il.

Ils étaient deux aumôniers affectés au cinquième nord, lui-même et un collègue presbytérien, et tout le monde s'imaginait qu'ils se répartissaient le travail selon la confession des enfants.

— La vérité, c'est que nous avons tiré à pile ou face, dit-il à voix basse. J'ai eu les jours pairs, lui les jours impairs, comme ça quand on vient, on voit tout le monde !

Il s'était frappé les lèvres du bout des doigts, comme pour les punir d'avoir laissé échapper ce secret, et le soupçon m'avait traversé que j'étais probablement une des rares personnes auxquelles il ne l'avait pas encore confié.

Le souvenir de cette rencontre ne m'aida pas à deviner ce matin-là les raisons pour lesquelles il avait demandé que je le rappelle de toute urgence.

— Je ne peux pas vous l'expliquer au téléphone, dit-il d'une voix contrainte. Vous vous souvenez où on s'est rencontrés pour la première fois ?

— Vous voulez dire...

— Oui, c'est ça, dit-il en m'interrompant comme s'il

voulait m'empêcher d'indiquer l'endroit de façon explicite. Dans une demi-heure?

— C'est donc si urgent?

— Je ne sais plus, dit-il. Il est peut-être trop tard pour que ce soit encore urgent.

* * *

L'église était déserte, je m'assis sur le même banc, éprouvant une fois de plus l'impression que les événements des semaines passées remontaient à des mois.

— Pssst!

Un vague relent de cierge et d'encens, des îlots de lumière blême au pied des vitraux, un silence chargé d'échos d'un autre âge, des poches d'ombre derrière les piliers, je ne voyais personne.

— Pssst!

Une main flottait derrière les barreaux d'un confessionnal, un index me faisait signe d'approcher, on ne s'imaginait quand même pas que j'allais participer à ce Grand-Guignol. J'écartai le rideau pourpre et m'agenouillai dans le réduit, c'était vraiment du dernier ridicule. Un frisson m'effleura le cœur, auquel ma mauvaise humeur n'accorda pas la moindre attention — ce fut un entrebâillement fugitif sur mon enfance: les culottes courtes, les genoux meurtris par le bois rugueux, la gorge nouée de peur et de honte, les pensées « impures » qu'il faudrait avouer avec des mots, la perversion catéchétique troublant ma nature droite.

Le guichet s'ouvrit, le profil de Maurice se révéla derrière la grille de bois et j'eus la prémonition qu'il ne m'avait pas fait venir pour des prunes. Il pencha la tête pour regarder dans l'église puis se tourna vers moi et me demanda de l'écouter attentivement, parce qu'il n'avait pas grand-chose à me dire.

— En principe, confidence n'est pas confession, dit-il à

voix basse, mais les choses ne sont pas toujours aussi simples. Si vous vous confiez à moi dans une rencontre amicale, parlez-vous au prêtre ou à l'ami?

— Je ne sais pas, dis-je. Où voulez-vous en venir?

— Vous n'avez rien remarqué à l'hôpital? Non, je ne parle pas de Florence, encore que...

Il laissa sa pensée en suspens et je me gardai de le relancer, il ne s'était pas caché dans cette boîte pour se taire.

— Une convocation a été transmise à l'un des aumôniers du Memorial de se rendre au bureau de la Direction, murmura-t-il sur un ton impersonnel, et cet aumônier s'est fait passer un savon magistral. On trouvait qu'il mettait son nez dans des affaires qui ne le concernaient pas et on lui a fait savoir que l'archevêché serait officiellement averti si la chose devait se reproduire.

— L'aumônier a vu des choses qu'il ne devait pas voir? demandai-je en chuchotant à mon tour.

Il m'adressa dans la pénombre un demi-sourire pour me remercier d'entrer dans son jeu de tierce personne. Cette façon détournée de s'exprimer était en rupture avec tout ce que j'avais perçu de son caractère.

— Voici le problème, dit-il. D'une part, cette personne a recueilli des confidences et, bien entendu, elle ne se donne pas le droit de les divulguer. D'autre part, elle a été témoin de certaines choses, mais il est probable qu'elle les aurait vues même si son attention n'avait pas été auparavant éveillée par les confidences. C'est un beau dilemme.

— Il s'agit de Max?

Il se raidit, puis hocha la tête avec un soupir de soulagement.

— Il est très malade? dis-je avant de réaliser que la question était plutôt déplacée pour un enfant du cinquième nord. Je veux dire, on l'a mis en quarantaine... Oh non! Non!

Une pensée m'était brusquement venue, que je tentai de repousser avec horreur. Le Dr Vecchio m'avait prévenu des difficultés qui accompagneraient probablement le retour de Florence à la maison, après son hospitalisation. Des vides cruels se feraient dans le rang de ses amis et des nôtres, le directeur de l'école me convoquerait pour me dire avec embarras que plusieurs parents lui avaient fait part de leurs craintes, ils s'imaginaient n'est-ce pas que le cancer était en quelque sorte plus ou moins contagieux, et bien sûr que c'est absurde, mais si votre docteur pouvait signer un certificat...

J'étais prêt à faire face à la musique, avec d'autant plus d'hostilité que je ne m'interrogeais pas sur la réaction que j'aurais eue six mois plus tôt, si j'avais appris que Florence partageait ses jeux avec une petite amie atteinte de leucémie. Mais soudain, la contagion du cancer cessait de m'apparaître comme un mythe nourri par la peur et se présentait à mon esprit comme une effroyable possibilité. Je repensais à ce papier qu'on avait fait signer aux parents de Max pour les empêcher de parler de sa maladie, son isolement dans la chambre aux appareils, j'imaginais déjà la panique aveugle, les manchettes des journaux : *une épidémie de lymphosarcome.*

Maurice m'écoutait en affilant son nez, pesant à nouveau ses mots avant de répondre.

— Non, on ne peut pas dire que Max soit contagieux... en tout cas pas au sens où vous l'entendez ! Remarquez que je ne suis pas médecin, et de toute façon on ne m'a pas confié grand-chose au sujet de sa maladie, c'est pourquoi j'en parle à mon aise. Seulement, il faut le protéger, Daniel ! Moi, je ne peux plus intervenir, je suis devenu persona non grata au Memorial.

— Le protéger contre quoi ? dis-je.

— Chut... ! fit-il aux aguets, le doigt sur les lèvres.

Nous entendîmes un bruit de pas sur les dalles et, écartant le rideau du confessionnal, je vis passer une silhouette dans une allée latérale et j'eus à me défendre à nouveau contre le sentiment de participer à un mélodrame grotesque.

— Il tombe à pic celui-là, dit Maurice en suivant le visiteur des yeux. Car ce que vous devez me demander, c'est : « Protéger Max contre *qui* ? »

— Si vous y tenez, dis-je avec humeur. Alors, contre qui ?

— D'abord contre les médecins de l'hôpital, ensuite contre les spécialistes de l'extérieur avec leurs anges gardiens, une vraie mascarade ! Ce sont des hommes de science, mais ils y perdent leur latin. Souvenez-vous, « science sans conscience n'est que ruine de l'âme ». Max est en danger.

— Pourquoi en danger ? dis-je sèchement, refusant de croire un seul instant que Davis ou Vecchio pourraient jamais participer à une entreprise susceptible de menacer la santé ou la sécurité de Max.

— Parce qu'il est dangereux, murmura le prêtre en se tournant vers moi pour chercher mes yeux dans l'obscurité. Il faut me croire sur parole, Daniel, je n'ai pas le droit d'en dire davantage, mais si ça se confirme... *O my God, he is dangerous !*

Ceux qui savaient la vérité n'étaient pas nombreux, expliqua-t-il en continuant à parler en anglais pour je ne sais quelle raison, mais tous ils avaient peur, ils avaient beau se gargariser avec leur jargon scientifique, en fin de compte ils se retrouvaient devant l'inconnu, l'angoisse aux tripes. (Je percevais dans sa voix une frayeur sourde qui semblait confirmer implicitement ses paroles.)

— Vous savez ce que c'est ? demanda-t-il dans un souffle, en tirant de sa poche le récepteur miniature qu'il portait sur lui en permanence.

— Oui, bien sûr, dis-je. Vous oubliez que je travaille aux Télécommunications.

— Alors expliquez-moi ceci, si vous le pouvez : depuis une semaine, on a cessé d'utiliser cet appareil pour me localiser dans l'hôpital. On m'appelle directement au téléphone.

— On sait où vous prendre, dis-je, où est le problème ?

— Il n'y a qu'une seule façon de savoir où me joindre à

un moment quelconque de la journée, et c'est de me suivre.

— Quelqu'un vous suit dans l'hôpital?

Oh, il savait ce que je pensais, dit-il avec accablement, et sa réponse n'allait pas améliorer son crédit : oui, on le suivait, pas seulement « quelqu'un » comme je disais, ils devaient être plusieurs, car il n'avait jamais réussi à en identifier un seul. Et ce n'était pas fini : on le suivait partout, pas seulement au Memorial. Maintenant, étais-je disposé à lui répondre franchement?

— Allez-y, dis-je.

— Vous me croyez? demanda-t-il en revenant au français. C'est une question de confiance.

— Pour Max en tout cas, dis-je. Oui, je crois qu'il se passe quelque chose de pas catholique à son sujet.

— Pas orthodoxe, dit-il. Merci, ça me suffit. Max est la clé, vous ne pouvez pas vous tromper en commençant par lui.

Sans rien ajouter, il rabattit doucement le volet de bois et je l'entendis ouvrir la porte et quitter le confessionnal.

Un inconnu m'aborda sur le parvis de l'église, alors que je clignais des yeux pour m'accoutumer à la clarté du dehors.

— Qui êtes-vous? dis-je.

Il haussa les épaules et s'éloigna sans répondre ; il devait avoir dans la trentaine, les cheveux coupés net et l'air d'un expert-comptable de la Gendarmerie royale. Il était temps que je prenne un tranquillisant, Vecchio en avait extrait quelques échantillons d'une de ses insondables poches et me les avait refilés avec une œillade de *pusher*, en me disant que celui qui avait un enfant hospitalisé au cinquième nord ne devait pas avoir honte de faire de temps à autre une petite fugue dans le carbonate de lithium.

* * *

Florence m'attendait, radieuse, sa petite valise de toile bouclée sur le lit et le fidèle Hector à son côté, la patte en l'air et l'oreille à moitié décousue. Je lui avais dit que je passerais la prendre à midi et j'étais venu à onze heures, sachant qu'elle serait prête longtemps à l'avance, car elle avait comme tous les enfants une horloge dans la poitrine qui coupait les minutes en quatre à l'approche d'un bonheur — mais elle avait même réussi à avoir une longueur d'avance sur mon subterfuge.

— C'est vrai qu'on part ce soir en avion? dit-elle.

— C'était une surprise, dis-je. (J'aurais voulu qu'elle parle moins fort, car les lits voisins avaient des oreilles.)

La fenêtre de la chambre donnait sur l'arrière de l'hôpital, en bas dans la cour un homme corpulent s'éloignait en direction d'une camionnette. J'étais incapable de mettre un nom sur sa silhouette à vol d'oiseau, pourtant j'aurais juré qu'elle m'était familière et même que ça ne faisait pas longtemps que j'avais rencontré son locataire.

— On peut pas ouvrir les fenêtres, dit Florence, c'est mauvais pour l'air climatisé.

Dans le couloir, je tentai d'apercevoir Max, mais son lit était à présent entouré de paravents et une patère sur pied avait été placée près de la porte, où pendaient une demi-douzaine de blouses blanches.

— C'est fermé à clé, dit encore Florence, à cause des souris.

— Des souris?

Elle le savait parce que Max le lui avait dit et non, elle n'était pas entrée dans sa chambre, c'était défendu, mais chaque matin il pouvait venir jouer un quart d'heure avec les autres. L'aquarium se trouvait à la même place sur le rebord de la fenêtre, un coin du papier d'emballage qui aveuglait les vitres s'était enroulé sur lui-même et il me sembla en effet voir grouiller quelque chose dans la cage. Je tentai d'ouvrir la porte mais, comme Florence m'en avait averti, elle était verrouillée et déjà une présence au buste imposant toussotait sur ma droite.

— On peut savoir? demanda l'infirmière.

— Je voulais dire au revoir à Max.

— On ne peut pas, dit-elle, il est en observation.

— Vous voulez dire qu'il est contagieux?

— Je n'ai rien dit de pareil. Il ne resterait pas à l'étage.

Elle s'interposait lentement entre la porte et moi, elle était bien en chair mais sa bouche n'avait presque pas de lèvres.

— Pourquoi l'enfermez-vous s'il n'est pas contagieux?

— Pour son bien, dit-elle péremptoirement.

La porte n'était pas fermée pour empêcher les microbes de sortir, expliqua-t-elle en me parlant comme à un demeuré, mais pour les empêcher d'entrer. Max avait perdu momentanément ses défenses contre l'infection, un rhume de cerveau pouvait lui être fatal et maintenant c'était assez, elle n'avait pas l'habitude de discuter de ses malades avec des étrangers.

— Le bureau du Dr Davis est au premier?

— Puisque vous le savez, dit-elle avec aigreur.

Dans l'ascenseur, Florence me dit de ne pas la croire, c'était rien qu'une menteuse, elle m'avait pourtant déjà tout raconté sur Nurse Eva.

— Regarde, dis-je en pointant le panneau de commande, il n'y a pas de neuvième étage.

— Ça fait rien, dit-elle, parce que ceux qui y vont ne reviennent jamais. C'est un endroit spécialisé pour mourir.

— Toi, tu ne veux pas mourir? demandai-je, surpris de constater que ma gorge avait laissé passer la phrase sans trémolo.

— Oh non! dit-elle en me serrant davantage la main, je fais mes exercices tous les jours.

Elle avait vu sur des images ce qui se passait dans son corps et comment les globules s'étaient détraqués, elle devait y penser de toutes ses forces pour aider les remèdes à leur donner une bonne leçon. « Dr Kardash, six-huit-un, Dr Kardash, six-huit-un », répétaient d'invisibles haut-parleurs dans les couloirs déserts du premier étage et je me fis la remarque que le cinquième nord (pour quelle raison ?) était épargné par les appels incessants de cette voix feutrée.

— Je le connais, dit Florence.

— Tu connais qui ?

— Le Dr Kardash, voyons ! dit-elle en montrant le plafond.

Je pensai au nabot agité qui m'avait surpris dans la salle de psychothérapie le soir de la panne d'électricité et de ses propos effrayés sur le redoutable docteur.

— Il est comment ? dis-je.

— C'est un amour, répondit-elle avec une moue des lèvres qui me donna un coup de vieux.

A ma surprise, le Dr Davis était dans son bureau et me réserva un accueil qui pouvait passer pour chaleureux, compte tenu de son caractère. Elle me parla de l'état de Florence et réussit à rester dans le vague en usant du vocabulaire le plus précis, mais une compassion sincère perçait sous le détachement professionnel, qui était lui-même le grand apparat de l'impuissance. Comme elle parlait ouvertement en présence de Flo, je lui rapportai l'histoire du neuvième étage, c'était bien beau d'encourager les parents à dire la vérité aux enfants, encore fallait-il que les infirmières ne prennent pas sur elles de les endormir avec des contes de fées.

Je savais par expérience que Davis ne gardait pas longtemps la balle dans son camp. Ni elle ni Vecchio ne faisaient en général de piqûres ni de ponctions, dit-elle, et on pouvait comprendre que le personnel qui administrait les traitements aux enfants ne fût pas le plus empressé à leur révéler que la douleur infligée l'était *probablement* en pure perte. (Il aurait fallu dire *peut-être*, mais ma remarque l'avait piquée.) Sans compter que le syndicat des infirmières était tout-puissant et particulièrement chatouilleux sur la déontologie. Cette prudence m'étonna de sa part, je me l'étais figurée se mettant à dos n'importe quel groupe d'employés de l'hôpital, pour toute cause qui, à ses yeux, justifierait le combat.

— Quoi qu'il en soit, vous n'êtes pas venu me voir pour ça, dit-elle en sortant une paire de lunettes de la poche de sa blouse, qu'elle chaussa comme si elle était déterminée à lire sur mon front le véritable motif de ma visite. Elle aurait eu cependant de la difficulté à y parvenir, car les verres étaient embués et elle prit un mouchoir de papier pour les éclaircir.

— C'est vrai, dis-je, je voulais avoir des nouvelles de Max. On raconte n'importe quoi là-haut, on l'isole pour le protéger soi-disant de la contagion, mais on le laisse jouer chaque matin avec les autres enfants. Ça ne tient pas debout.

— Est-ce possible? murmura-t-elle avec effroi en regardant ses mains.

Un des verres s'était brisé alors qu'elle l'essuyait et, dépliant avec précaution le mouchoir, elle versa dans un cendrier une pincée de miettes translucides. Elle releva ensuite la tête pour me lancer un regard de défi, qui me confirma que son trouble et sa pâleur venaient de la question que je lui avais posée et qu'elle avait utilisé l'incident des lunettes pour essayer de me donner le change.

— Pourquoi vous intéressez-vous à Max? dit-elle enfin.

— Peut-être par esprit de contradiction — et aussi parce que je me suis laissé dire qu'il était en danger.

J'eus la nette impression qu'elle se détendait et que ma remarque la rassurait, en lui démontrant que je ne savais pas grand-chose et prêchais le faux pour connaître le vrai. Elle me rassura sèchement sur le sort du garçon, il était entre bonnes mains et elle regrettait que Mme Sieber eût jugé à propos de me faire partager ses appréhensions sur la façon dont son fils était traité au Memorial.

— Je l'ai rencontrée par hasard, c'est vrai, dis-je, et elle m'a donné l'impression d'être très satisfaite des services de l'hôpital. Par contre, elle s'est refusée à me parler de la maladie de Max et je ne peux m'empêcher de trouver que cette discrétion est étrange, à tout le moins.

Ma réponse la plongea dans une anxiété qu'elle ne se donna même pas la peine de dissimuler et elle finit par dire avec amertume:

— Quelqu'un vous a parlé, c'est évident. Je ne vous demande pas qui, d'ailleurs ça m'est égal. Mais je veux que vous sachiez une chose: si nous évitons toute publicité autour du cas Sieber, c'est pour protéger l'enfant, pas pour nous couvrir! Et avant d'aller parler de vos soupçons à gauche et à droite, vous feriez bien de vous demander si c'est un service à lui rendre...

— Ne craignez rien, dis-je, un peu ébranlé. Je ne suis pas bavard, je suis seulement tenace.

Elle haussa les épaules sans répondre et parut se souvenir de la présence silencieuse de Florence.

— Et toi, tu as peur pour Max? demanda-t-elle en se penchant vers elle.

— Non, j'ai pas peur, il va seulement mourir.

— Pourquoi tu dis ça?

— C'est pas moi, c'est lui. Il dit que c'est la meilleure solution.

Le Dr Davis ferma les yeux en soupirant, puis se ressaisit et se leva avec brusquerie:

— On me dit que vous partez en vacances...

— Vous êtes bien renseignée, répondis-je avec une rudesse involontaire, en pensant aux propos chuchotés par Maurice dans le confessionnal: *il n'y a qu'une façon de savoir où me joindre dans l'hôpital, et c'est de me suivre.*

Elle m'expliqua qu'Olivier lui avait téléphoné au début de la semaine pour prendre rendez-vous et qu'il était venu la voir hier matin pour discuter de son comportement à l'égard de sa sœur, rien de proprement confidentiel, mais elle préférait qu'il m'en parle lui-même. C'était un adolescent intéressant sous plus d'un rapport.

— C'est lui qui m'a parlé de vos projets, dit-elle. Mais pourquoi la Jamaïque, si je peux me permettre?

J'eus l'impression qu'elle était moins intéressée à connaître la raison de ce choix qu'à savoir pourquoi j'avais accepté de prendre quelques jours de vacances avec les enfants en compagnie de mon ex-femme. Je lui répondis sur la défensive, car c'était une question que je me posais à moi-même et à laquelle je n'avais pas encore trouvé de réponse. L'idée venait de Sandy, qui s'était mis en tête de fêter sous le soleil des Tropiques la fin de la première phase du traitement de Florence.

Tout en parlant, je pensais à ce que le médecin venait de me révéler au sujet d'Olivier qui, à mon insu, s'était ouvert à elle d'un sujet qu'il se refusait obstinément à discuter avec moi. Cette démarche aurait dû me froisser, or j'en éprouvais au contraire un secret soulagement, comme si un fardeau avait été enlevé de mes épaules, que je n'aurais jamais eu le courage de rejeter de ma propre initiative. Depuis quelques mois, j'éprouvais une difficulté croissante à comprendre Olivier, à accepter sa mentalité de consommateur et sa passion pour les gadgets. Il allait régulièrement passer les fins de semaine chez sa mère, à New York, et ne manquait pas de me faire remarquer à son retour à quel point la vie d'Ottawa pouvait être terne et provinciale. Je le sentais envoûté par Sandy, ébloui par les gens qu'elle fréquentait et les sorties où il l'accompagnait, parfois dans un smoking loué pour l'occasion. Je lui reprochais en silence de ne pas résister aux séductions déployées à son intention par sa mère, oubliant que j'y avais moi-même succombé, quelque vingt ans plus tôt.

Le Dr Davis me tendait la main par-dessus son bureau, sa voix résonnait encore dans la pièce.

— Excusez-moi, dis-je, j'étais distrait...

— Je disais que la Jamaïque offre plusieurs sortes d'évasions..., répéta-t-elle sur un ton sarcastique, sans se donner la peine d'achever sa pensée. Vous réalisez que Florence reprend son traitement à la fin du mois, nous l'attendons pour le...

Elle avait ouvert son agenda et chaussa ses lunettes d'un geste machinal, un verre manquait et l'autre était opaque et je ne pus m'empêcher de pouffer nerveusement devant l'incongru de la situation. Elle retira ses lunettes avec agacement, mais l'une des branches se brisa net et l'incident ne fit qu'ajouter à sa mauvaise humeur.

— J'attends Florence dans trois semaines, reprit-elle avec une froide insistance. Je vous répète que nous ne pouvons pas nous permettre de perdre du temps.

— J'entends bien, dis-je. On m'a donné en haut votre ordonnance et la fiche d'instructions. D'ailleurs, nous ne partons que pour une dizaine de jours.

— Mais oui, bien sûr, dit-elle et le regard qu'elle posa sur Florence me donna l'impression qu'elle n'accordait pas le moindre crédit à mes paroles.

Ce comportement me déconcerta profondément, mais Florence avait hâte de se retrouver à la maison et je pris congé de Davis sans chercher à comprendre les raisons de son changement d'attitude. Dans le couloir, la voix feutrée réclamait encore le Dr Kardash, cette fois pour une urgence, « cinq-huit-zéro, immédiatement ». Cinq cent quatre-vingts, c'était le numéro interne du poste de garde du cinquième nord, si je le connaissais ! Mais qu'ils se débrouillent là-haut, Florence était avec moi et l'urgence pouvait bien frapper ailleurs, je ne voulais plus rien savoir. Quoi qu'on en ait dit, l'école du malheur ne formait pas à la pratique des grands sentiments. *Il faut me croire sur parole, Daniel, Max est en danger.* Viens, Flo, on file !

— Papa, tu serres trop fort, dit-elle en trottinant à mon côté, tu me fais mal à mes doigts.

* * *

A la maison, ce fut la fête du retour où tout sonnait faux, les gestes trop brusques, les sourires noyés, les allées et venues entre les fauteuils hostiles, Sandy dans les préparatifs jusqu'au cou (elle était arrivée de New York dans la matinée), Olivier balourd se regardant du coin de l'œil dans le miroir du vestibule, une voisine effarouchée sur le palier se débarrassant d'un gâteau, *bienvenue au maison* en lettres roses sur glaçage blanc, elle travaillait comme secrétaire au ministère des Transports et touchait une prime annuelle de bilinguisme — et ça y est, j'avais trouvé : Kenneth Hnatzynshyn ! C'était lui l'inconnu qui s'éloignait dans la cour arrière de l'hôpital, pourquoi n'y avais-je pas pensé plus tôt, une silhouette comme la sienne ne courait pas les rues. Mais tout ça ne me disait pas ce qu'il fabriquait dans cette histoire.

Je me retrouvai immobile au milieu de l'escalier qui menait à l'étage des chambres, ne sachant si j'étais en train de le monter ou de le descendre et hésitant à aller trouver Sandy pour lui dire que, à bien y penser, ce voyage à la Jamaïque n'était peut-être pas une initiative aussi heureuse qu'elle l'avait cru au premier abord. Mon intuition me disait que nous partions bien loin pour retrouver Florence, que mon centre de gravité était dans la routine du quotidien et que cette demeure qu'on me faisait déserter à la hâte pour des horizons exotiques offrait pourtant l'architecture la mieux adaptée à mon espace intérieur.

Sandy était assise sur le divan du salon, les genoux écartés et les bras ballants, contemplant les valises qui débordaient et le désordre alentour, elle ne retrouvait plus rien dans cette maison où elle n'avait plus sa place. Elle n'avait pas versé une larme en ma présence depuis que nous nous connaissions, pas même la nuit où je lui avais révélé le diagnostic de Chénier, ni le matin du départ pour le Memorial, et voilà qu'elle sanglotait silencieusement, en disant en anglais que la vie n'était rien qu'une saloperie de merde.

— Pourquoi j'ai fait ça ? demanda-t-elle en levant vers moi des joues ruisselantes. Ce voyage et tout, c'est une folie ! Tu ne penses pas ?

Je m'assis à son côté et, parce que son maquillage était un gâchis qui lui donnait son âge en la vieillissant de dix ans, je trouvai la force de ne pas la repousser quand elle s'abandonna contre moi avec un gémissement qui montait des profondeurs, et je lui dis que ces vacances étaient au contraire une excellente idée, nous avions tous besoin d'un changement d'air, elle était à bout et demain soir on serait dans la chaleur du Sud, « dans une île paresseuse où la nature donne des arbres singuliers et des fruits savoureux ».

— Tu sais pourquoi je t'ai quitté? murmura-t-elle en cherchant mes yeux. Tu dis toujours les choses qu'il faut au bon moment, et moi je n'ai jamais l'impression que tu en penses seulement le premier mot.

Je m'écartai d'elle, renonçant à lui expliquer que je lui mentais avec toute la sincérité du monde.

* * *

Je trouvai Florence dans sa chambre, elle touchait à ses jouets avec un geste aérien d'aveugle et je sus tout à coup qu'elle avait été très malade, l'hôpital autour d'elle avait masqué le lent changement, mais elle était soudain de retour dans le décor familier de notre maison et je vis à quel point on me l'avait abîmée, ces épaules osseuses et ce teint cendreux, ce mouvement ralenti de la marche, ce corps frêle bourré de poisons violents, ma petite fille.

CHAPITRE 5

Arawaks Creek était un domaine clos, en forme de colline et de fer à cheval. Une cinquantaine de cottages s'étageaient de la crête à la plage, en partie dissimulés par les arbres tropicaux, mais les pelouses étaient nettes à longueur de jour car, dès l'aube, des serviteurs aux gestes lents les parcouraient pour ramasser à la main les feuilles et les fleurs géantes tombées des hibiscus et des frangipaniers. Les pourboires étaient interdits par la direction de l'hôtel avec une curieuse insistance et un garçon de table avait déjà proposé à Olivier de lui acheter ses *Adidas* à la fin de notre séjour, deux fois le prix que nous les avions payées.

A notre arrivée à l'aéroport, un essaim d'enfants aux chemises propres et aux joues pleines avaient tournoyé dans l'étuve de l'après-midi autour du petit autocar où nous étions depuis trois quarts d'heure sur notre départ imminent. Des mains se tendaient où que nous détournions le regard, *money please!* Olivier ne savait plus où se mettre et Florence regardait alentour avec la perspicacité d'une somnambule. De temps en temps, le chauffeur de l'autocar apparaissait de nulle part et chassait les petits mendiants, en récitant sans conviction des menaces qui n'effrayaient personne et en agitant sa casquette galonnée, qui était l'unique symbole de sa fonction.

Ces vauriens m'horripilaient, qui nous traitaient comme des touristes américains, s'ils voulaient mendier proprement qu'ils se mettent en haillons, s'ils étaient pauvres, qu'ils paraissent au moins malades. En vérité, je leur en voulais de leur bonne mine et nourrissais le sentiment inavouable que leur existence même était une injustice commise au détriment d'âmes mieux nées, que leur bonne santé avait été dérobée dans le berceau de quelque innocente victime.

Nous avions finalement rejoint Arawak Creeks au début de la soirée, Florence s'était couchée aussitôt après le dîner et Olivier était parti reconnaître les lieux. Ils avaient l'un et l'autre une chambre au rez-de-chaussée du cottage, dont le premier étage était divisé en une grande salle de séjour et une troisième chambre à coucher.

— Je vais m'installer sur le canapé, dis-je en posant les valises au milieu de la pièce.

— Tu ne seras pas bien, dit Sandy. Le lit à côté est plus confortable.

— Il n'y a pas de raison... Enfin, si tu y tiens, on pourra alterner.

— Qui parle d'alterner? murmura-t-elle.

Sa remarque me pétrifia et je choisis de feindre de ne pas l'avoir comprise. J'ignorais si elle avait parlé sous l'impulsion du moment, ou si elle avait soigneusement préparé son coup, et le fait que je n'eusse rien observé dans son attitude des derniers jours qui eût pu me le laisser savoir ne signifiait en soi pas grand-chose. J'avais pris l'habitude, en présence d'amis, de me porter à la défense de mon ex-femme et de jouer les fins psychologues pour expliquer les ressorts secrets de son comportement. C'était une façon de la dominer, alors même qu'elle était absente, et peut-être de la punir en laissant planer la question : comment a-t-elle pu quitter un homme aussi compréhensif? Toutefois, en mon for intérieur, j'éprouvais le sentiment de n'avoir jamais appris ma leçon à son sujet et de répéter stupidement les mêmes erreurs dans la conduite de notre relation. Deux mois après s'être installée à New York pour une séparation provisoire d'un an, elle m'avait démontré que le changement de son état civil et la déclaration fictive de la garde de Florence lui vaudraient un dégrèvement fiscal de trois mille dollars. Elle avait presque réussi à me convaincre que notre divorce était une ultime complicité entre nous, à seule fin de frauder le Trésor américain.

Nous avions établi par la suite un commerce assez singulier, à l'occasion de nos conversations téléphoniques et de ses visites mensuelles. Elle ne pouvait ignorer mon ressentiment à son égard, et pourtant elle se comportait comme si je continuais à lui vouer une passion silencieuse et sans espoir, et ne tolérait pas de ma part la moindre manifestation d'hostilité. Un mot trop vif ou un sourire mal placé déclenchaient des heures de discussion et de mises au point méticuleuses. De guerre lasse, j'avais fini par entrer dans son jeu et adopté, pour lui parler des choses nous concernant, un ton de marivaudage léger qui sauvait les apparences. J'en étais venu à si peu l'aimer que je préférais mon hypocrisie permanente à un seul de ses interminables discours.

Elle avait organisé ces vacances dans le Sud en m'offrant d'en partager les coûts de moitié, et j'avais attendu d'être installé à l'hôtel avant de m'interroger sur les motifs d'une telle générosité. Elle dut lire dans mes pensées, car elle me dit soudain, sur un ton pensif :

— Toi qui travailles parmi les politiciens, comment fais-tu pour survivre avec ta candeur ?

— Ma candeur ?

— Non, pas celle-là, tu sais ce que je veux dire. L'autre, la vraie.

Elle me demanda si j'avais réellement cru que son choix de la Jamaïque avait été déterminé par les conseils de son agence de voyages, et la réalité était que je n'avais pas un instant flairé la manigance. Les remarques acides du Dr Davis me revinrent aussitôt à l'esprit, pas la peine d'épiloguer, j'additionnais deux et deux, les articles à propos du Laetryl que Sandy m'avait envoyés au début du mois, les valises trop gonflées pour un séjour de si courte durée, les conversations chuchotées au téléphone... Elle avait raison, ma crédulité était touchante.

Je la suivis sur le balcon. L'heure était tardive, et la nuit opaque. La musique du *steel band* mêlée d'odeurs inconnues traînait dans le vent qui venait de la mer.

— Tu as vu dans quel état elle est revenue de l'hôpital ? dit-elle en se retournant brusquement.

Elle déclara que je ne me rendais pas compte des véritables effets du traitement, mais c'était une *dévastation.* On injectait des poisons hideux qui ne détruisaient pas seulement les cellules cancéreuses, mais les autres aussi, les cellules saines qui transportaient l'oxygène dans le sang et prévenaient l'hémorragie et les infections.

— Sandy, parle moins fort, dis-je.

C'était un cercle vicieux à tout point de vue, continua-t-elle en baissant le ton, mais avec la même intensité. Les statistiques disaient que l'approche en coup de masse sauvait plus de malades que le traitement à doses progressives. Mais plus la chimiothérapie était brutale, plus les enfants étaient vulnérables à l'infection. Dans certains cas, le cancer était maîtrisé, ce qui n'empêchait pas le patient de mourir de quelque virus exotique, véritable aubaine pour le pathologiste de service.

— Bref, tu es prête à te rabattre sur les noyaux d'abricot, dis-je.

Elle se figea, et je la vis hésiter sur l'attitude à prendre, pour choisir enfin de retarder la confrontation. J'étais injuste et je le savais, dit-elle, le traitement au Laetryl ne se limitait pas au médicament lui-même, c'était une conception thérapeutique entièrement différente, en quelque sorte une philosophie de la guérison.

Elle régurgitait des formules toutes faites et, venant d'elle, cette récitation servile me fit de la peine. Je pris alors une autre heure à la nuit pour lui dire que je refusais d'en discuter, de toute façon elle en ferait à sa tête et visiterait cette fameuse clinique, elle irait d'abord seule pour se faire une idée et il serait toujours temps de se disputer plus tard, au cas où elle s'obstinerait à donner suite à son projet. Après avoir accepté en parole de suspendre les hostilités, elle se retira dans la chambre à coucher et joua nerveusement avec la serrure de la porte, sans apparemment se douter du soulagement que me causaient ses précautions.

Je m'étendis sur le canapé et à peine avais-je éteint la lumière que les sons étranges de la nuit des Caraïbes entrèrent en force dans la pièce, pour assaillir insidieusement ma mémoire et me donner du vague à l'âme. Au moment où je sombrais dans le sommeil, l'image de Max me traversa l'esprit et je l'accueillis d'abord avec une sorte de malaise, comme s'il y avait quelque chose d'inconvenant de me préoccuper d'un autre enfant que le mien, dont je partageais peut-être les dernières vacances. Mais l'état de demi-conscience où je me trouvais favorisa un revirement de mes pensées, qui furent bientôt dominées par l'impression qu'il existait une affinité profonde entre le destin de Florence et celui de Max, qu'ils étaient ensemble le problème et sa solution et que, faute d'avoir gardé mon esprit ouvert à la déraison, j'avais laissé échapper une découverte de la plus grande importance. Subitement, la véritable nature de la maladie de Max me fut accessible pour une seconde. Je fis un effort immense pour tenir ensemble les morceaux de la vérité et mettre un nom sur la fresque, mais je sentis avec désespoir que ma conscience s'effilochait et, finalement vaincue par la fatigue, lâchait sa proie pour l'ombre.

Sandy était assise à mon chevet quand j'ouvris les yeux sur le salon éclatant de soleil, l'appel de son regard avait suffi pour secouer ma torpeur.

— Qu'est-ce qui se passe? demandai-je avec alarme.

Elle se contenta pour toute réponse de me présenter le large peigne d'écaille qui faisait partie de sa trousse de toilette, entre les dents duquel était prise une touffe de cheveux lustrés, grosse comme le poing. Nous restâmes un moment à nous dévisager en silence, il n'y avait rien à dire et probablement que nous avions peur l'un et l'autre d'entendre le son de notre propre voix.

Notre querelle étouffée de la veille n'était pas oubliée, mais soudain son poids sur nos cœurs était devenu quantité négligeable. Le mal de notre enfant ne nous avait pas rapprochés l'un de l'autre, et son progrès ne faisait qu'aggraver nos divergences sur la façon la plus appropriée d'y faire face. Le cancer de Florence ne nous offrait ni répit ni médiation, et si j'avais pris la main de mon ex-femme, et si elle ne l'avait pas retirée, c'était parce que le malheur nous mettait sur un pied d'égalité et, à chaque palier de son escalade, nous forçait à reconnaître que l'autre avait les meilleures raisons du monde d'avoir tort.

* * *

La magie de l'île semblait inopérante sur Olivier, qui nous gratifiait depuis notre arrivée d'une mine tout en longueur et éludait nos questions avec un regard en coulisse. Un incident devait bientôt me fournir l'explication de son attitude, qui pourtant n'était pas difficile à déchiffrer, mais j'étais alors trop occupé à ne pas penser pour trouver le temps de réfléchir. En sortant sur le balcon, je l'avais vu qui jouait avec sa sœur au Parchési, sur le patio aménagé en contrebas du cottage, et j'avais surpris une bribe de leur conversation.

— C'est comme quand tu dors, expliquait Olivier, seulement tu te réveilles plus jamais.

— Ça fait mal?

— Mais non, quand tu es morte, tu ne sens plus rien. Avant ça dépend, mais ils te donnent des remèdes pour supprimer la douleur.

— Avec une seringue?

— Je sais pas, peut-être. C'est à toi de jouer.

— Si je perds, on en fait une autre?

— Non, c'est la dernière.
— Après, qu'est-ce qu'on fait avec moi?
— Après quoi?
— Quand je suis morte.
— On t'enterre, dit Olivier avec effort. Mais tu t'en fiches, parce que t'es plus dans ton corps.
— Je sens plus rien?
— C'est ça. T'es plus là, tu comprends?
— Non, dit-elle en examinant le jeu avec perplexité. Quand je dors, je suis encore là.

Je vis alors Olivier serrer les poings et fixer les cheveux déjà clairsemés de sa sœur avec une expression haineuse, mais l'instant d'après il levait la main pour lui caresser la joue et lui dire qu'elle avait encore perdu.

— C'est pas juste, dit-elle en balayant les pions avec mauvaise humeur, tu gagnes parce que t'es plus grand.

Au déjeuner, je proposai à Olivier de nous joindre au groupe qui partait en excursion pour le reste de la journée, la promenade se terminerait par la descente d'une rivière sur des radeaux de bambou; on parlait de quelques rapides assez dangereux. Sandy irait faire des courses à Montego Bay. (En réalité, elle allait visiter la clinique du Dr Borgès.) Pour sa part, Florence déclara qu'elle préférait rester à l'hôtel en compagnie d'une jeune fille d'un village voisin, que nous avions engagée par l'intermédiaire du représentant de l'agence de voyages.

Olivier nous dévisagea avec incrédulité, interrogea sa sœur qui déclara qu'elle n'avait pas envie de se faire dévorer par les crocodiles (je l'avais soudoyée avec des caramels, mais les crocodiles étaient de son cru) et finalement nous donna son premier sourire de la semaine. Il acceptait subitement d'être en vacances.

Dans l'autocar, je l'entrepris sans tarder sur sa stratégie d'approche de Miss Jennifer, une blonde de Pittsburgh qui portait ses dix-sept ans avec des soupirs de ménopause, et contre laquelle il avait joué au tennis. Leur relation s'était établie sur la base d'une compétition grinçante, ils se cherchaient dans tous les sens du mot et ne manquaient pas une occasion de s'envoyer des pointes, qui avaient la finesse d'un crayon gras.

— Je sais bien, dit Olivier avec irritation, mais je n'arrive plus à renverser la vapeur.

Je le conseillai de mon mieux alors que le petit autocar traversait en trombe des villages grouillant d'enfants nus, que des bras providentiels tiraient lestement hors du chemin. Des femmes élancées au déhanchement royal portaient en équilibre sur leur tête les charges les plus hétéroclites et s'écartaient avec nonchalance au klaxon du véhicule, qui les frôlait au passage. J'interrompis mon cours d'éducation sentimentale pour dire à Olivier que la vie humaine devait être bien bon marché sur l'île pour qu'on en fît si peu de cas, il approuva distraitement et, de toute évidence, le scandale ne le concernait pas. La couleur locale était estompée à ses yeux par les cheveux cendrés et la robe rose bonbon de Miss Jennifer. Dommage, j'aurais voulu partager d'autres réflexions avec lui, car depuis notre arrivée à la Jamaïque, j'avais accumulé sans trop y attacher d'importance des observations de détail, qui s'étaient lentement combinées pour nourrir en fin de compte un malaise sourd et vaguement menaçant. C'était peut-être un effet de mon imagination, mais il me sembla voir des regards hostiles et des bras levés qui se terminaient par le poing dans les foules qui s'écartaient devant notre autocar. Des adolescents nous criaient des choses que nous étions incapables de comprendre, car la voiture était climatisée, les vitres ne s'ouvraient pas et les haut-parleurs nous cassaient les oreilles avec leur musique en conserve. Je me souvins alors de notre trajet interminable du premier jour entre l'aéroport et Arawaks Creek, nous avions traversé une douzaine d'agglomérations, mais la seule halte qui nous avait été concédée fut celle d'un bistrot isolé et désert, tenu par un Européen polyglotte qui proposa en aparté à Sandy de lui vendre des coupures jamaïcaines au tiers du cours officiel.

— A quoi tu penses? demanda Olivier pour la seconde fois.

— Il y a du théâtre dans l'air, dis-je en remarquant que l'ombre d'une moustache se dessinait sur son visage encore indécis. Un des garçons de table m'a dit ce matin que des troubles ont éclaté à Kingston, la moitié de la ville est en grève et il y aurait eu cinq ou six morts dans des accrochages avec la police.

— Et alors? C'est ça, le théâtre?

— J'ai acheté les journaux locaux, ils parlent du nouveau système d'égouts de Spanish Town et de la prochaine élection de Miss Jamaïca, mais pas un mot sur ce qui se passe à Kingston.

— C'est normal, dit Olivier, ils ne veulent pas faire fuir les touristes.

— Normal? dis-je avec un soupir de résignation.

Plus tard, nous descendions la rivière sous un soleil de plomb, assis sur la banquette à deux places d'une sorte de pirogue plate, faite de branches de bambou assemblées à l'aide de gros fil de fer. Un jeune colosse nous conduisait, debout à l'avant de l'embarcation, en maniant une longue perche et en fredonnant vaguement, sans se soucier de nous. Je jugeai que le moment était propice pour faire allusion à cette visite qu'Olivier avait rendue au Dr Davis, et dont il n'avait soufflé mot. A ma surprise, il n'opposa pas de résistance à ma curiosité.

— Je voulais savoir si Flo en avait pour longtemps, expliqua-t-il.

— Et qu'est-ce qu'on t'a répondu? dis-je en m'efforçant de ne pas réagir à la délicatesse de ses tournures de phrases.

— Que ça va plutôt mal.

— C'est pour ça que tu fais la gueule depuis qu'on est arrivés?

Il secoua la tête en renâclant, je n'avais rien compris, le pronostic de Davis l'avait au contraire aidé à mieux accepter sa frustration. Est-ce que je réalisais que depuis la maladie de Florence, il avait cessé d'exister pour sa mère comme pour moi ? N'importe quoi aurait pu lui arriver que nous nous en serions à peine rendu compte ! Il savait bien que la situation était temporaire et c'était justement pour ça qu'il faisait soi-disant la gueule, parce qu'il était humilié de ne pouvoir passer par-dessus ses sentiments. Oui, il agissait comme un bébé gâté, n'empêche que des fois il en arrivait à détester Florence et à souhaiter que ça soit bientôt fini.

— J'aime Flo autant que toi, dis-je en lui posant la main sur l'avant-bras. Pourtant, il m'arrive à moi aussi de penser à sa mort comme à une délivrance.

Il avait rabattu devant son visage le chapeau de paille tressée, acheté la veille à un marchand ambulant ; j'imitai son geste et je l'entendis bientôt renifler à mon côté de façon significative. Nous devions avoir fière allure dans ce panorama touristique, sous le soleil des Antilles, à pleurer chacun pour soi dans l'ombre de nos chapeaux de planteur, glissant main dans la main au fil de cette rivière dont les rapides étaient si redoutables que notre batelier devait à tout moment descendre du radeau pour le tirer de force sur les galets affleurant la surface.

* * *

Nous revînmes à Arawaks Creek au crépuscule, Sandy n'était pas de retour et Florence épanouie nous présenta Mademoiselle Juliette avec tous les symptômes d'un coup de foudre. La jeune fille, qui devait avoir quinze ans et en paraissait dix-huit, accueillit ces démonstrations en souriant, avec une simplicité et une nonchalance qui, sous un autre climat, auraient passé pour de l'affectation. Elle refusa absolument de nous accompagner au restaurant et j'obtins du maître d'hôtel, à l'aide d'un pourboire particulièrement délictueux, qu'un repas froid nous fût servi au cottage.

Sandy arriva au dessert, je l'interrogeai des yeux, mais elle fit celle qui ne voyait pas et paya Juliette le double des gages convenus, en lui demandant de revenir tous les après-midi jusqu'à la fin de notre séjour. Lorsqu'elle apprit que la jeune fille envisageait de rentrer chez elle en auto-stop (le dernier autocar était passé), elle s'y opposa d'un ton sans réplique et décida que nous allions la reconduire au village. La voiture de l'agence avait été louée pour vingt-quatre heures et c'était une occasion toute trouvée de nous évader de l'hôtel. Florence s'était endormie sur la chaise-longue du balcon et Olivier resterait ici jusqu'à notre retour. Il acquiesça distraitement, plongé dans un livre policier probablement idiot, il finirait sa soirée à la discothèque à se chamailler avec Miss Jennifer, et je lui en voulais de ne pas remarquer le regard attentif que Juliette coulait vers lui, dès qu'elle ne se croyait plus observée.

La nuit était tombée, mais la chaleur de l'après-midi s'étirerait dans le noir jusque vers minuit. J'essayai en conduisant de repérer dans le ciel la comète de Halley, dont les journaux parlaient abondamment depuis quelques semaines, mais renonçai après avoir failli quitter la route à deux reprises. Nous fûmes au village en un quart d'heure, que Sandy mit à profit pour faire la conquête de la jeune fille et l'interroger sur ses études, sa famille, ses plans d'avenir et le climat social de l'île. Juliette répondait avec intelligence, sans se départir de sa mine avenante, même lorsqu'elle parlait des conditions de vie de ses semblables — et ce sourire permanent et gracieux finit par m'indisposer. Je me demandai si Sandy l'avait mise au courant de l'état de Florence et, le cas échéant, si elle avait trouvé le moyen de rester aussi enjouée en apprenant la vérité.

Elle demanda d'être laissée à l'entrée du village, mais Sandy insista pour la déposer chez elle, et nous nous arrêtâmes bientôt devant une masure à laquelle ni l'apparence de la jeune fille, ni ses manières ne nous avaient préparés. Une multitude d'enfants de tous les âges firent aussitôt cercle autour de nous, certains tendaient la main dans l'attente d'une pièce de monnaie, d'autres parmi les plus vieux restaient à l'écart dans la pénombre et nous observaient avec une gravité silencieuse. Une femme corpulente, sanglée dans une robe écarlate, sortit de la demeure, suivie de trois ou quatre autres adultes qui tous entreprirent de parler en même temps. Je ne comprenais pas un mot de leur langue et de toute façon, j'aurais voulu être ailleurs.

Après avoir posé une question à Juliette qui hocha la tête, Sandy salua la femme en rouge et se mit à lui parler avec volubilité. Je devinai aux sourires échangés qu'elle la complimentait sur sa fille.

— Lesquels sont vos frères et sœurs? demandai-je à Juliette en montrant les enfants, histoire de dire quelque chose.

— Oh, oui! répondit-elle en caressant la tête crépue d'une fillette de trois ou quatre ans qui lui tenait la cuisse à deux bras et cachait son visage dans sa robe fleurie.

Je m'apprêtais à poser la question une seconde fois, pensant qu'elle ne l'avait pas saisie, mais je me retins avec l'intuition que la réponse pourrait peut-être dépasser le simplisme de ma sociologie. De surcroît, et sans me le formuler clairement, je percevais que cette multitude d'enfants qui nous entouraient étaient vraisemblablement, pour ce village misérable, l'équivalent sur grande échelle du mal qui terrassait Florence.

Par bonheur, Sandy se débrouilla de son côté avec infiniment plus d'aisance que moi, parlant aux uns et souriant aux autres, intéressée et attentive, lançant des clins d'œil comiques aux marmots et faisant répéter trois fois à un vieillard le bout de phrase qu'elle n'avait pas compris. Je l'avais souvent observée en des situations analogues, sans pouvoir m'empêcher d'admirer à chaque fois son génie naturel pour mettre les gens à l'aise et les faire parler d'eux-mêmes sans réticence. Ce soir, elle se surpassait en invention et en virtuosité, et je compris que sa visite à la clinique de Montego Bay avait été un terrible fiasco.

* * *

Le retour à l'hôtel fut plutôt maussade. Sandy se contenta d'exprimer sa satisfaction d'avoir rencontré la famille de Juliette, sur un ton qui sentait l'effort et contrastait singulièrement avec son enthousiasme de tout à l'heure. Elle s'était entendue avec la mère de la jeune fille pour revenir dans le courant de la semaine, afin de prendre une série de photographies de l'endroit. Je lui répondis par de vagues grognements, car je la sentais tendue et malheureuse, et mon expérience me conseillait de lui laisser l'initiative de la conversation. Alors que nous approchions des lumières d'Arawaks Creek, je lui lançai un coup d'œil, car elle était étrangement silencieuse. La nuque renversée, elle regardait fixement le plafond de la voiture, les yeux noyés de larmes.

— Ne me juge pas, dit-elle d'une voix rauque. Je suis faite comme ça, c'est dans mon caractère. *I am a surviver.*

Elle avait repris contenance à notre arrivée au cottage, et fit payer la note de son moment d'abandon à Olivier, qui nous avait accueillis en grommelant que le village n'était apparemment pas aussi voisin qu'on le lui avait dit.

Après qu'il fut parti à la discothèque, elle s'assit en tailleur sur le sofa et feuilleta distraitement une revue professionnelle.

— Ce n'est pas ce que tu penses, dit-elle en conclusion d'un interminable soupir. La clinique est tenue par des médecins américains, ils ont dû s'exiler à cause de la conspiration de l'*establishment* contre le Laetryl.

Elle leva les yeux et mon expression dut l'encourager, car elle se détendit et commença à me raconter le détail de sa journée à Montego Bay. La clinique du Dr Borgès était moderne, remarquablement bien équipée, et les patients avaient la jouissance d'une plage privée où ils pouvaient se prélasser entre les périodes consacrées aux exercices, aux sessions théoriques et aux divers traitements. Le Laetryl n'était qu'un des aspects d'une approche thérapeutique nouvelle, fondée sur une alimentation naturiste particulièrement rigoureuse et sur des pratiques d'hygiène où, notamment, les lavements jouaient un rôle important.

La narration vivace et bousculée de Sandy accrocha mon intérêt malgré moi. J'assistais à son entrevue avec le directeur médical et la diététicienne en chef, je l'entendais parler avec ce jeune homme qui ressemblait à Robert Redford et dont le père était un sénateur connu, ainsi qu'avec cette actrice allemande qui en était à sa troisième cure et survivait depuis huit ans à sa condamnation par les médecins orthodoxes. Je ne pus m'empêcher d'imaginer Florence dans cette retraite privilégiée, entourée de guérisseurs aux fluides bienfaisants et, comme l'héroïne d'un conte de fée, retrouvant lentement ses forces en avalant un philtre qui purifierait son sang de ses poisons et la protégerait pour toujours contre les maléfices.

— Je suis presque convaincu, dis-je à Sandy. Pourquoi as-tu changé d'avis?

— Je n'avais pas d'avis à changer, dit-elle sur la défensive. Seulement il aurait fallu que je sois sûre, absolument.

— Pourtant ce que tu racontes est impressionnant... Qu'est-ce qui te retient d'avoir confiance?

Elle ne le savait pas, c'était peut-être leur assurance qui la troublait, pas seulement celle des médecins, mais celle des malades aussi. En fin de compte, le pessimisme prudent de Davis et l'incertitude existentielle de Vecchio lui inspiraient une plus grande confiance que la conviction tranquille de ces végétariens, qui décrivaient les résultats spectaculaires de leur cure-miracle avec une concordance de vocabulaire qui l'avait mise sur ses gardes.

— Je vois ce que tu veux dire, l'assurai-je avec sincérité, mais non sans malaise, car je trouvais qu'elle avait jeté le gant avec un défaitisme suspect, compte tenu de son caractère.

Je n'avais pas tort. Elle me rejoignit en fin de soirée sur le patio, où je m'étais attardé après avoir mis Florence au lit. J'étais épuisé de l'avoir portée, endormie, et de m'être rendu compte qu'elle ne pesait plus rien.

— Il y a autre chose, dit Sandy.

Un incident singulier était survenu alors qu'elle quittait la clinique. Un vieillard l'avait abordée à l'entrée de la propriété pour l'interroger sur sa décision au sujet de Florence. Elle l'avait écouté parce qu'il parlait avec un accent charmant, qu'il était affligé d'un léger Parkinson et ressemblait à un clergyman en vacances.

— Comment savez-vous le nom de ma fille? lui avait-elle demandé.

Il avait un homme à sa solde employé dans la clinique, un espion oui si vous préférez, qui l'avait averti par téléphone de la visite de Mme Lecoultre, et il s'était empressé de sauter dans un taxi pour venir la mettre en garde.

— Mais qui êtes-vous?

Il sortit d'une serviette de cuir la photographie d'un adolescent au visage éclairé et au regard intense. Le portrait était sous verre, dans un cadre ancien, ciselé et probablement en argent massif.

— C'était mon petit-fils! dit-il, comme si ce lien de parenté constituait la seule réponse possible à la question qui lui était posée.

Michel avait eu le Hodgkin à l'âge de quartorze ans et, parmi les diverses formes de cancer, celle-ci réagissait particulièrement bien à l'arsenal des nouveaux médicaments de la chimiothérapie. Mais parce que lui, le grand-père, était un vieux fou et avait insisté pour prendre tous les frais à sa charge, le jeune homme était venu de Rome pour suivre les traitements barbares de Clyne, qui l'avaient achevé en quinze mois.

— D'où sort-il, celui-là? demanda Sandy. J'ai rencontré le Dr Borgès et un de ses assistants.

L'inconnu avait repris le portrait et jetait de fréquents

coups d'œil par-dessus son épaule, tout en continuant de parler. Borgès était le directeur médical de la clinique, un salarié comme tous les autres. Le véritable instigateur s'appelait Julius Clyne, qui avait entre autres talents le génie de ne pas faire parler de lui. Son nom n'était pour ainsi dire jamais cité dans la littérature médicale, ni dans les innombrables articles de vulgarisation consacrés au Laetryl. Pourtant, il était le propriétaire de cette clinique, l'actionnaire majoritaire de la société qui fabriquait le prétendu médicament et le principal bénéficiaire de son trafic sur le marché noir des États-Unis.

Une voiture les avait dépassés et s'était arrêtée à une vingtaine de mètres en avant d'eux. Trois Noirs en civil en descendirent et vinrent à leur rencontre. Le vieillard glissa à Sandy qu'il s'appelait Olivetti, comme les machines à écrire, et que d'habitude *ils* venaient à deux et portaient l'uniforme. C'était la première fois qu'il voyait ce trio-là. Clyne avait acheté la moitié de la police de Montego Bay, ce qui ne voulait rien dire, car la corruption était l'industrie la plus florissante de l'île — et que sa chère amie ne se fasse pas de souci, il avait de son côté les moyens d'acheter la protection nécessaire.

— Il s'est laissé embarquer comme ça, sans résistance, me dit Sandy en concluant son récit. Et moi je suis restée plantée là comme une idiote, sans protester, sans même leur poser une question. J'avais mon appareil, j'aurais pu prendre la voiture avant qu'ils ne filent. Pourquoi est-ce que je n'ai rien fait ?

— Tu étais sous le coup de la surprise, et tu le connaissais à peine, dis-je. Et puis il fait trop chaud dans ce pays pour garder de bons réflexes. D'ailleurs on ne sait pas, c'était peut-être un illuminé.

Non, c'était justement ça qui la tracassait. Il ne lui avait peut-être pas dit la vérité, mais il avait toute sa raison, elle en était certaine. D'ailleurs, le portrait de son petit-fils lui ressemblait et était signé Giacomino.

— Je n'aime pas l'odeur de cette histoire, dit-elle.

— Et au nez, ça sent quoi?

Elle soupira et me regarda sans me voir, repassant sans doute dans son esprit le déroulement de son après-midi — et elle attendit si longtemps avant de répondre que je ne fis pas immédiatement le lien avec ma question lorsqu'elle murmura, les yeux encore dans le vague:

— L'argent. D'autres choses aussi, mais surtout l'argent.

Je n'étais pas certain de comprendre ce qu'elle voulait dire, mais je me gardai de la relancer, car je ne voulais pas laisser paraître mon trouble. C'était la première fois que je la voyais subir passivement une situation qui la mettait directement en cause (sa réaction à l'arrestation de ce M. Olivetti me stupéfiait), la première fois aussi que l'incertitude et le désarroi avaient à ce point barre sur elle. De toute évidence, les événements de ces dernières semaines avaient ébranlé son aplomb et miné cette assurance avec laquelle elle imposait habituellement son point de vue et prenait ses décisions. Son doute la rendait subitement vulnérable à ma sollicitude, et de toutes les personnes de ma connaissance, elle était celle que j'aurais le plus craint de prendre en pitié.

* * *

Florence perdit ses cheveux en deux jours. Le peigne et la brosse firent les premières moissons, mais bientôt des mèches entières lui restèrent dans les doigts, elle les tirait de sa tête d'un geste délicat, avec la même curiosité amusée et vaguement inquiète qu'elle eût manifestée pour arracher une peau morte, après un coup de soleil.

Nous savions par le Dr Davis que cet effet secondaire de la chimiothérapie variait selon les malades. Dans la plupart des cas, la calvitie était lente et partielle, mais elle pouvait être exceptionnellement rapide et spectaculaire. Une fois de plus, les statistiques nous avaient choyés, il était si instructif de savoir que le cancer était la première cause de mortalité infantile, qu'il frappait davantage les garçons que les filles et plus souvent les Blancs que les Noirs. Nous pouvions ainsi découvrir sous quels aspects Florence avait été la plus malchanceuse. En revanche, nul statisticien ne se manifestait pour nous expliquer la raison pour laquelle la loi des grands nombres avait choisi notre enfant dans la multitude, ni pourquoi le hasard l'avait finalement préférée au petit garçon détestable des voisins.

Florence accepta sa nouvelle apparence avec un détachement qui parut affecter Sandy davantage encore que la perte des cheveux. Elle aurait su faire face à de la colère, de la révolte ou du désespoir, cependant que le fatalisme de sa fille la prenait cruellement de court.

— Mais ça fait pas mal, expliqua Florence, qui savait de quoi elle parlait.

Une demi-douzaine de mèches opiniâtres disséminées sur la tête avaient résisté à la calvitie pour quelque inexplicable raison et Olivier, après avoir décrété que sa sœur avait comme ça l'air d'une Hare Krishna complètement débile, suggéra de simplement lui raser la tête. Sa mère lui lança un regard venimeux et concéda qu'il avait probablement raison, disparut dans la salle de bains avec Flo et un pot de crème dépilatoire.

Ce soir-là, je me préparais à regarder ma fille chaque fois que je tournais les yeux vers elle, et cette précaution me gardait de la surprise. Je ne découvris la nouvelle Florence que le lendemain matin, alors que j'étais assis sur la chaise longue du balcon, plongé dans *le Rivage des Syrtes*. Sa voix me parvenait de la chambre depuis un moment et je me retournai hors de mes gardes, pour soudain voir sur le seuil de l'ombre une petite étrangère vêtue d'une robe bleu ciel, qui me fixait avec les yeux graves de ma fille, et dont la tête luisante d'ambre solaire n'était pas repoussante ni ridicule d'aucune façon. Au contraire, l'apparition avait ce charme étrange et puissant que prend parfois la vérité, quand le quotidien qui la cache laisse tomber le masque.

— Tu viens de quelle planète? dis-je.

— Du Canada, dit-elle sans sourire. Tout le monde m'a regardée à la salle à manger.

— C'est parce qu'ils n'ont jamais vu de petite fille chauve.

— C'est maman qui m'a dit d'ôter mon chapeau, dit-elle sur un ton qui signifiait qu'elle renonçait à comprendre.

Sandy lui avait fait la guerre au cours des derniers jours pour qu'elle se couvre la tête en sortant, en lui expliquant non sans raison que la peau de son crâne était devenue très vulnérable aux coups de soleil. Elle avait un second motif, qui était de ne pas attirer la compassion publique en exhibant les stigmates de Florence. Il fallait croire qu'elle avait changé d'avis, en allant ce matin prendre le petit déjeuner en compagnie des enfants.

La réaction des gens d'Arawaks Creek s'exprima de deux manières. La plupart des clients de l'hôtel affectèrent de ne rien voir, et ceux qui firent exception nous récitèrent le chapelet conventionnel des consolations et des encouragements (« elle est heureusement trop jeune pour se rendre compte » et « la médecine fait aujourd'hui de tels progrès »), en passant par les poignées de main appuyées, les soupirs entendus, les remèdes de bonne femme et l'évocation des parents et connaissances qui avaient guéri du cancer ou qui en étaient morts après diverses complications, amputations et rechutes — tous propos destinés à nous ragaillardir. Mais quelles que fussent les variantes de cette première forme de compassion, elle finirent toutes par contribuer à mettre Florence à l'écart du beau monde.

L'autre manière fut celle de Juliette et des siens, les garçons de table, les musiciens de l'orchestre, les jardiniers, les marchands ambulants qui, les uns comme les autres, ne posaient pas de questions et avaient le talent de trouver dans leur travail du jour quelque activité taillée à la mesure de Florence. Les hommes lui caressaient la tête en riant, les femmes la laissaient cajoler leur dernier-né, la plupart de ces indigènes étaient à ce point analphabètes qu'ils n'auraient pas su écrire sans faute un mot aussi simple que celui de *contagion*. Il leur manquait ce bagage d'instruction qui permettait aux clients de l'hôtel de se la couler douce sur des chaises longues, dans les jardins soigneusement entretenus, à l'ombre du malheur des autres.

* * *

Olivier avait fini par s'apercevoir de l'intérêt que lui portait Juliette, ce qui eut pour effet de le rapprocher de sa sœur, dont il se mit à partager les jeux et les châteaux de sable avec un entrain méritoire. Miss Jennifer fut très affectée de n'être plus tourmentée par celui qu'elle appelait *my Boy-French* et, toutes griffes rentrées, vint faire patte de velours sur les pâtés et les donjons de Florence qui n'avait jamais été aussi choyée et s'arrangea pour tirer tout le profit possible de la situation. Le bronzage de son corps s'étendait progressivement à son crâne lisse, elle s'était habituée au nouveau contour de son ombre avec une insouciance bénie et ne semblait même pas être froissée par le sobriquet de « coco », qui était une des fines trouvailles de son frère.

Juliette nous avait dit qu'elle s'était arrangée pour rentrer le soir au village avec des employés du restaurant, mais je l'aperçus à deux reprises tôt le matin qui étendait du linge avec la femme de chambre chargée de l'entretien de notre cottage. J'en conclus qu'elle avait trouvé à se loger dans la propriété, en violation probable de quelque règlement.

Une nuit, alors que j'étais sorti sur le balcon pour faire prendre l'air à mon insomnie, je la vis dans la clarté de la demi-lune qui traversait silencieusement le patio, pour venir s'accouder à la fenêtre ouvrant sur la chambre d'Olivier. Elle resta immobile pendant quelques minutes, puis se pencha pour glaner sur le sol une réserve de petites munitions, qu'elle lança à l'intérieur de la pièce, en direction du lit. Olivier grogna, puis apparut un moment plus tard, le cheveu en bataille et l'air éberlué. Je les entendis chuchoter, il lui proposait sans doute d'entrer dans la chambre, mais elle s'y opposait en secouant la tête et en riant doucement. Il finit par enjamber le rebord de la fenêtre et la rejoignit sur la terrasse. Ils se dévisagèrent en silence, je ne voyais que le visage de Juliette et il me sembla dans la lumière incertaine de la lune qu'elle ne souriait plus. Olivier se pencha pour lui prendre la taille et tenter de l'embrasser, elle s'y opposa avec douceur, recula d'un pas et déboutonna le corsage de sa robe pour en dégager ses épaules puis ses bras et, fièrement cambrée mais la respiration courte, elle se montra à lui le torse nu et la tête haute. Comme il la contemplait, pétrifié, elle rompit sa pose et lui prit la main pour l'entraîner à distance dans l'ombre complice d'un bosquet, elle allait devant le pied léger et lui se laissait mener derrière, le cœur vacillant entre deux rêves.

* * *

Florence décréta le lendemain que Juliette et Olivier allaient se marier et avoir des enfants moitié blancs, moitié noirs. Le mot fit rire Sandy, qui ne se doutait de rien. Je n'en étais pas fâché, car je savais que son ouverture d'esprit ne l'empêchait pas d'être une mère imprévisible, et je l'imaginais sans peine intervenant abruptement auprès de Juliette, pour lui signifier que son emploi consistait à partager les jeux de Florence, et ne s'étendait pas aux loisirs d'Olivier. Mais comment lui aurais-je reproché d'être possessive à l'endroit de son fils, quand la possession de sa fille lui était si âprement disputée?

Profitant plus tard d'un tête-à-tête fortuit avec Olivier, je fis allusion à la remarque de sa sœur et lui demandai s'il avait songé aux conséquences possibles de ses cabrioles.

— Ne te fais pas de bile, dit-il avec gêne.

— Si tu le dis...

— C'est pas moi qui le dis, c'est elle. Elle est déjà enceinte de trois mois.

* * *

Juliette était à l'aéroport pour notre départ, et avec elle une quinzaine de ses proches, tous en habits du dimanche et créant autour de nous, dès notre arrivée, une aura effervescente qui nous accompagnait dans nos déplacements, en ajoutant à la confusion endémique des bagagistes, des agents de voyages, des porteurs, des marchands de souvenirs et des gardes de sécurité. Alors que j'attendais au guichet de la compagnie aérienne le retour de l'employée avec laquelle je venais d'avoir une altercation pour une erreur dans la réservation de nos places, j'aperçus au loin Olivier qui glissait une enveloppe dans la main de Juliette, en lui parlant à l'oreille. Ils étaient tous deux à l'écart du groupe, il y avait des larmes dans les regards qu'ils échangeaient et des frémissements au coin de leurs sourires.

Sandy vint me rejoindre pour me demander de lui porter la sacoche de son équipement, maintenant que j'étais débarrassé des valises. Deux jours auparavant, elle avait passé une matinée au village à prendre six rouleaux de pellicule, sous le parrainage démonstratif de la mère de Juliette. Florence l'avait accompagnée pour l'occasion et j'avais entendu dire qu'elle était devenue la coqueluche des enfants de la place. Elle jouissait en tout cas d'une immense popularité parmi le groupe qui était venu à l'aéroport et qui la comblait à présent d'attentions touchantes et de petits cadeaux, à tel point que je soupçonnai Juliette d'avoir ébruité la nouvelle de sa maladie. Hilares, chaleureux et simples, ils étaient venus lui dire adieu.

CHAPITRE 6

Un message téléphonique de Lotte Sieber, la mère de Max, et un autre de Kenneth Hnatzynshyn m'attendaient au bureau. Je ne fus pas en mesure de les rappeler aussi rapidement que ma curiosité m'y poussait, car j'étais de corvée pour accompagner une délégation de parlementaires français dans leur visite du Centre de recherches en télécommunications, situé à Kanata, à quelques milles d'Ottawa.

L'honorable John Butler souhaita la bienvenue aux visiteurs dans le grand hall du Centre, sous l'agrandissement photographique d'un portrait d'Alexandre Graham Bell et au milieu de répliques grandeur nature des satellites canadiens de première génération. Butler avait tenté d'apprivoiser la langue française avec la complicité d'un professeur privé, chaque matin de huit à neuf heures durant les deux dernières années, et il s'autorisait de cet effort fourni aux frais des contribuables pour mettre ses connaissances à l'épreuve en toute occasion officielle. La perspective de s'adresser à de *vrais Français* semblait l'avoir stimulé (tous les francophones étaient égaux à ses yeux, mais les Parisiens étaient les plus égaux de tous) et il leur cita une pensée de Paul Valéry avec l'à-propos de M. Prudhomme, avant de s'excuser de ne pouvoir les accompagner dans leur visite. D'autres obligations moins plaisantes l'appelaient sur la Colline, et de toute façon ses « officiels » étaient plus qualifiés que lui pour leur donner des explications incompréhensibles. (Rires.)

Sur le chemin de la sortie, le ministre fit mine de s'apercevoir de ma présence (je gardais sa droite depuis un quart d'heure) et m'entraîna à l'écart au vif désappointement d'une demi-douzaine de fonctionnaires, qui s'étaient postés aux carrefours stratégiques et n'en pouvaient plus d'aiguiser leur bon profil.

— Daniel, mais vous êtes bronzé, bravo ! dit-il. Tout s'est bien passé à la Jamaïque ? Et comment ça va pour... eh...

Je l'interrompis de peur qu'il ne me demande des nouvelles de mon petit garçon (la mémoire de Butler était un phénomène difficile à oublier) et lui répondis que les choses allaient aussi bien que possible dans les circonstances, ce qu'il accueillit en hochant la tête d'un air pénétré. M. Delagrange s'interposa à cet instant pour lui serrer la main, en la retenant assez longtemps pour bien témoigner de l'amitié qui liait la France au Canada, et pour donner au photographe de l'ambassade le temps de soigner son cadrage.

La visite du Centre se déroula selon l'itinéraire habituel. Au début de la démonstration des hologrammes par rayon laser, qui s'effectuait dans une salle obscure, je sentis une main qui me prenait par le bras et me tirait vers la porte.

— J'ai trouvé votre message en rentrant ce matin, murmurai-je en sortant dans le couloir. J'avais d'ailleurs l'intention de vous rappeler au début de l'après-midi.

— Mon message ? C'est bien aimable à vous d'avoir l'intention d'y donner suite, dit Hnatzynshyn, qui n'avait rien perdu de sa componction. Mais je n'ai pas laissé de message, et pour ne rien vous cacher, je ne vous ai pas téléphoné. Je m'excuse, monsieur.

— Que faites-vous ici ? demandai-je, sans savoir pourquoi j'étais si heureux de le rencontrer à cet instant.

Il tira sur la chaînette d'acier qu'il portait autour de cou et sortit de l'échancrure de sa chemise une plaque d'identité plastifiée, avec une photographie qui l'amaigrissait de trente kilos.

— Je travaille ici, vous ne le saviez pas? dit-il. J'avais un billet pour Riyad et j'ai atterri à Kanata. C'est un comble! Vous trouvez pas que c'est un comble?

— Quoi donc?

— Mais d'être traité comme un Juif quand on porte un nom ukrainien, dit-il en roulant ses yeux derrière le verre épais de ses lunettes. Vous n'avez cependant pas de temps à perdre à écouter mes doléances. Ça ne vous fatigue pas de me parler debout?

— Non, mais si vous préférez, on peut aller s'asseoir.

— Je ne préfère pas, monsieur. J'aime bien les corridors, ça permet de voir venir.

Je lui racontai brièvement l'incident qui s'était produit à l'aéroport de Kingston, quand j'avais présenté mes billets au comptoir d'Air Jamaïca. L'employée avait consulté l'écran de son terminal, avant de me dire sèchement que trois sièges seulement avaient été réservés pour moi. Le nom de Florence n'était mentionné nulle part et c'était regrettable, car l'avion était plein.Je lui fis valoir que nous avions voyagé tous les quatre à l'aller, elle affirma que c'était impossible, je lui rétorquai que ma parole était plus fiable que les hoquets de son ordinateur, et ce fut le début de notre altercation.

— Durant le vol, dis-je, j'ai pensé à notre discussion de l'autre jour et à vos théories sur le comportement pathologique des machines.

Le visage rond de Hnatzynshyn se congestionna de satisfaction et il bredouilla que j'étais bien charitable. Il n'avait jamais pensé à formuler la chose en ces termes, mais on pouvait en effet parler de pathologie dans certains cas. Sans doute aurait-il été encore plus ému d'apprendre que j'en étais presque arrivé à croire que l'ordinateur avait délibérément choisi d'effacer Florence de ses mémoires, d'entre les noms de tous les autres passagers.

— Puis-je vous poser une question personnelle?

— Je n'ai rien à cacher, dit-il solennellement, en me montrant la paume de ses mains.

— Il me semble vous avoir aperçu à l'hôpital Memorial, il y a environ deux semaines.

Hnatzynshyn hocha la tête, c'était bien lui et la question n'avait rien de personnel. Il avait été envoyé là-bas par le ministère, à la demande de l'établissement, dont le système d'informatique avait subi dernièrement des perturbations exceptionnellement graves.

— Quel genre de perturbations? demandai-je.

Il ne voulait pas mettre ma patience à l'épreuve en entrant dans les détails techniques, d'autant qu'il me suffisait d'imaginer un livre dont les dix premières pages deviendraient subitement perméables aux mots.

— Que se passerait-il, je vous le demande?

— Le livre se lirait tout seul? dis-je, dans une tentative infructueuse pour le dérider.

— Non, monsieur, au contraire. Si le livre est à plat sur une table, tous les mots passeraient au travers des dix premières pages pour se déposer sur la onzième. Vous imaginez le résultat.

— Une salade russe, dis-je.

— Je ne vous le fais pas dire. Et si vous me permettez un commentaire impertinent, voilà une expression qui plairait à ces messieurs de la RCMP*.

Il jeta un coup d'œil aux deux extrémités du corridor pour voir venir, puis m'expliqua qu'il ne serait pas autrement étonné qu'ils fussent déjà sur l'affaire. On pouvait ne pas les aimer, mais on devait reconnaître qu'ils étaient parfois très efficaces.

— C'est donc si grave?

---

* RCMP: *Royal Canadian Mounted Police* (Gendarmerie royale du Canada).

Ma question l'embarrassait, la gravité dépendait du point de vue. La plupart des dossiers médicaux du Memorial avaient été partiellement ou totalement effacés des mémoires de l'ordinateur central. Heureusement, des doubles existaient sur papier dans les classeurs, et c'était un travail de quatre années-personnes pour remettre le système en état. C'était coûteux, mais ça n'était pas grave au sens où peut-être je l'entendais. Par contre, il espérait être bientôt en mesure de faire connaître son diagnostic sur les causes de la défectuosité et, sous toutes réserves, il prévoyait que oui, ça serait grave !

— Vous êtes sur une piste ?

— Non, justement monsieur. Voilà un mois que je me casse les dents. Mais pendant ce temps, j'élimine et c'est la seule méthode. La maladie du légionnaire, ça vous dit quelque chose ?

— Vous voulez dire cette affaire de congrès à Philadelphie ?

Oui, c'était bien ça. Les enquêteurs avaient commencé par chercher les causes de la maladie par l'investigation directe, avant de se rabattre sur la méthode par élimination. Après trois jours au Memorial, il était arrivé lui-même à la conclusion qu'il fallait chercher ce que les causes n'étaient pas.

— Vous m'excuserez, dis-je, je dois rejoindre mes visiteurs. J'aimerais reprendre plus tard cette discusion, tout ça m'intrigue au plus haut point.

Hnatzynshyn leva un doigt boudiné et parut soudain être à l'étroit dans ses vêtements, qui ne manquaient pourtant pas d'ampleur.

— Puis-je à mon tour... une question personnelle ? dit-il en s'humectant les lèvres. Vous n'êtes pas malade, au moins ?

— Non, pas que je sache. Pourquoi ?

— C'est que... si vous m'avez vu à l'hôpital, vous étiez aussi à l'hôpital, simple déduction. Si je suis indiscret, vous m'arrêtez et nous n'en parlons plus.

Je le mis en quelques mots au courant de la maladie de Florence. Il commença par se rembrunir, mais soudain poussa une exclamation, en se retenant d'une main à la chaînette de sa carte d'identité.

Il était livide.

— Ça ne va pas? dis-je, prêt à le soutenir.

— Non, non, c'est ma nature, je suis programmé comme ça, dit-il en se ressaisissant. Je supporte mal les coïncidences, monsieur, je n'y peux rien ! C'est souvent le cas des gens qui travaillent dans la logique, ils ont tendance à oublier que la vie est pleine de surprises. Dieu joue quand même aux dés, peut-être pas pour l'équilibre du cosmos, mais certainement dans les affaires humaines.

— Quelle coïncidence? demandai-je, tout en connaissant déjà la réponse.

— Vous me racontez l'histoire de la Jamaïque avec ce terminal qui fait des siennes pour votre fille, dit-il. Et maintenant, qu'est-ce que j'apprends? J'apprends qu'elle était au Memorial, et probablement que son dossier a été détruit avec les autres dans le désastre. J'appelle cela une coïncidence, monsieur.

— Et si ce n'était pas une coïncidence, justement?

Il considéra l'hypothèse pendant quelques secondes avant de virer au cramoisi. Maîtrisant mal son indignation, il me dit que des propos semblables, même sous forme de plaisanterie, étaient de nature à causer un tort considérable à une industrie en plein essor. Avais-je déjà entendu parler du syndrome de Frankenstein?

— Je n'avais pas l'intention de vous offenser, dis-je. Ma connaissance des ordinateurs est plutôt limitée et je ne vois pas pourquoi il serait absurde d'établir un lien entre les deux incidents.

— Qu'est-ce qui est absurde? dit-il en lâchant de la pression. Rien n'est absurde *a priori*, je ne pensais qu'aux conséquences... Si ce n'est pas une coïncidence, monsieur, alors bonsoir la compagnie!

— Ce qui veut dire?

Les yeux exorbités, il se vida de son air pour me dire d'une voix blanche:

— La fin de la civilisation! Ce n'est pas que j'y tienne tellement, je veux dire: à la civilisation, mais la suite serait inconfortable pour moi. Dites-moi honnêtement, ai-je l'air d'un boy-scout?

Je n'eus pas la franchise de lui répondre et me contentai de l'encourager à me faire signe en cas de découverte. Je le quittai précipitamment pour rejoindre les visiteurs, qui avaient fait le tour des hologrammes et se dirigeaient à présent vers la section de l'espace.

La délégation française était conduite par M. Delagrange, ministre plénipotentiaire qui portait beau et par trois députés aux allégeances politiques variées: M. Janette, un nabot égrillard spécialiste en calembours, M. Lescaut, un ancien professeur de lycée, qui se plaignait de n'avoir pas digéré le banquet de la veille, offert pourtant par le gouvernement québécois, et M. Sandrini, un bouledogue communiste qui se rongeait les ongles.

A la suite de la présentation d'un nouveau système *videotex*, une discussion s'engagea sur les services de télématique, et notamment sur la question de la circulation entre les pays des données contenues dans les mémoires des ordinateurs. Les fonctionnaires du Centre parlaient du problème sous l'angle de la protection de la vie privée des personnes, alors que les parlementaires français le traitaient dans l'optique de la vulnérabilité des pouvoirs publics au terrorisme électronique. Ils profitèrent de l'occasion pour se faire des crocs-en-jambe les uns aux autres, au grand désarroi de leurs interlocuteurs canadiens qui ne comprenaient rien à la mécanique de leurs culbutes. Ce dialogue de sourds entre experts de la communication était un spectacle qui m'aurait diverti en d'autres temps, mais je souffrais depuis peu d'une allergie aiguë à toute forme de prolifération, qu'il s'agît de leucémie, de logorrhée ou de surpopulation. Je ne pouvais plus entendre les diatribes prétentieuses des spécialistes, les bavardages d'ascenseur ou les discours ineptes des politiciens, sans être brutalement renvoyé à ma propre hantise de la mort par encombrement.

Un déjeuner fut servi plus tard dans la salle de conférence et j'eus l'avantage, en ma qualité de représentant du cabinet du ministre, d'être assis entre MM. Delagrange et Janette, qui engagèrent sous mon nez un chassé-croisé de considérations sur la semaine qu'ils venaient de passer à Montréal, et sur les difficultés qu'ils avaient éprouvées à comprendre le parler des Québécois. Le nabot raconta une de ses mésaventures avec un chauffeur de taxi, prenant l'accent berrichon pour imiter le bonhomme, pendant que le professeur de lycée expliquait le concept des langues vernaculaires à M. Sandrini, qui dormait les yeux ouverts.

J'observai en face de moi le directeur du Centre, qui était un Canadien français de la vieille école, et je le vis tourner sept fois sa langue dans sa bouche avant d'intervenir dans la discussion, tant il craignait de commettre ces anglicismes dont parlait Delagrange en fronçant du sourcil, ou de manquer l'occasion de placer un de ces archaïsmes qui faisaient les délices de Janette. Notre hôte était manifestement subjugué par la faconde et les rondeurs de style de ses invités, et les efforts qu'il faisait pour se hisser au diapason de leur élégant babil n'aboutissaient qu'à embarrasser davantage son élocution. Le vin aidant, il participa à un débat académique sur le *joual*, comme s'il s'agissait là d'un phénomène totalement étranger à son expérience de vie. Il apporta de l'eau au moulin Delagrange en citant avec l'accent du terroir quelques expressions populaires et un chapelet de sacres typiquement québécois. Il exhibait les stigmates de son peuple isolé et meurtri, avec la fierté naïve d'un primitif soumettant son artisanat de gris-gris et de statuettes à l'intérêt amusé et condescendant du bon maître blanc.

Chaque membre de la délégation française manifestait en permanence, dans sa manière d'être, sa conviction que des différences flagrantes le distinguaient de ses collègues. Ils auraient été les uns et les autres stupéfaits et probablement offensés de s'entendre dire que leur éloignement du pays natal nivelait au contraire leurs particularités individuelles, et que, sur ce continent étranger, ils frappaient moins par leurs différences que par leurs traits communs. Pendant trois semaines, ils avaient visité le Canada, de Vancouver à Québec, en gardant à portée de main un jeu d'étiquettes, qui correspondaient aux catégories de l'intelligentsia française. Chaque fois qu'une réalité canadienne les prenait au dépourvu, ils s'empressaient d'y apposer une *appellation contrôlée*, afin de pouvoir l'analyser ensuite avec discernement.

M. Delagrange, dans un bref discours de remerciement, dit que les Canadiens étaient des cousins éloignés par la géographie et germains par le cœur. Il broda son compliment avec l'aisance d'un vieux routier et affirma qu'après avoir visité ce grand navire qui mouillait à trois océans et pris la mesure de ses hommes d'équipage, il se sentait autorisé à emprunter à Bernanos pour le mot de la fin : « Canada, ô longue impatience ! » A l'exception de ses collègues, qui connaissaient son numéro par cœur et de moi-même, qui ne pouvais m'empêcher de penser à ce fou de Hnatzynshyn annonçant la fin du monde, l'auditoire dégustait, en prenant des mines inspirées, le salmigondis que le ministre plénipotentiaire leur servait avec une fraternelle et bienveillante supériorité.

* * *

Lotte avait paru surprise au téléphone que je ne connaisse pas *La Pompadour*. C'était un salon de thé dans le quartier du marché et j'eus conscience en y arrivant que mon ignorance était en effet inexcusable, car l'intérieur ressemblait à une bonbonnière tendue de satin rose et meublée dans le style victorien moderne, qui valait le déplacement. Lotte m'attendait, assise à une table de coin, le buste droit dans un tailleur anglais, de l'échancrure duquel sortaient les bouillons d'un petit jabot de dentelle. « Je rêve ! », pensai-je en m'efforçant de prendre un air dégagé pour la rejoindre, suivi par le regard intéressé des vieilles dames aux cheveux bleutés, qui étaient de toute évidence des habituées de l'établissement.

— Je vous conseille la frangipane, dit Lotte d'un ton appliqué, et les roulés au citron ne sont pas mal non plus. Je dois faire attention aux sucreries, pas tellement pour ma ligne, mais j'ai de gros ennuis avec mes dents.

Elle profitait de ses visites à Ottawa pour suivre un traitement chez un spécialiste, le Dr Rich. Il était excellent et avec des clientes comme elle, ça ne lui prendrait pas longtemps pour justifier son nom. (Elle se cacha la bouche du bout des doigts pour mieux rire de son calembour.) Il lui avait dit qu'elle était un cas exceptionnel.

— Et Max ? demandai-je, sans trouver la patience de faire une transition moins abrupte.

— C'est à son sujet que je voulais vous voir, dit-elle. Je n'aurais pas dû, mais je vous ai apporté quelque chose. Ne le sortez pas du cornet, à cause des gens.

Elle se pencha pour prendre un sac d'emballage, qu'elle me tendit avec une mine de conspiratrice et je faillis le laisser tomber en sentant que le *quelque chose* remuait à l'intérieur. Je jetai un coup d'œil, c'était une petite souris blanche dans un bocal de verre, dont le couvercle de métal avait été grossièrement perforé, pour permettre à l'animal de respirer.

— Mettez-la par terre à côté de vous, dit Lotte. Elle sent l'odeur des gâteaux, ça l'excite !

Max n'était plus au cinquième nord depuis une semaine, dit-elle, on l'avait transféré au dernier étage du pavillon Penfield, et il était même question de l'envoyer dans un hôpital militaire, en dehors d'Ottawa. Personne ne lui avait fait de remarques désobligeantes, mais elle se rendait bien compte que ses visites n'étaient pas appréciées. Elle devait maintenant se changer de pied en cap avant d'entrer dans la chambre de Max, et comme le garde de sécurité dans le couloir était tous les jours différent, il ne la reconnaissait pas et c'était chaque fois des téléphones et des vérifications à n'en plus finir.

— Mais que dit le docteur? demandai-je.

— Lequel? dit-elle. Il en a maintenant sept.

De toute façon, plus ils étaient nombreux et moins ils semblaient disposés à lui dire quoi que ce soit. L'autre jour, c'était un vrai scandale, ajouta-t-elle (et son accent alémanique ressortait à mesure que l'indignation le chauffait), elle avait eu un coup de cafard en présence du Dr Kardash et lui avait dit qu'elle pensait que Max était perdu.

— Vous ne savez pas ce qu'il m'a répondu?

— Non, dis-je.

— Il m'a dit de ne pas me ronger les sangs, parce que Max était en excellente santé. Il avait une drôle de voix et j'ai bien vu qu'il se payait ma tête. D'ailleurs, le Dr Davis était là aussi et elle n'a pas eu l'air d'apprécier.

— Elle a dit quelque chose?

— Non, rien du tout. Elle a parlé comme ça du désert, je n'ai pas compris. C'était biblique.

— Max est contagieux, n'est-ce pas?

Lotte cessa de dépoussiérer la table et me donna un regard bleu, candide et inquiet.

— Pourquoi dites-vous ça? Il ne peut pas être contagieux, ou alors nous serions tous contaminés. A moins que... Vous croyez que mes maux de dents pourraient venir de lui?

— Je ne parle pas de ça, dis-je avec impatience. Vous aviez bien une raison pour m'apporter cette souris, non?

— Je ne sais plus. (Elle était au bord des larmes.) Ils me traitent comme si j'étais une idiote, je ne sais plus rien sur l'évolution de la maladie. Alors j'ai pensé que les souris pourraient peut-être nous renseigner.

— Nous renseigner sur quoi? Vous dites vous-même que Max n'est pas contagieux.

— Ça ne fait pas de sens, n'est-ce pas? dit-elle, quêtant mon approbation pour confirmer sa propre sottise. Mais eux, ils pensent que les souris sont importantes, puisqu'ils les changent tous les trois jours. Vous devriez voir cette chambre, c'est devenu un vrai laboratoire, on ne sait plus où mettre les pieds.

— C'est Max qui vous a dit qu'ils changeaient les souris ?

— Non, mais ce n'est pas difficile à voir, ils changent la cage aussi. Alors j'en ai pris une en cachette, je me suis dit que comme vous travaillez au gouvernement, vous pourriez la faire examiner. Moi je ne peux pas, je suis trop surveillée.

Je ne répondis pas et, tout en me disant que la pauvre Lotte se faisait une curieuse idée des activités de mon ministère, je reconnaissais que son initiative n'était pas dépourvue d'intérêt. Brusquement, j'eus la certitude que Max était contagieux, en dépit des dénégations de ses médecins, et que le moment approchait où toutes les contradictions qui entouraient sa mise en quarantaine recevraient une explication.

— Max ne me parle pas beaucoup, dit Lotte, qui ne me quittait pas des yeux. Il ne se plaint jamais, mais parfois il se fait des idées et c'est très pénible. Je me demande souvent à quoi il peut bien penser toute la journée au milieu de ces machines, moi je deviendrais folle.

— Quel genre d'idées ?

Elle hésita et m'avertit que ce n'était que des élucubrations, après tout Max n'avait que dix ans. Bref, il s'imaginait que les docteurs voulaient lui faire du mal. Elle lui avait pourtant répété cent fois qu'ils étaient là au contraire pour le soigner, mais il ne voulait pas entendre raison, il disait qu'ils n'avaient pas le choix et seraient obligés de se débarrasser de lui tôt ou tard.

— Vous ne prenez quand même pas ses peurs au sérieux, dit-elle, l'air alarmé. Si j'avais pu prévoir que ça vous bouleverserait à ce point-là...

— Non, non, vous avez bien fait, dis-je en pensant aux confidences angoissées que le père Maurice m'avait faites dans la pénombre de son confessionnal. Il faut continuer à me tenir au courant, je vous en prie. Vous êtes ma seule source d'information.

— Quand vous parlez comme ça, je me sens mauvaise conscience, dit-elle. J'ai l'impression que vous vous préoccupez davantage de Max que moi, c'est pas normal !

Elle fut saisie par une sorte de fou rire qui me prit au dépourvu, car je ne voyais pas ce qu'elle pouvait trouver de drôle dans la situation. Des larmes coulèrent sur ses joues dans un gâchis de poudre et de rimmel, et je compris ma méprise. Elle ne s'amusait pas, mais au contraire pleurait silencieusement, en se mordant les lèvres pour contenir son émotion. Autour de nous, le brouhaha des conversations avait baissé d'un ton et je détournai la tête vers la fenêtre pour échapper à la réprobation des regards en coin, qui surgissaient au-dessus des tasses de thé.

— C'est trop bête, dit Lotte. Je me donne en spectacle !

Elle avait roulé son mouchoir en boule et s'en servait pour tamponner ses paupières, comme si elle voulait arroser de ses larmes les petits edelweiss brodés dans le lin. Elle m'avoua d'une voix faible que le problème venait peut-être de ce que Max avait été en quelque sorte adopté *après sa naissance.* Elle insista sur ces derniers mots et me demanda si je comprenais ce qu'elle voulait dire.

— Je ne suis pas sûr, dis-je en hésitant. (Il me semblait que la naissance d'un enfant était généralement une condition de nature à faciliter son adoption.)

J'étais partagé entre le désir d'en savoir davantage et la crainte qu'une curiosité insistante ne provoquât un nouveau déluge de larmes. De fait, je m'étais déjà interrogé sur l'attitude de Lotte à l'égard de son fils, en raison de sa différence d'avec mon propre comportement envers Florence. L'idée qu'elle n'était pas la vraie mère du garçon m'avait traversé, mais je l'avais écartée pour une raison toute simple.

— Max vous ressemble, ajoutai-je. C'est même frappant : les yeux, la bouche...

Elle se cambra et le sang lui monta brusquement au

visage, comme si je m'étais permis une remarque obscène.

— Je... Il n'a pas... C'est mon neveu ! bredouilla-t-elle en piquant du nez dans son assiette. C'est une affaire de famille, je préférerais ne pas en parler ! C'est *excessivement* compliqué.

Je ne doutais pas de la complexité de son histoire, mais en même temps j'avais la certitude qu'elle me mentait — et c'était bien la dernière chose que j'attendais d'elle. Pour dissiper ma confusion, elle m'apprit que Richard aurait bien voulu avoir avec elle un enfant « véritable », malheureusement les tests laissaient peu d'espoir, et entre nous le Dr Pickford pensait que le problème était du côté de son mari. Seulement, il fallait en parler sur la pointe des pieds, vu que la dignité d'un homme était très sensible à ce niveau-là.

Je l'écoutais en hochant la tête, soulagé de la voir reprendre son calme, cependant que mon intelligence faisait tragiquement naufrage dans ses confidences. Pourquoi avait-elle choisi de se confesser à moi, qui ne lui demandais rien ? Et l'ayant décidé, pourquoi me dissimulait-elle ensuite une partie de la vérité ? Elle me donnait des réponses mensongères à des questions que je ne lui avais pas posées.

— Vous reprendrez bien quelque chose ? dit-elle en faisant signe à la dame opulente, qui tout à l'heure nous avait servi nos pâtisseries avec la préciosité d'une première vendeuse de grande bijouterie. N'oubliez pas que vous êtes mon invité.

Le choix d'un carré aux amandes me valut un signe de tête approbateur, elle commanda pour elle un cognac et un roulé au citron. Je devinai à cet instant que la souris dans son bocal n'était pas l'unique raison de notre rencontre, et que le chat s'apprêtait à sortir du sac.

— Je vois le Dr Vecchio deux fois par semaine, dit-elle en se lançant dans le vide. C'est un service offert aux parents, vous savez de quoi je parle ?

— Je crois, oui.

Elle s'y était rendue en premier lieu pour discuter du cas de Max, mais les entrevues avaient pris un tour auquel elle ne s'attendait pas et voilà qu'elle s'était mise à parler surtout d'elle, à propos de choses qui n'avaient aucun rapport avec la situation à l'hôpital. Elle était une femme et, après tout, il n'y avait pas de honte à parler de ces choses.

— Vecchio est un médecin très compréhensif, dis-je pour l'inciter à lui réserver ses confidences, car la tangente que prenait notre conversation me mettait sur mes gardes.

— Il est *excessivement* compréhensif, approuva-t-elle avec satisfaction. C'est lui qui m'a encouragée à vous parler sans détour, moi je n'aurais jamais osé. Sa théorie, c'est de faire sortir les mots, sinon ils vous restent au fond de la gorge et finissent par vous étouffer.

— Je suis d'accord avec cette idée, dis-je prudemment. Mais... vous a-t-il dit de m'en parler à moi en particulier ?

— Bien sûr ! C'est normal, vous êtes en partie responsable du problème. Vous savez n'est-ce pas que les rêves sont indispensables à la santé mentale ?

— Oui, je l'ai entendu dire.

— Moi, je ne rêve jamais quand je dors, dit-elle, alors il faut bien que je me rattrape. Bref, je fais des rêveries, ce n'est pas exactement la même chose, mais on dit que c'est aussi très bon pour l'équilibre.

Elle n'en était cependant pas convaincue, car sa propre expérience lui avait appris que ce n'était pas toujours possible d'arrêter son imagination, une fois qu'elle l'avait mise en marche. C'était comme un petit cinéma dans sa tête, qui échappait à son contrôle. (Il me semblait entendre Vecchio parler par sa bouche.) Elle se refusait par exemple à poursuivre une rêverie et s'efforçait de penser à autre chose, mais c'était plus fort qu'elle, elle finissait toujours par y revenir.

— Ce n'est pas de votre faute, dit-elle en gagnant de

l'assurance à mesure qu'elle se confiait, mais j'imagine que nous avons des relations ensemble.

— Je comprends, dis-je en murmurant pour lui donner l'exemple.

— Des relations sexuelles, je veux dire, précisa-t-elle avec application.

Je me retins de jeter un autre coup d'œil vers les tables voisines et, saisi par un sentiment d'irréalité, j'écoutai Lotte raconter notre soirée à Terrebonne, elle était venue me rejoindre au motel Ambassador et je l'avais grondée comme si elle était une petite fille, parce qu'elle était arrivée cinq minutes en retard. C'était affreusement humiliant à dire, mais il le fallait n'est-ce pas? je l'avais renversée sur mes genoux pour lui... (submergée par la honte, elle fit une provision d'air avant de terminer dans un chuchotement sifflant)... pour lui baisser les culottes et lui donner la fessée.

J'ouvris la bouche pour parler et la refermai sans rien trouver à dire, tandis qu'elle inspectait la nappe. Puis elle releva la tête et poussa un soupir de soulagement.

— Je vous suis très reconnaissante de m'avoir écoutée, dit-elle avec un sourire hésitant. Le Dr Vecchio avait raison, ça m'a libérée! Je vais pouvoir penser à autre chose à partir de maintenant.

Elle plia sa serviette avec soin, comme si elle comptait retrouver son couvert ce soir pour le dîner. Je la dévisageai avec attendrissement, sans pouvoir néanmoins lui faire l'aumône d'une arrière-pensée. Elle ne manquait cependant pas d'attrait dans le genre propret et méticuleux, elle avait un grand front lisse, des pommettes échauffées par le cognac et son regard clair levé vers moi attendait mon approbation. J'étais secrètement ému, autant par la candeur de ses fantasmes que par le courage qu'il lui avait fallu pour me les confier. Je savais pourtant qu'elle retirerait son bras avec un haut-le-corps, si j'avais l'audace de poser ma main sur la sienne. Il est vrai que je n'en avais nulle intention et si, à mon tour, je l'imaginais blottie contre moi, ce n'était pas pour la séduire mais pour la rassurer, car j'entendais, derrière son honnête sottise et ses confidences scrupuleuses, un grand cri de détresse.

CHAPITRE 7

Florence était retournée à l'école dès notre retour de la Jamaïque. Je savais qu'elle devrait bientôt s'absenter pour de nouveaux séjours à l'hôpital. Aussi la décision de lui faire poursuivre ses classes n'avait-elle pas été facile à prendre, d'autant que plusieurs articles dans la documentation que sa mère m'avait envoyée de New York parlaient du « traumatisme de la réintégration scolaire ». Sandy m'avait fait remarquer au téléphone combien les enfants pouvaient être cruels lorsqu'un des leurs s'écartait de la norme par son comportement ou par une infirmité. Je lui avais répondu que ce syndrome du bouc émissaire ne se manifestait que si l'adulte l'encourageait implicitement par ses propres peurs et ses préjugés. Une fois de plus, nous nous étions mis d'accord pour considérer le même problème sous un angle différent.

L'institutrice de Florence trancha la question en venant me rendre visite. C'était une vieille fille qui parlait un français d'ancienne religieuse et dont les façons sèches n'avaient rien pour plaire. Je réservais cependant mon opinion à son sujet, car Flo en disait le plus grand bien.

— Elle va prendre du retard, dit-elle, les lèvres pincées. En première année, nous travaillons sur les apprentissages de base et la petite a déjà un peu de misère en calcul.

Je n'étais pas dans un de mes meilleurs jours et lui fis remarquer que Florence n'aurait probablement pas la chance de pouvoir compter son âge jusqu'à dix.

— J'entends bien, dit Mlle Bernardin sans se démonter. Mais en attendant, elle a sa fierté, et j'ai la mienne aussi. Et puis nous devons penser aux autres enfants. Ils posent des questions à son sujet et ils vont être rassurés par son retour. Je les ai avertis qu'elle avait perdu tous ses cheveux, ils ont bien hâte de voir !

* * *

L'école de Florence se trouvait dans notre quartier, assez loin de la maison toutefois pour qu'elle prît l'autobus scolaire, matin et soir. Une fois, peu après la rentrée de septembre, elle s'était attardée en classe avec une amie et, voyant que l'autobus ne l'avait pas attendue, elle avait décidé de faire de l'auto-stop pour rentrer à la maison. Je pris le temps nécessaire pour lui expliquer le soir même la gravité de la chose et la prévenir contre toute récidive. J'étais d'autant plus ferme dans mon propos que deux ans auparavant, une fillette de son âge avait été retrouvée étranglée dans un terrain vague, à quelques milles de chez nous.

Après ma rencontre de Lotte au salon de thé, je passai au bureau pour expédier quelques affaires courantes. Je terminai ma journée plus tôt que d'habitude, car je voulais me préparer pour un dîner auquel des amis de longue date m'avaient invité. A deux coins de rue de la maison, j'aperçus Florence qui descendait d'une voiture inconnue et qui, m'ayant aperçu, s'enfuit à toutes jambes. Je la retrouvai cachée derrière la porte de sa chambre, pleurant déjà et promettant qu'elle ne le ferait plus.

J'étais hors de moi. Je l'empoignai sans ménagement par le bras et la renversai sur mes genoux pour lui administrer une fessée retentissante. La vue de son petit derrière amaigri, bientôt rougi par les claques, doucha brusquement ma colère. Au même instant, le fantasme de Lotte me revint avec d'autant plus de force qu'elle me l'avait confié à peine une heure plus tôt — et l'analogie des situations avait quelque chose de troublant et de malsain, qui m'emplit de honte. Je laissai Florence à ses sanglots (Olivier était sur le pas de la porte et nous regardait avec des yeux ronds), et allai m'enfermer dans la salle de bains pour cuver ma nausée.

* * *

Les Jarvis avaient prétendu que je leur rendrais service en acceptant de me joindre à eux, à un dîner d'affaires à *l'Orée du Bois*, où Claude avait coutume de régaler ses clients étrangers. Il s'agissait en l'occurrence d'un antiquaire londonien et de sa femme, qui m'avaient été décrits comme des gens parfaitement ennuyeux et qui se révélèrent être un couple d'une exquise folie. Comme je m'y attendais, une cinquième convive était de la partie, dont on ne m'avait rien dit. C'était une divorcée professionnelle qui se prénommait Sarah, et qui répondit à un compliment sur son teint en tirant de son sac les photographies de ses dernières vacances, passées à Miami Beach en compagnie de ses deux enfants. Nicole Jarvis me les passa avec un petit gloussement de gêne, et j'eus l'impression qu'elle trouvait que les clichés que le petit Edouard avait pris de sa mère sur la plage auraient gagné à être plus flous.

(Depuis le départ de Sandy, les Jarvis manigançaient de semblables rencontres, avec plus d'amitié que de discernement. Combien de fois ne m'étais-je trouvé à parler de moi à une aimable personne qui m'écoutait en feignant la surprise, alors même qu'elle avait reçu un rapport détaillé sur mon compte, la veille de notre rencontre accidentelle ?)

Le dîner avait pris un départ prometteur et je fis de mon mieux pour ne pas gâter la sauce, en me tenant en retrait avec un sourire d'approbation universelle, dont la mécanicité finit par me donner une crampe dans les muscles des joues. Mon cœur n'y était pas, je pensais à Florence en éprouvant un remords qui résistait à tous les arguments du bon sens. J'avais beau me dire que la correction était méritée et que je ne pouvais pas laisser ma fille s'exposer à des risques qui n'étaient pas qu'imaginaires, je n'arrivais pas à me défaire du sentiment d'avoir collaboré avec l'injustice. Je ne pouvais penser à Florence sans prendre en considération l'échéance de son mal, et l'obligation de la punir pour lui apprendre à vivre était un paradoxe que mon cœur se montrait incapable d'apprécier à sa juste ironie.

Pour échapper à ces réflexions et au tourment qu'elles me causaient, je ne trouvai rien de mieux que de penser à Lotte, à Max et à ses sept médecins qui voulaient en finir avec lui. J'avais emporté le sac d'emballage, avec la souris dans son bocal, et l'avais caché dans un tiroir de mon bureau, sans avoir le temps à ce moment-là de m'interroger sur les suites à donner à l'initiative de Lotte. Soudain, je me dis que l'infortunée bestiole n'avait peut-être pas assez d'air pour survivre toute la nuit. Avais-je laissé les bords du sac repliés, et depuis combien de temps n'avait-elle pas eu à boire ? Je tentai de débarrasser mon esprit de ces pensées dont l'insignifiance m'humiliait, mais elles revinrent m'obséder tout au long de la soirée, aux instants où je m'y attendais le moins. J'avais eu raison de sourire de Lotte, quand elle me parlait du petit cinéma qui marchait dans sa tête, « contre ses quatre volontés ».

* * *

Les Jarvis me reconduisirent à la maison, mais refusèrent d'entrer prendre un dernier verre. Ils me laissèrent sur le pas de la porte avec des effusions qui avaient toute la maladresse de la sincérité, et des plaisanteries qui firent long feu dans le froid de la nuit. Après leur départ, je sortis la voiture du garage et filai au ministère sans trop savoir ce que j'allais y faire, mais avec la pénible certitude que j'agissais de façon absurde et compulsive. Le garde de sécurité examina ma carte d'identité avec suspicion, il n'avait pas l'habitude de voir des fonctionnaires du vingtième étage revenir à des heures aussi tardives. Dans mon bureau, je sortis le sac d'emballage de son tiroir, l'oreille aux aguets. Pourtant, l'édifice était désert et silencieux, je me faisais des peurs pour donner une apparence de raison à mon angoisse.

La souris était bien vivante et je l'observai un long moment, l'esprit ailleurs. L'idée de Lotte me semblait à présent dénuée de tout réalisme. Comment avait-elle pu penser un instant que j'allais être capable de trouver ce que les laboratoires du Memorial s'acharnaient à découvrir depuis des semaines, à l'aide des équipements les plus perfectionnés ? Je ne pouvais garder cet animal dans mon bureau indéfiniment, il me fallait chercher le moyen le plus expéditif pour mettre fin à ses jours. Les solutions ne manquaient pas, mais je les repoussai avec dégoût les unes après les autres, jusqu'à ce qu'il me devînt clair que j'étais sottement incapable de lui faire le moindre mal.

J'emportai le bocal en le dissimulant sous ma veste comme un voleur et j'arrêtai la voiture en bordure d'un parc public, pour libérer la souris au pied d'un buisson. L'irresponsabilité de ce geste ne m'effleura pas une seconde et je rentrai me coucher, avec le sentiment d'être enfin débarrassé de cette obsession ridicule, qui avait gâché ma soirée.

Je m'éveillai vers les trois heures du matin, couvert de sueurs froides, la poitrine prise dans un étau. Ma folie m'apparaissait dans toute son horreur et je fus assailli par un sentiment que je n'avais plus éprouvé depuis mon enfance : l'impression d'avoir accompli un acte irréparable, dont les conséquences étaient si catastrophiques qu'elles échappaient à mon entendement — et pour l'expiation desquelles nul châtiment ne serait jamais assez rigoureux.

Les souris n'avaient certes pas été placées dans la chambre de Max pour son divertissement et devaient probablement servir à des fins de recherche. On supposait donc qu'elles pouvaient être contaminées d'une façon ou de l'autre à son contact et on prenait sans doute les plus grandes précautions pour en disposer, après les avoir disséquées. Or j'avais lâché une de ces bêtes au milieu de la ville avec une insouciance criminelle et à présent, au creux de la nuit, mon imagination entreprenait de lentement me torturer, en faisant défiler au plafond de la chambre une suite de tableaux plus abominables les uns que les autres : la peste noire, l'épidémie fulgurante et dévastatrice, la terreur aveugle, les charniers sur les places publiques, la cohorte des enfants dans les couloirs du cinquième nord...

Je finis par me lever et descendis au salon, où je restai debout devant la fenêtre, dans la pénombre, à regarder la rue déserte et à lutter contre l'envie de retourner au parc avec une torche électrique, pour tenter de retrouver la souris. C'était de la démence, je me ferais interpeller par une patrouille de police dans les cinq minutes. La panique ne me lâcha pas du reste de la nuit, quand il aurait été si simple d'avaler deux Valium et un scotch bien tassé. Je n'arrivais pas à m'y résoudre, peut-être à cause du pressentiment que cette épreuve n'était pas dépourvue d'une signification, et qu'il ne tenait qu'à moi de la découvrir en allant au bout de ma peur.

Je m'endormis dans un fauteuil aux premières lueurs du jour et il faisait grand soleil à mon réveil. Un son étrange résonnait dans la maison, comme la modulation musicale d'une note unique, qui semblait venir de l'étage. Je me levai et fis quelques pas en m'efforçant de reprendre mes esprits.

— Florence ? criai-je au pied de l'escalier.

La vibration cessa aussitôt, mais ma fille ne répondit pas. Intrigué, je montai et la trouvai debout au pied de son lit, qui m'observait en silence, comme la frêle messagère d'une autre race, de passage sur la terre.

— C'est toi qui faisais ce bruit ? dis-je.

— Je sais pas, répondit-elle en baissant les yeux.

Elle mentait et je jetai un coup d'œil alentour pour tenter de découvrir avec quel instrument elle avait produit cette singulière musique.

— Tu n'es pas à l'école? dis-je.

— Non. C'est parce qu'Olivier m'a dit d'attendre ton réveil. T'es encore fâché?

— C'est fini, dis-je. Quelle heure est-il?

— Je t'ai regardé pendant que tu dormais, tu faisais des drôles de grognements, reprit-elle avec incertitude. On fait la paix?

Elle n'attendait qu'un signe pour se précipiter dans mes bras et y trouver sa niche. Oui, ma colombe, on fait la paix et on n'en parle plus. Elle portait une chemise de nuit au corsage brodé et aux poignets de dentelle. Il ne fallait pas être grand clerc pour deviner que cette extravagance avait dû coûter les yeux de la tête.

— C'est Mamie qui t'a donné ça? dis-je.

— Oui. Elle l'a envoyé par la poste, à cause de ses rhumatismes.

— Je comprends.

Ma mère adorait Florence, qui était son unique petite-fille, et l'annonce de sa maladie l'avait affreusement bouleversée. Elle était aussitôt venue de Québec pour m'apporter le réconfort de son défaitisme et le soutien de ses larmes et, alors qu'elle projetait une visite de deux semaines, elle était repartie au bout de trois jours, incapable de supporter plus longtemps l'incertitude du deuil. Elle téléphonait tous les dimanches pour prendre des nouvelles et parler à Flo de ses rhumatismes, qui l'empêchaient de se déplacer. Dans l'économie de son remords, la chemise de nuit n'était que le dernier article d'une longue liste de cadeaux plus somptueux les uns que les autres.

— C'est pour toi, dit Florence en me tendant un bout de papier.

C'était un mot d'Olivier. Mon bureau avait téléphoné tout à l'heure (je devais dormir profondément, car je n'avais rien entendu) pour laisser un numéro qu'on me demandait d'appeler dès que possible. C'était un interurbain, avec l'indicatif de la région de Montréal.

— Il est quelle heure? demandai-je à Florence pour la seconde fois.

— Neuf heures et demie, dit-elle en hésitant, après avoir promené en rond son index sur le verre de sa montre.

Je pris le temps de boire un café avant de faire l'appel. C'était le poste de police de Terrebonne, on ne comprenait pas ce que je voulais, non je ne savais pas le nom de l'agent qui m'avait appelé en premier lieu. On me demanda de patienter un instant, s'il vous plaît.

— Monsieur Lecoultre? dit enfin une voix enrouée.

Une jeune femme avait été renversée tôt ce matin par une automobile sur le chemin de la gare, et le chauffard avait pris la fuite. Elle n'avait pas de pièce d'identité sur elle, mais on avait trouvé une note avec mon nom et mon numéro de téléphone au ministère et on s'excusait de m'avoir dérangé, parce que entre-temps on avait réussi à l'identifier. C'était bien Lotte Sieber et malheureusement oui, monsieur, elle est morte.

CHAPITRE 8

Le pavillon Penfield était un bâtiment sans âge, de dimensions modestes, situé au fond du parc Memorial, en bordure de la voie ferrée du *Canadien National.* Un bosquet d'arbres et un repli de terrain le dérobait aux regards, et j'aurais ignoré jusqu'à son existence si un panneau de signalisation ne l'avait indiqué à l'entrée de la propriété.

Le hall d'entrée était désert et j'empruntai l'escalier de service pour me rendre au troisième et dernier étage, surpris de ne trouver aucun signe du dispositif de sécurité dont Lotte m'avait parlé la veille. J'étais encore sous le choc de la nouvelle de sa mort, et le silence des lieux ne contribuait pas à dissiper cette impression de flottement, qui me faisait vivre le moment présent comme si une force occulte me tenait en marge de sa réalité.

En arrivant au Memorial, je m'étais d'abord rendu au bureau du Dr Davis. Elle était absente et j'avais glissé une note sous sa porte pour lui apprendre le décès de Lotte Sieber, car je doutais qu'elle en eût été déjà informée. Comment annonceraient-ils la chose à Max? Ils encourageaient les parents à dire la vérité aux enfants sur la nature de leur maladie, mais étaient-ils prêts à ajouter à la détresse de ce garçon de dix ans, qu'ils avaient été contraints d'exiler dans cette bâtisse sinistre, en lui révélant brutalement qu'il venait de perdre sa mère — ou celle qu'il croyait être sa mère ? (Le ton que Lotte avait pris la veille pour me faire ses confidences à propos de « cette affaire de famille *excessivement* compliquée » me laissait supposer que Max avait été tenu dans l'ignorance de son adoption.) La dernière chose que je désirais était bien de me retrouver face à lui, sans savoir s'il était au courant de la nouvelle, et d'être obligé de lui jouer la comédie. Pourtant, en dépit de cette éventualité, je m'étais dirigé sans hésitation vers le pavillon Penfield. Les raisons de ma démarche m'étaient obscures, mais je n'avais pas le choix, il fallait que je l'accomplisse, de la même façon que je m'étais rendu à mon bureau dans la nuit, pour délivrer la souris de son bocal de verre. Cette sensation de perdre le contrôle de mon libre arbitre, d'être soudain le jouet d'une volonté étrangère à la mienne m'emplissait d'angoisse et d'humiliation.

Le troisième étage du bâtiment était réservé à des bureaux et à des salles de cours qui, pour l'instant, semblaient inutilisés. Je me laissai guider par un bruit de voix et tombai sur des plâtriers et des électriciens, qui travaillaient dans une grande pièce, à l'extrémité du corridor. La seule information que je réussis à leur arracher était qu'ils avaient commencé le matin même leurs travaux de rénovation et qu'ils n'avaient vu sur les lieux ni médecins ni malades.

Je rebroussai chemin, désemparé et sur le point de conclure que j'avais mal compris les explications de Lotte, lorsque j'aperçus un objet familier qui dépassait d'une des grandes boîtes de carton qui encombraient le couloir, remplies de déchets de toutes sortes. C'était le xylophone que Florence avait reçu en cadeau de son frère, et qui avait dû être malmené en passant à l'hôpital d'un enfant à l'autre, car il ne restait pas grand-chose de la peinture qui recouvrait à l'origine le cadre de bois et les languettes de métal. Je décidai néanmoins de le reprendre, en me souvenant que le Dr Vecchio devait me dire quelque chose à propos de cet instrument, mais sans pouvoir me rappeler s'il l'avait fait ou non. En me retournant, je me trouvai nez à nez avec un garde de sécurité et je reconnus avec un haut-le-corps l'homme qui m'avait collé une contravention, le soir de l'ouragan, et que j'avais si copieusement injurié. Il me situa à son tour et, contre toute attente, me serra la main avec l'intention manifeste d'engager la conversation. Il avait une face de boxeur mais une tête d'honnête homme, et je me félicitai de n'avoir pas donné suite à mon intention d'envoyer une lettre ouverte aux journaux pour me plaindre de l'incident.

— C'est un jouet qui appartient à ma fille, dis-je avec embarras, en lui montrant le xylophone. (Je ne voulais pas qu'il s'imagine m'avoir surpris en train de faire les poubelles.)

— Mhnmhn... plus bon à grand-chose ! dit-il.

— Non, en effet. Je cherche la chambre de Max Sieber. C'est un enfant qu'on a transféré ici la semaine dernière.

— ... arrivez trop tard ! dit-il en haussant les épaules. Ils sont venus hier soir... mhnmhn... rien laissé... mhnmhn... jamais vu ça !

Je compris à son attitude vindicative qu'il ne demandait qu'à parler, en dépit de ses difficultés d'élocution. (Seules quelques bribes de phrases surgissaient intactes de son bredouillement, comme les hautes cimes d'une montagne hors d'une mer de brouillard.) Il m'expliqua que la direction du Memorial avait soustrait la surveillance de ce pavillon aux agents de sécurité réguliers, pour la confier à des hommes de l'extérieur, à qui des uniformes avaient été fournis, en dépit des protestations du représentant syndical. Ces imposteurs étaient de la dernière arrogance, non seulement ils avaient fait bande à part dès le début, mais ils ne répondaient même pas quand on leur adressait la parole.

— Des hommes de la Gendarmerie royale ? dis-je.

— Ceux-là, on les connaît... mhnmhn... facile ! dit-il. Non... mhnmhn... l'armée, les pires !

Il en avait eu confirmation la veille, quand une ambulance militaire était venue chercher Max, et que des soldats avaient complètement vidé sa chambre en moins d'une demi-heure. Je l'interrogeai sur l'état du malade, mais il ne savait pas grand-chose à ce sujet, car l'accès de l'étage lui avait été interdit comme au reste du personnel. Il était venu y faire un tour ce matin pour vérifier si les craintes de M. Gravelle tenaient debout.

— Quelles craintes? dis-je.

— Mhnmhn... propos de coulage, vous savez?

Je reconstituai de son bafouillage que les contribuables n'avaient aucune idée de la quantité de choses qui disparaissaient d'un hôpital. De la vaisselle, des oreillers, des couvertures, des médicaments, de la nourriture, et je me trompais en soupçonnant automatiquement les auxiliaires et les petits salariés. L'autre jour, il avait lui-même de ses propres yeux déplacé la voiture d'un médecin dont le nom était sans importance, mais qui mangeait dans la fourchette des soixante mille par année, et qu'est-ce qu'il avait trouvé dans le coffre à gants qui s'était ouvert tout seul en marche arrière? Une vingtaine de savonnettes, était-ce possible!

— Vous dites que l'armée a vidé la chambre de Max? demandai-je dans l'espoir d'en apprendre davantage.

— Vingt-cinq minutes, dit-il, pif, paf, nettoyé! Mnmhn... sont pas payés à l'heure!

L'économe du Memorial lui avait dit d'ouvrir l'œil, parce que je l'ignorais certainement, mais un lit d'hôpital, ça pouvait chiffrer dans les mille six cents dollars facile, et ça ne se sortait pas comme ça dans la malle d'un char. N'empêche qu'il en manquait trois, en plus de celui que les militaires avaient emporté la veille. Mhnmhn... tout de même un peu fort, trouvez pas?

Je quittai le brave homme sans oser lui demander son nom, ni pourquoi il me faisait confiance.

* * *

Florence était assise dans la salle d'attente du cinquième nord, la mine bougonne et les yeux sombres. Je l'avais amenée pour ce que je croyais être un examen de routine, mais on lui avait fait une ponction lombaire et elle m'en voulait de l'avoir laissée seule si longtemps.

— Tiens, regarde ce que j'ai trouvé! dis-je en lui tendant le xylophone.

— Je le veux pas, dit-elle en prenant son air de petite bonne femme acariâtre. C'est la faute à Max, il l'a tout abîmé!

Je la soulevai de terre pour la serrer contre moi, il me semblait qu'une pâleur nouvelle perçait derrière le bronzage de la Jamaïque. Je lui murmurai quelques mots à l'oreille, elle se raidit et j'eus droit à une ébauche de sourire. On avait six ans et un cancer terminal, mais on jugeait que la proposition d'aller manger un *banana split* chez Dairy Queen était une consolation à la mesure de son malheur. Il n'y avait pas à dire, Dieu faisait bien les choses.

Alors que nous nous apprêtions à quitter la salle d'attente, un couple entra, accompagné d'un garçon d'une douzaine d'années, qui paraissait en pleine santé. Au moment où je refermais la porte, je surpris le regard qu'ils jetaient à Florence, dont la tête lisse semblait ne pas leur revenir. La gorge nouée, je reconnus dans le miroir du souvenir mon double et celui de Sandy. Je ne leur tenais pas rigueur de leur réaction, nous avions eu la même deux mois plus tôt et leur présence à cet étage laissait prévoir qu'ils nous suivraient tôt ou tard sur le chemin du remords. Entre parents en sursis de deuil, on finissait toujours par s'entendre.

* * *

Nous étions attablés au Dairy Queen comme promis et je regardais Flo s'attaquer à la monstruosité panachée posée devant elle, en me demandant par quel prodige elle allait pouvoir la manger jusqu'à la dernière cerise. Soudain, je poussai une exclamation sourde et elle leva les yeux pour me dévisager avec surprise.

— Tu te sens pas bien? demanda-t-elle. Regarde, tu fais que trembler.

— C'est rien, je viens de penser à quelque chose, dis-je en cherchant à dominer mon agitation. Laisse-moi réfléchir, c'est important.

Tout à l'heure, dans la voiture en route pour le centre d'achats, Florence avait égrené sur le xylophone le seul morceau qu'elle connaissait, *Au clair de la lune.* « Tu joues faux ! » lui avais-je dit machinalement, sans attacher au fait la moindre importance. Il fallait croire cependant que la remarque avait continué de me trotter dans la tête car, soudain, j'éprouvai une sensation semblable à celle qui m'avait envahi la nuit de notre arrivée à la Jamaïque, alors que j'étais sur le point de sombrer dans le sommeil, et que le mystère qui entourait la maladie de Max s'était dévoilé devant moi, pour une trop courte seconde.

La situation était toutefois différente aujourd'hui, grâce à un xylophone qui faisait l'impossible en jouant faux. Brusquement, comme une chute de dominos, tout s'expliquait en cascade, les lits qui disparaissaient de l'hôpital et les hoquets de l'ordinateur, la mise en quarantaine de Max et les plâtriers du pavillon Penfield, la terreur de Maurice dans son confessionnal et jusqu'aux petites souris blanches, qui pouvaient se multiplier en paix, à l'abri de l'effroyable contagion.

— Tu réfléchis encore? demanda la voix de Florence.

J'ouvris les yeux, elle avait une moustache de crème glacée et s'était arrangée pour garder la banane pour la fin.

— Ça sera pas long, dis-je. Tu sais, des fois tu cours longtemps après une idée et tout à coup, tu es assez près pour lui sauter dessus.

— Faut pas manquer son coup, dit-elle gravement.

— Justement, c'est pour ça que je me concentre.

Ma découverte reposait sur un ensemble d'observations, dont aucune n'en apportait la preuve concluante, considérée séparément des autres. Il existait toutefois un moyen de vérifier ma théorie, mais il m'obligeait à recourir à un subterfuge qui, dans les circonstances, ne me plaisait guère. J'hésitai pour la forme, car je savais déjà que ma curiosité finirait par l'emporter sur mon scrupule.

— Attends-moi ici, dis-je, je vais donner un coup de fil.

La cabine était au fond du restaurant. Par la porte vitrée, je pouvais surveiller Florence, qui regardait passer les gens en prenant des airs importants, et je me dis que l'hôpital aurait tout de même pu nous avertir qu'une ponction lombaire était au menu du jour.

Je trouvai sans difficulté le numéro que je cherchais. Il me fallut insister auprès de la réceptionniste du dentiste pour obtenir qu'elle lui demande de venir immédiatement au téléphone — je lui parlai d'accident, de police et de médecin légiste. Elle me pria d'attendre et je me rendis compte aux battements de mon cœur que je n'aurais jamais fait carrière dans la profession d'escroc.

— Docteur Rich? dis-je. C'est Richard Sieber, le mari de Lotte.

— Oui, qu'est-ce qui se passe? demanda-t-il d'une voix inquiète.

La question me rassura, car ma fraude reposait sur la supposition que les deux hommes ne s'étaient jamais parlé. Quoi qu'il en soit, je m'efforçai de prendre un accent québécois rocailleux, qui correspondait à l'idée que je me faisais d'un gardien de pénitencier.

— Il faut annuler les prochains rendez-vous pour ma femme, dis-je avec une émotion qui n'était pas entièrement feinte. Elle... il lui est arrivé un accident hier soir, une voiture l'a renversée...

— Oh mon Dieu! C'est grave?

— Oui, plutôt... Je veux dire, elle a été tuée sur le coup.

Il parut sincèrement affecté par la nouvelle et trouva le moyen d'exprimer sa sympathie en évitant les clichés, ce qui me sembla de bon augure : il avait assez d'imagination pour mordre au mensonge que j'avais préparé. Je lui expliquai qu'en raison des circonstances entourant l'accident, le coroner avait exigé une autopsie. Je m'y étais résigné la mort dans l'âme et, d'ailleurs, on ne m'avait pas vraiment donné le choix. Or le médecin légiste venait justement de m'appeler pour me poser des questions au sujet de la dentition de Lotte.

— Je n'ai pas su que lui répondre, dis-je, alors je me suis permis de lui communiquer votre nom. Il va probablement vous appeler lui-même.

— Vous avez bien fait, dit-il. Remarquez que je ne suis pas surpris, votre femme présentait des... enfin, c'était un cas tout à fait particulier ! Je m'excuse, le moment est mal choisi pour en parler, mais...

— Je vous en prie, dis-je, la bouche sèche. D'ailleurs, elle m'avait vaguement expliqué. C'était ses plombages, je crois.

De toute sa carrière, le Dr Rich n'avait jamais vu une chose pareille. Les anciennes obturations avaient sauté les unes après les autres, et les nouvelles ne tenaient tout simplement pas. L'amalgame semblait se désagréger dans la dent, au fur et à mesure qu'il le remplaçait.

— J'ai commencé à écrire un... C'est-à-dire, je faisais justement une recherche, pour comprendre... Vous comprenez ?

Il s'empêtrait dans ses explications et me laissa en s'excusant et en me renouvelant ses condoléances. Je devinai à son intonation que le cas de Lotte avait été pour lui d'un intérêt exceptionnel et qu'il s'apprêtait vraisemblablement à retirer une certaine gloire de sa communication au prochain congrès de l'*American Dental Association*. J'eus devant les yeux l'amphithéâtre du Harvard Medical School, bondé de quadragénaires aux lunettes cerclées d'or et, sur l'écran géant, la projection des diapositives montrant la dentition de Mme L.S., les radiographies latérales, les agrandissements d'une molaire cariée et finalement, une photographie des mâchoires ouvertes, prise de face, où on pouvait reconnaître la lèvre supérieure de Lotte. Elle avait passé son enfance à Bâle et son adolescence à Saint-Gall, en Suisse, elle s'était mariée à Montréal, Dieu sait pourquoi, et comme le couple n'avait pas eu d'enfant (le Dr Pickford disait que le problème était du côté de Richard), on avait adopté Max, qui ressemblait à Lotte de façon frappante, et elle disait que c'était une histoire de famille bien compliquée. Elle ne dirait plus rien dorénavant, car elle était *excessivement* morte et passerait à la postérité pour ses dents, comme un phénomène de foire.

Je sortis de la cabine téléphonique à court d'air, les tempes battantes, sans savoir ce qui me terrassait le plus, l'absurdité du destin de cette jeune femme qui me trouvait *confortable*, ou la confirmation qui venait de m'être donnée au sujet de la maladie de son fils, qui était en quelque sorte son neveu.

Je suivis docilement Florence, qui voulait faire un tour dans le centre d'achats, avant de rentrer à la maison. Alors que nous passions devant la vitrine d'un magasin d'appareils électro-ménagers, elle poussa un petit cri et me montra du doigt l'écran d'un téléviseur. Je pris quelques secondes avant de réaliser que l'image montrée était la nôtre, retransmise par une caméra dissimulée quelque part sur notre droite.

— Ça fait drôle, dit Florence en agitant la main à son intention.

— C'est vrai, ça me fait drôle à moi aussi, dis-je.

Je me voyais de profil, c'est-à-dire sous un angle qui m'était pratiquement inconnu. Les mouvements que je faisais me prenaient au dépourvu, car ils n'étaient pas réfléchis sur l'écran à la façon conventionnelle d'un miroir. Je restai immobile un moment, en proie à une émotion puissante, que j'aurais été incapable d'expliquer à un tiers, car elle faisait partie de ces expériences incommunicables, qui n'ont de signification que pour celui qui les éprouve dans l'intimité de son être. J'avais subitement accès à un sentiment auquel je m'étais obstinément refusé durant les derniers mois, en dépit des reproches de Sandy, qui m'accusait de jouer à *Monsieur Superman.* Je regardais ce père qui tenait sa fille par la main, il avait les épaules un peu voûtées et son manteau bâillait à l'encolure. La condition de son enfant ne m'était pas inconnue, pourtant c'était sur son sort à lui que je m'apitoyais. J'aurais voulu m'approcher dans son dos pour lui mettre la main sur l'épaule et lui dire à voix basse des paroles d'amitié et de compassion.

CHAPITRE 9

En arrivant à Terrebonne, je m'arrêtai à une station-service pour faire le plein et demander ma route. Le motel Ambassador était en face de moi et mes yeux se posèrent une dizaine de fois sur l'enseigne au néon, avant que le nom ne fasse son chemin dans ma mémoire. C'était le cadre que Lotte avait choisi pour ses fantasmes, c'était dans une de ces chambres qu'elle m'avait rejoint et que je l'avais punie pour son retard. Tout ce qui s'y était passé entre nous n'était que rêverie de sa part et cependant, par une étrange contradiction de l'esprit, ce fut le souvenir de cette aventure imaginaire qui, pour la première fois, me fit éprouver sa mort comme un événement réel.

* * *

Le hall d'entrée du salon funéraire Cossette et Lambert avait la discrétion d'un foyer de théâtre victorien, avec son épaisse moquette rouge, ses consoles de marbre et ses lanternes vénitiennes. Une série de photographies et de coupures de presse avaient été encadrées, pour tapisser un pan de mur et présenter le témoignage impressionnant de quelques-unes des grandes réussites de la maison, à l'occasion de diverses tragédies locales. La famille Noiseux, par exemple, avait été décimée dans un incendie et les neuf enfants, encadrés de leurs parents et d'une grand-mère, avaient été exposés en éventail, dans des cercueils disposés par ordre de grandeur, sur un catafalque géant, tendu de crêpe violet. Il y avait également des vues saisissantes de la chapelle ardente, aménagée dans la grande salle du centre récréatif, à la suite de la catastrophe ferroviaire de 1959.

A la lumière de ces réalisations édifiantes, je compris que les funérailles de Lotte ne présenteraient pas un défi insurmontable pour MM. Cossette et Lambert, et qu'elles se dérouleraient probablement comme du papier à musique, sans une fausse note.

Trois antichambres donnaient sur les différents salons, et des lettres amovibles en plastique blanc, fichées dans de petits panneaux de feutre, indiquaient devant chaque entrée les noms des familles éprouvées. Je lus sur ma droite : *Sieber-König* et je me demandai ce que j'étais venu faire ici.

En passant la porte, je croisai un homme qui, en m'apercevant, me fit un rapide clin d'œil et poursuivit son chemin sans s'arrêter. Son souvenir était lié à un événement troublant et je fus quelques instants avant de me rappeler que je l'avais entrevu sur le parvis de l'église St. Andrew, en sortant de ma rencontre avec le père Maurice. Il m'avait adressé la parole pour me demander mon nom, et aujourd'hui il me faisait un signe de connivence, c'était bien singulier, même pour un membre de la Gendarmerie royale. Je me retournai pour voir où il se dirigeait, mais le hall était vide.

Je m'avançai alors dans le salon où reposait Lotte, surpris d'y voir tant de monde. Le rituel exigeait que le nouvel arrivant se recueillît quelques instants, debout devant le cercueil ou à genoux sur le prie-Dieu disposé en conséquence, puis s'écartât pour présenter ses condoléances aux proches du défunt. Il était de bon ton, en particulier entre membres de la famille, de faire des commentaires flatteurs sur l'apparence du corps et son embaumement. « Elle est si paisible, on dirait qu'elle dort ! On a l'impression de la voir respirer. » Je n'avais jamais pu me résoudre, en des occasions analogues, à réciter ces clichés pitoyables — et la vue de Lotte ne contribua pas à me faire changer d'avis. Elle était revêtue d'une robe bleu foncé, au corsage piqué de brillants, et la maquilleuse de service n'y était pas allée de main morte pour donner à son visage l'illusion de la vie. Avec sa chevelure bouclée de frais et ses mains jointes sur un bouquet de roses, elle me fit penser à la Belle au bois dormant, telle qu'elle serait apparue dans un film russe des années cinquante.

J'allai présenter ensuite mes condoléances à la femme et aux deux hommes qui attendaient à proximité. Ils me remercièrent avec des mines de circonstance, mais je vis passer de la curiosité dans leurs yeux secs, alors qu'ils se demandaient sans doute à quel titre j'étais venu présenter mes respects à leur disparue. Ce que j'avais vu de Terrebonne tout à l'heure me laissait penser que la présence d'un étranger dans cette bourgade ne passerait pas longtemps inaperçue.

— Êtes-vous le mari de Lotte? demandai-je à voix basse à celui des deux hommes qui me semblait avoir davantage la tête de l'emploi.

— Je suis son frère de Valleyfield, dit-il. Il est parti il y a environ une demi-heure. Il devrait être de retour sous peu. Je peux vous aider?

— Merci, je vais l'attendre.

Je m'assis à l'écart, en me demandant ce que j'allais bien pouvoir raconter à Richard Sieber lorsque je le rencontrerais. Mon intuition me disait que le fait d'être le père d'une fillette qui avait été hospitalisée au Memorial en même temps que son fils Max ne constituait pas une entrée en matière très heureuse. De toute façon, j'avais décidé d'improviser la suite.

Une animation feutrée et quelque peu théâtrale régnait autour de moi. Les parois du salon étaient entièrement recouvertes de lourdes tentures de velours, qui semblaient tout imprégnées d'une forte senteur de fleurs et de cierges, mêlée à un arrière-parfum de cosmétiques. Il faisait très chaud et les lumières tamisées accentuaient cette sensation d'étouffement qui m'avait pris à la gorge dès mon arrivée.

Une rangée de chaises et de fauteuils disparates longeaient les murs, où les gens venaient prendre place après s'être débarrassés de leurs manteaux dans l'antichambre. Les conversations allaient bon train et les bribes que j'en percevais de droite et de gauche parlaient de mille choses étrangères à la forme immobile et froide, allongée à quelques pas de là. N'eussent été le ton chuchoté et les têtes penchées, j'aurais facilement pu me croire au salon de thé de *La Pompadour*.

Soudain, je tressaillis en voyant entrer le Dr Davis, accompagnée d'un personnage replet, sur la tête duquel une toque en astrakan posait comme une touche moscovite. Il se découvrit devant le cercueil et je reconnus le Dr Vecchio. Leur apparition me procura un vif réconfort, en même temps que, le cœur battant, je m'interrogeai sur les raisons de leur présence en ce lieu. Vecchio s'était agenouillé sur le prie-Dieu et, les mains jointes, récita une prière silencieuse, avant de se signer. Il n'y avait pas trace d'affectation dans ses manières et, à le voir agir, je me dis que sa dévotion cadrait bien avec l'image que je m'étais faite de lui. Lotte avait été sa patiente et je pouvais comprendre à la rigueur qu'il eût pris le temps de faire le voyage d'Ottawa pour se recueillir devant sa dépouille. En revanche, je m'expliquais difficilement la venue du Dr Davis, tout en étant conscient qu'elle se poserait probablement la même question à mon sujet, dès qu'elle m'aurait aperçu.

Suivie de Vecchio, elle était allée saluer les membres de la famille, en réservant à chacun une raide inclinaison de tête. Je me levai pour leur signaler discrètement ma présence et ils s'approchèrent de moi sans manifester la moindre surprise.

— Votre secrétaire m'a dit que nous vous trouverions ici, murmura Davis, en jetant autour d'elle un coup d'œil réprobateur.

— Je serais venu de toute façon, expliqua Vecchio sur le même ton chuchoté. Nous avons fait d'une pierre deux coups.

— Vous feriez mieux de vous mettre à l'aise, dis-je, sinon vous allez suffoquer.

Davis fit remarquer qu'elle n'avait pas l'intention de s'éterniser dans la place, mais décida néanmoins d'enlever son manteau, pour le jeter sur l'accoudoir d'un fauteuil. Vecchio suivit son exemple et je vis qu'il avait revêtu pour la circonstance un complet sombre, dont les entournures n'accordaient pas à ses façons débonnaires toute l'ampleur à laquelle elles auraient eu droit. J'avais toujours pensé qu'il n'avait aucune allure, en le voyant à l'hôpital dans sa sempiternelle veste tricotée aux poches trop lourdes, mais je fus contraint de reconnaître qu'un certain débraillé lui convenait infiniment mieux que cette mise solennelle, qui lui donnait plus que jamais l'air d'un clown déguisé.

Nous allâmes nous asseoir dans un coin du salon et je fus soulagé de constater que personne ne semblait accorder pour l'instant une attention particulière à notre conciliabule.

— J'ai trouvé votre mot hier matin, merci d'avoir pensé à m'avertir, me disait le Dr Davis à voix basse. Sans vous, nous n'aurions rien su de l'accident.

— Vous croyez que c'est un accident? dis-je.

Elle échangea avec Vecchio un regard entendu, et je compris qu'ils avaient déjà débattu cette même question, probablement en cours de route.

— Nous ne sommes pas des enfants de chœur, murmura Vecchio avec un sourire triste. Mais nous sommes à court de mobile. Par définition, une mort violente attire l'attention, et personne n'aurait intérêt à attirer l'attention sur Mme Sieber. Vous saisissez notre point de vue?

— Je pense, oui. Mais alors pourquoi êtes-vous venus?

— Mme Sieber était en quelque sorte ma patiente, dit-il. Ce qui lui est arrivé m'affecte personnellement. Quand au Dr Davis, elle a profité de l'occasion pour m'accompagner.

Elle haussa les épaules avec impatience et j'eus l'impression qu'elle éprouvait de la difficulté à maintenir notre conversation à ce niveau de susurrement.

— Je suis venue pour vous parler, me dit-elle à sa façon directe.

— Vous avez les résultats pour Florence?

Elle tressaillit en rougissant de confusion et je fus à mon tour embarrassé de l'avoir surprise de la sorte, car j'avais posé ma question sans arrière-pensée. Je réalisai alors qu'elle s'apprêtait à m'entretenir d'une préoccupation qui accaparait entièrement son esprit et qui, en cet instant, devait avoir pour elle beaucoup plus d'importance que le cas particulier de mon enfant. Je comprenais son désarroi, car à diverses reprises depuis notre retour de vacances, je m'étais moi-même reproché mon intérêt pour Max, comme si j'avais lésé Florence en ne lui accordant pas l'exclusivité de mon souci.

— Je suis désolée, dit-elle sans chercher à s'esquiver. Le fait est que Florence a plutôt bien réagi au traitement.

— C'est une bonne nouvelle?

Elle me regarda en hésitant et soupira, comme si elle était désappointée par la formulation de ma question, qui allait une fois de plus la contraindre à distiller l'espoir au compte-gouttes. Elle me concéda comme à regret que ce n'était pas une mauvaise nouvelle. L'état de Florence était maintenant stationnaire et il fallait attendre.

— On reprend le traitement la semaine prochaine? dis-je.

Elle hésita à nouveau, contrairement à ses habitudes, et finit par dire qu'elle préférait pour l'instant faire des vérifications périodiques et aviser en temps opportun, dans les trois ou quatre prochaines semaines.

— Vous avez changé d'avis, dis-je. Vous vouliez

poursuivre le traitement quels que soient les résultats des premiers tests...

— C'est une question de jugement, dit-elle d'un ton coupant.

Un silence chargé de tension suivit sa réponse. Vecchio avait ouvert les yeux pour lui lancer un regard surpris, et j'aurais mis la main au feu qu'il partageait mon soupçon : elle me cachait quelque chose. Il toussota avec gêne et posa le doigt sur le revers de ma veste.

— Le Dr Davis s'est déplacée pour une autre raison, murmura-t-il. C'est comme s'il y avait une épidémie de paranoïa au Memorial... Nous avons tous un microphone dans le plafond !

Je restai saisi quelques instants, avant de comprendre qu'il ne s'exprimait pas au sens figuré.

— On vous surveille, dis-je.

Il hocha la tête avec un soupir de satisfaction et je vis passer entre nous l'ombre fugitive de l'Auguste au nez en pomme de caoutchouc.

— Allons poursuivre cette discussion ailleurs, dit Davis, qui semblait incommodée à son tour par l'atmosphère étouffante du salon. Il doit bien y avoir un endroit tranquille dans les environs.

— J'ai bien peur que non, dis-je.

Je les mis brièvement au courant de la rencontre que j'avais faite en arrivant tout à l'heure, en prétendant toutefois que j'avais déjà rencontré cet homme en sortant de l'hôpital, car je ne voulais pas dévoiler mes contacts avec le père Maurice.

— Jamais je ne croirai..., commença Davis avec emportement, puis elle se leva et sortit du salon à grandes enjambées, en faisant tourner plusieurs têtes sur son passage.

— Elle n'est plus elle-même depuis quelques jours, expliqua Vecchio. J'espère que vous serez en mesure de l'aider, Daniel.

— Moi ? Je ne demande pas mieux... Mais qu'est-ce que je peux faire ?

— Elle va vous l'expliquer elle-même, dit-il posément. J'ai vu Florence hier à l'hôpital entre deux portes. Elle m'a dit pour la fessée de l'autre soir...

— Ah bon ! Elle vous en a parlé ? dis-je avec gêne, en évitant de regarder le cercueil au fond de la pièce. J'ai perdu mon sang-froid, je ne pouvais tout de même pas...

Vecchio m'interrompit avec autorité :

— J'ai mentionné la chose pour vous en féliciter, pas pour entendre des excuses ! Vous vous souvenez de notre première discussion ? En traitant la petite comme vous l'avez fait, vous avez fait le pari de la vie. C'était courageux de votre part.

Je me dis qu'il interprétait avec une générosité excessive ce qui me semblait n'avoir été qu'un mouvement de colère, et cependant sa remarque fit vibrer en moi une corde sensible. Je pensai avec un serrement de cœur que ce diable d'homme aurait sans doute été capable à la longue d'aider Lotte à sortir de sa coquille, si un mystérieux chauffard n'avait pris sur lui de régler ce problème une fois pour toutes.

Le Dr Davis nous avait rejoints et s'assit en déclarant qu'elle n'avait vu personne alentour avec une tête de *mountie* *. Elle m'accorda cependant qu'il valait mieux rester ici pour terminer notre discussion.

— Je n'irai pas par quatre chemins, dit-elle, ce qui était un avertissement superflu, compte tenu de son caractère. Je suis venue vous demander un service pour l'affaire de Max Sieber, mais je ne suis pas autorisée à vous donner des informations à son sujet.

— Vous avez changé de lunettes, dis-je. Celles-ci vous rajeunissent.

Elle se raidit, décontenancée par le coq-à-l'âne, et me remercia avec sécheresse de ce compliment, qu'elle trouvait

---

* *Mountie*, appellation populaire d'un officier de la RCMP (*Royal Canadian Mounted Police*).

manifestement déplacé en la circonstance. Vecchio, les yeux brillants, s'amusait secrètement de sa déconfiture. Il avait compris où je voulais en venir et se pencha vers elle pour le lui expliquer.

— Daniel espère que votre nouvelle paire de lunettes sera plus solide que l'autre.

Elle ne put réprimer un sursaut et leva la main pour l'empêcher d'en dire davantage, puis réalisa la situation et me lança un regard soutenu.

— Alors, vous savez ! dit-elle brièvement. Gustav m'avait prévenue qu'on ne pourrait pas vous tenir indéfiniment dans le noir.

— J'ai dit « dans le cirage », rectifia Vecchio, à qui le prénom de Gustav allait comme un gant.

Elle lui lança un coup d'œil excédé et je devinai qu'il existait entre eux une complicité de vieux amis, habitués à se quereller à tout bout de champ.

Elle m'expliqua qu'un accord secret avait été passé entre le gouvernement, le collège des médecins et l'ordre des infirmières. Chaque membre du personnel du Memorial qui avait eu connaissance de la nature du cas Sieber avait été convoqué par la Direction, et averti que tout responsable d'une fuite serait radié à vie de sa corporation. De surcroît, toutes les informations relatives à cette affaire avaient été classifiées *top secret* par le ministère de la Défense, de façon à les assujettir à la Loi sur la sécurité de l'État. Leur divulgation pouvait dès lors entraîner des condamnations allant jusqu'à dix ans de pénitencier.

— Ça ne changera rien, dis-je avec humeur. L'histoire va s'ébruiter tôt ou tard, c'est une question de temps. Et la presse ne se laissera pas museler comme ça, souvenez-vous du procès de la Couronne contre le *Toronto Sun.*

— Les situations ne sont pas comparables, dit Vecchio. Vous n'avez pas idée combien les gens deviennent coopératifs quand on leur brandit sous le nez un virus inconnu...

Davis nous fit remarquer avec agacement que ce genre de spéculations académiques ne menaient nulle part. A sa connaissance, personne n'avait l'intention d'aller crier sur les toits le peu que nous savions de la maladie de Max. Changeant subitement de ton, elle me demanda si j'étais en bons termes avec John Butler.

— Pour l'essentiel, oui, dis-je. Pourquoi?

— Il a été ministre de la Défense pendant trois ans, dit-elle. Il doit avoir gardé des intelligences dans la place.

— Sans doute. Je l'ignore.

— Je dois revoir Max, il le faut! murmura-t-elle avec une détermination farouche.

— Mais où est-il?

Elle sortit de son sac à main une enveloppe décachetée, adressée à mon nom, aux soins du Dr Davis, et qui lui avait été remise la veille au soir par une auxiliaire de l'hôpital, de la part de mon ami Joseph Trottier. Elle contenait un message laconique, m'avertissant que Max Sieber se trouvait à Wabashikokak.

— Joseph Trottier? dis-je.

A sa description, je reconnus le garde de sécurité rencontré la veille dans le pavillon Penfield.

— Et vous l'avez ouverte? dis-je avec surprise, en pointant l'enveloppe.

— Je voulais vous en parler avant, dit-elle sans s'excuser. Mais j'évite à présent d'utiliser le téléphone au Memorial.

Elle avait eu de bonnes raisons pour être aussi curieuse. La femme de Trottier était venue ce matin à l'hôpital, dans un état hystérique. Son mari n'était pas rentré de la nuit et toutes ses tentatives pour le retrouver étaient restées vaines.

— Que lui est-il arrivé? demandai-je, pris au dépourvu par la précipitation des événements.

— Comment voulez-vous que je le sache? C'est justement pour ça que j'ai lu la lettre, j'espérais y trouver une indication.

— Et qu'est-ce que c'est que cette histoire de Wabashi... quelque chose? dis-je.

— Wabashikokak, dit-elle.

Elle pouvait répondre à cette question, car elle avait eu le temps de se renseigner. C'était une petite ville au nord-ouest de Thunder Bay, où se trouvait une base militaire et des installations du système *Norad* pour la surveillance du territoire aérien, en cas d'agression soviétique en Amérique du Nord.

— Pourquoi envoyer Max là-bas? dis-je. Ça n'a aucun sens.

— Au contraire, c'est un excellent choix, dit-elle. Malheureusement, Max n'est plus mon patient. Ça ne s'est jamais vu, mais c'est comme ça! Au besoin, ils m'empêcheront même de l'approcher. Vous comprenez maintenant pourquoi j'ai besoin d'un coup de main en haut lieu?

— Pourquoi voulez-vous le voir? dis-je.

Elle ne répondit pas immédiatement et, après un silence, se tourna vers Vecchio pour lui demander sans autre périphrase de nous laisser seuls quelques instants. Il se leva en hochant la tête et s'éloigna, sans paraître offusqué par la brusquerie de son congé. En ce qui me concernait, je n'avais pas besoin de l'aide d'un psychiatre pour deviner que l'aplomb et la fermeté de Davis ne l'empêchaient pas à l'occasion d'être troublée ou incertaine. Je fus néanmoins stupéfait de découvrir à cet instant qu'elle était submergée par une passion dont l'objet m'était inconnu et que, cessant de me parler avec sa rigueur coutumière, elle s'adressait soudain à moi sur un ton oppressé et presque suppliant, qui me déconcerta plus que tout ce qu'elle m'avait appris dans la demi-heure qui venait de s'écouler.

Elle avait un motif impérieux et vital de revoir Max, disait-elle. Elle ne voulait pas continuer à jouer à cache-cache avec moi comme elle en avait été contrainte par le passé et s'efforcerait de répondre à mes questions dans la mesure du possible. Toutefois, dans l'immédiat, elle ne pouvait me révéler la véritable raison de son projet à Wabashikokak, et il lui répugnait d'en inventer une pour me satisfaire.

— Pouvez-vous au moins me dire pourquoi vous en faites un mystère ?

— Je ne suis sûre de rien, dit-elle en me prenant le bras. (Sa main tremblait.) C'est une hypothèse et rien de plus, je vous le dis ! Personne n'est au courant, pas même notre ami Vecchio !

— A vous entendre, on croirait presque que vous avez découvert quelque chose de plus terrible que la maladie de Max !

Elle secoua la tête, les lèvres pincées, pour me signifier que je ne l'entraînerais pas à en dire davantage. Pourtant, après quelques instants de silence, je l'entendis murmurer d'une voix altérée par l'émotion :

— Max n'est pas malade, il est seulement contagieux... Et bien sûr que l'autre chose serait plus terrible !

La pauvre Lotte m'avait décrit la peur incompréhensible que Max entretenait à l'endroit de ses médecins, et ses paroles me revinrent en force à l'esprit, pour nourrir un soupçon abominable. Le Dr Davis projetait de se rendre auprès de son malade pour l'achever, en raison de ce qu'elle croyait avoir découvert au sujet de sa maladie, *qui n'était qu'une contagion.* Non, je perdais la tête.

— J'ignore ce que John Butler peut faire, dis-je. Je ne suis même pas certain qu'il soit disposé à m'aider. De toute façon, ça ne coûte rien d'essayer, mais je pose une condition...

— Laquelle ?

— Je vous accompagne.

Elle se détendit et je vis apparaître sur son visage ce sourire qui m'avait déjà intrigué à notre première rencontre, parce qu'il réussissait à être en même temps mécanique et chaleureux.

— Merci, j'accepte, dit-elle en reprenant ses distances. J'avoue que la perspective d'y aller seule ne me souriait guère.

Elle se leva et je l'aidai à enfiler son manteau. Le va-et-vient dans le salon n'avait pas cessé depuis notre arrivée et les trois représentants de la famille continuaient de serrer des mains et de recevoir des accolades compassées.

— Le mari de Lotte n'est toujours pas là, murmurai-je. J'aurais tout de même voulu lui présenter mes condoléances. Il s'est absenté tout à l'heure pour un moment.

— Je sais, dit-elle. Nous avions rendez-vous avec lui.

Ils l'avaient rencontré à son domicile pour tenter d'obtenir son appui à ce projet de visite à Wabashikokak, mais il n'avait rien voulu entendre. Il avait la mentalité d'un gardien de pénitencier et suivrait à la lettre les instructions des militaires, qui avaient à présent la garde de son fils.

— Je peux aller le voir à mon tour, dis-je. Il m'écoutera peut-être, on ne sait jamais.

— Je vous le déconseille, dit-elle sèchement. Vous avez intérêt à ne pas vous faire remarquer. Comme vous dites si bien, on ne sait jamais... J'attends Vecchio dehors.

Elle me tourna le dos et sortit du salon sans plus de cérémonie.

Je rejoignis le psychiatre, qui contemplait le cercueil d'un air absent. Son épaisse couronne de cheveux blancs tranchait avec la calvitie luisante du haut de son crâne. Il prit conscience de ma présence à son côté et se pencha vers moi.

— On a chacun ses petites idiosyncrasies, chuchota-t-il. Une des miennes concerne cette fameuse limite au-delà de laquelle il faut dire non. Je suis certain qu'il y a eu à Berlin, vers la fin des années trente, un médecin qui me ressemblait. Je me demande souvent à quel moment il a décidé que la mesure était comble.

Je réfléchis quelques instant, non pour comprendre ce qu'il voulait dire (je ne le savais que trop !), mais pour me poser à mon tour la même question.

— Je peux vous répondre à sa place, dis-je enfin. Il a décidé de ne pas agir avant d'avoir su ce qui était arrivé à M. Trottier.

Vecchio ferma les yeux, gonfla ses joues, puis laissa échapper l'air de sa bouche d'un seul coup.

— J'en prends bonne note, dit-il en me serrant les mains avec force, avant de s'en aller à son tour.

Je jetai un dernier coup d'œil à Lotte, en me remémorant soudain qu'elle s'était demandé, en mangeant son petit gâteau à la pâte d'amande, si ses ennuis de dents ne lui venaient pas de Max. Elle était à présent bien sage dans son cercueil, à peine un peu plus morte que de son vivant, et donnait le change pour la dernière fois aux grands intellectuels de mon acabit, qui n'avaient pas su prendre à temps ses sottises au sérieux.

* * *

La maison des Sieber ressemblait à Lotte. Des petits rideaux croisés, des bacs à fleurs sur le rebord du balcon et des gnomes en porcelaine peinte dans la rocaille du jardin donnaient un petit air suisse à la propriété et, par un curieux paradoxe, une touche de non-conformisme à cette rue ensoleillée de Terrebonne.

La précocité du printemps, qu'on disait sans précédent dans les annales des provinces de l'Est, renforçait l'état d'esprit singulier dans lequel je vivais depuis plusieurs semaines. L'environnement physique avait subi un dérèglement inexplicable, semblable à celui qui bouleversait le cours de mon existence. Parmi les gens que le hasard me faisait rencontrer, certains paraissaient avoir ce comportement étrange qu'on observe dans les rêves, et le malaise que j'en éprouvais n'était certes pas apaisé quand la végétation, la température et jusqu'à l'odeur de l'air semblaient se liguer à leur tour, pour ajouter à mon sentiment de vivre en marge du réel.

A l'instant où je m'approchais de la maison, la porte d'entrée s'ouvrit et un homme sortit sur le perron, un trousseau de clés à la main. Il s'immobilisa en me voyant, puis battit lentement en retraite, manifestement peu désireux d'accueillir un visiteur à cet instant.

— Monsieur Sieber? dis-je en m'approchant, et craignant qu'il ne me ferme la porte au nez.

Pour toute réponse, il se contenta de me tendre une main froide et molle, en posant sur moi des yeux clairs, qui me regardaient sans me voir. Je renonçai intuitivement à lui parler de mes rencontres passées avec Lotte et de ma visite au salon funéraire.

— Pourriez-vous m'accorder quelques instants? dis-je. Il s'agit de votre fils Max.

Il tressaillit et émergea à demi de son absence.

— Max? murmura-t-il.

Il y avait toute la détresse du monde dans la façon dont il avait prononcé ce simple prénom. J'en fus bouleversé et interdit, car les propos du Dr Davis (et peut-être le silence de Lotte) à son sujet m'avaient laissé l'impression qu'il ne se préoccupait pas outre mesure du sort réservé à son enfant. Il jeta un coup d'œil traqué sur la rue et les maisons environnantes, comme s'il craignait que les voisins n'entendissent notre conversation. Je me demandai à cet instant comment les gens du quartier avaient réagi au départ de Max pour un hôpital d'où il n'était jamais revenu.

Bien que M. Sieber n'eût fait aucun signe pour m'y inviter, je le suivis dans la maison, de plus en plus décontenancé par son comportement. Il me précéda dans le vestibule, en marchant à reculons, et s'immobilisa sur le seuil du salon, les bras ballants. Je me dis qu'il avait peut-être forcé sur la boisson, ou encore pris des tranquillisants pour surmonter les épreuves qui s'étaient accumulées durant ces derniers jours.

Je me présentai, en lui mentionnant brièvement la nature de mes relations avec l'hôpital Memorial. Il m'écouta sans manifester aucune réaction, et je m'interrompis soudain au milieu d'une phrase, en découvrant avec un choc la raison de mon essoufflement. Il me regardait avec les yeux bleus de Max, et la ressemblance était telle que je fus traversé par la supposition folle que j'avais en face de moi, non pas un homme dans la trentaine, mais le garçon que j'avais rencontré sur le cinquième nord et qui me fixait à présent, dissimulé derrière ce masque de chairs mortes.

— Je sais que le moment est mal choisi, dis-je pour rompre le silence, mais je vous demande de reconsidérer votre décision au sujet de votre fils.

— Max ! répéta-t-il dans le même murmure déchirant.

Il se tenait le dos appuyé contre le chambranle de la porte et se laissa lentement glisser, pour tomber à genoux sur le carrelage du vestibule. Son visage jusqu'alors inexpressif se contracta violemment et un gémissement rauque monta du fond de sa gorge.

— Je vous en prie, dis-je en m'avançant, ne sachant si je devais l'aider à se relever ou le laisser à sa peine.

— *Mein verrückter Kopf!* gronda-t-il soudain d'une voix altérée. *Die Orgeln der Apokalypse! Gott schütze mich!*

Sans raison précise, je m'étais toujours figuré que Lotte avait épousé un Canadien français, et réalisai à cet instant ma méprise. Ma connaissance de la langue allemande était élémentaire et datait de ma participation à une conférence internationale à Vienne, où j'avais séjourné pendant quatre mois, mais elle me fut suffisante pour comprendre que le malheureux parlait avec un effroi contagieux de sa « tête fêlée » et des « orgues de l'Apocalypse ». Je n'en fus toutefois guère plus avancé.

Je pouvais entrevoir derrière lui l'aménagement du salon et de la salle à manger et, sur ma droite, l'intérieur de la cuisine et l'enfilade des chambres, qui donnaient sur le couloir. Je reconnaissais à une multitude de signes — des bibelots naïfs, une nappe imprimée, un bouquet de fleurs séchées, un calendrier avec une vue des Alpes suisses — la présence encore vivante de Lotte autour de moi, comme si cet intérieur qu'elle avait décoré avec tant d'application et si peu d'originalité s'était refusé jusqu'à présent à prendre acte de son abandon.

Le père de Max s'était mis à sangloter sans retenue, avec cette sorte d'épanchement quasi animal auquel certains déficients mentaux se laissent aller pour exprimer une grande douleur. J'ignorais quelle aurait été la réaction des détenus du pénitencier de Saint-Vincent-de-Paul, s'ils avaient été témoins de l'effondrement du gardien Sieber, mais pour ma part il me semblait indécent de rester en sa présence dans de telles conditions et je décidai de quitter la maison sans perdre une minute.

En sortant dans la rue, il me fallut faire un effort pour ne pas m'éloigner en courant, et le tremblement de mes mains, alors que je prenais place dans la voiture, me renseigna sur le véritable motif de ma fuite. Une peur sourde, sans nom et sans cause apparente, avait pris possession de moi, en m'envahissant de l'intérieur, comme un ennemi qui aurait été dans la place depuis longtemps et n'attendait que son heure pour se manifester.

Sur le chemin du retour, je pensai longuement à Max, qui avait les yeux de Richard dans le visage de Lotte. D'où venait-il, cet enfant qu'on avait exilé dans un coin perdu du nord de l'Ontario, et qui ressemblait de façon si frappante à ses parents adoptifs ?

CHAPITRE 10

John Butler me reçut pour le cérémonial du café, qui se prenait dans le coin de son bureau réservé aux discussions informelles et aux civilités. Sa secrétaire Agathe officiait avec sa dévotion coutumière, en posant sur la table basse la tasse de porcelaine chapeautée du petit réservoir en fer blanc, rempli d'eau bouillante et d'une mouture spéciale de chez Van Houtte. Ce nécessaire à café filtre, qui valait deux dollars quatre-vingt dix-huit chez *Miracle Mart*, avait été élevé au rang d'un objet de culte, et j'avais moi-même appris à ne pas engager de discussion sérieuse avant qu'il n'eût rempli son office. A tout instant, Butler se penchait avec une grimace d'effort pour échapper à la force d'attraction de son fauteuil et allait lever le couvercle du récipient d'eau, afin d'en observer la baisse de niveau avec une expression implacable. Ce café « à la parisienne », comme il l'appelait, était non seulement pour son palais le *fin du fin*, mais représentait également un privilège attaché à son titre et il le sirotait en suisse, condamnant ses collaborateurs et ses invités au café instantané.

Les manies de Butler, qui nous étaient bien connues et faisaient rire, remplissaient à notre insu une fonction apparentée au boniment du prestidigitateur et, de la même façon que le Grand Albert gesticulait devant la malle des

Indes pour couvrir les déplacements discrets de ses assistants à l'arrière-scène, Butler nous empêchait d'observer le comportement révélateur de sa secrétaire, en détournant notre attention avec ses simagrées de lecture dans le marc de café.

Je m'y serais laissé prendre une fois de plus si la pauvre créature n'était revenue ce matin-là dans le bureau sous un prétexte quelconque et, passant derrière le fauteuil de son maître, ne m'avait fait à son insu une mimique incompréhensible. Les doigts recroquevillés et les lèvres retroussées, elle griffait l'air devant elle, en secouant la tête de gauche à droite, sans pour autant me quitter de ses yeux vifs, qui cherchaient en vain à me dire quelque chose.

Agathe était une ancienne sœur grise au service du ministre depuis quinze ans, et qui avait mis ces années à profit pour atteindre à son contact l'état d'asservissement le plus pathétique. Elle vivait dans la terreur de ses remontrances, qu'il avait la bonté de ne pas lui épargner, et travaillait ses douze heures par jour dans un délire de mortification qui aurait été spectaculaire, s'il n'avait comporté la pénitence supplémentaire de la discrétion et de l'humilité. Le tiers de ce temps était consacré à reprendre la documentation et la correspondance préparée par l'administration, de manière à les conformer aux phobies compulsives de Butler. En effet, celui-ci ne tolérait pas l'utilisation de certains mots, comme *sincère* et *sincèrement*, il exigeait que la forme passive eût préséance sur la forme active, jugée trop personnelle, et faisait une colère chaque fois qu'il rencontrait un *split infinitive* dans un texte anglais.

Les trémas étaient devenus une véritable hantise pour Agathe, car les machines à écrire nord-américaines ne comportaient pas ce signe dactylographique et on le remplaçait par le double apostrophe des guillements anglo-saxons. Or, en dépit de nos explications conjuguées, Butler était intraitable sur la question du tréma. (Sans doute se donnait-il ainsi l'illusion de maîtriser la langue française jusque dans ses particularités, à la façon d'un piéton qui, rêvant de vol à voile, se promènerait avec un altimètre au poignet.) La seule façon de le satisfaire consistait à reprendre entièrement la dactylographie de chaque page fautive puis, avec une minutie extrême, à décaler la feuille sur le rouleau, de façon à juxtaposer sur les voyelles les deux points fatidiques, empruntés pour l'occasion à la touche du point à la ligne. Agathe avait développé une habileté remarquable pour effectuer cette opération mais, quand bien même les heures qu'elle devait y passer contribuaient utilement à son aliénation, il lui arrivait d'être submergée et de pleurer d'épuisement, notamment à l'approche des fêtes de fin d'année, alors que toutes les lettres préparées pour la signature du ministre se terminaient par des vœux de Noël.

La complaisance de John Butler à traiter cette malheureuse femme avec toute l'absence de considération requise par sa névrose était révélatrice des qualités qui avaient favorisé son ascension politique. Il avait le génie d'utiliser les gens à ses fins et de découvrir leurs préférences dans la manière de se faire posséder. Sa réputation de courtoisie et de modération tenait ainsi moins à son véritable caractère qu'à sa compréhension d'une vérité élémentaire: le miel exerce sur les mouches une attraction plus forte que le vinaigre.

Le lendemain de notre retour de la Jamaïque, un grand magasin du centre-ville avait livré à la maison, à l'intention de Florence, un superbe tigre en peluche, qui devait bien faire dans les trois pieds de long. Ma première pensée fut que ma mère avait subi une nouvelle attaque de culpabilité, jusqu'à ce que je découvre la carte du ministre, attachée au collier de l'animal. Ce geste de l'honorable Butler me plaça dans une situation embarrassante, en me contraignant une fois de plus à m'interroger sur l'obstination de la nature à faire battre un cœur dans la poitrine des imbéciles. Butler devait d'ailleurs lui-même se poser la même question, à en juger par sa répugnance à exprimer des sentiments chaleureux, ou simplement à prononcer des paroles d'encouragement ou de réconfort.

— Ma fille ne quitte plus son tigre, dis-je en m'asseyant.

— Son tigre? répondit-il, feignant de ne pas savoir à quoi je faisais allusion.

— Votre attention m'a touché, dis-je et Florence était aux anges! Je tenais à vous en remercier.

Il ne quittait pas sa tasse des yeux et fit un geste de la main qui signifiait qu'il ne désirait plus en entendre parler. Puis il dit à mi-voix:

— Je vous ai fait venir pour une question délicate.

J'approuvai de la tête pour lui signifier mon attention, sans juger nécessaire de lui rappeler que notre entrevue avait été fixée à ma demande. Alors qu'il s'apprêtait à parler, en aspirant des petits jets de salive comme s'il voulait se débarrasser d'une fibre de nourriture logée entre deux dents, je fus saisi avec force par l'impression d'avoir déjà vécu ce moment dans un passé indéfini — et les propos qui m'étaient tenus sonnaient à mon oreille comme la répétition fidèle d'un enregistrement.

— ... et votre classification en matière de sécurité a donc été temporairement modifiée.

— Je ne comprends pas, dis-je (mais je voyais venir).

Il ne comprenait pas davantage, le Solliciteur général l'avait appelé ce matin même pour lui dire que le dossier d'un membre de son cabinet était présentement en révision. Avais-je eu des démêlés avec la police jamaïcaine au cours de mes vacances?

— Non, pourquoi? dis-je. Qu'est-ce qu'on vous a laissé entendre, au juste?

— Rien de précis. Fitzpatrick lui-même ne sait pas grand-chose. Il m'a averti par courtoisie, comme ça se fait toujours. Ai-je besoin de vous dire pourquoi je vous en parle?

J'évitai de répondre autrement que par une mine qui ne m'engageait à rien.

— J'ai confiance en vous, dit-il en baissant la voix pour

donner plus de poids à sa déclaration, et je ne crois pas un mot de ces histoires. Toute l'affaire est une bourde de bureaucrate, c'est évident. On vous aura pris pour quelqu'un d'autre...

Le changement à ma classification de sécurité signifiait concrètement que je n'avais plus accès aux documents du Conseil privé et à la majeure partie des dossiers qui étaient envoyés quotidiennement au ministre. Si la mesure devait être plus définitivement provisoire qu'on le laissait entendre, ma situation serait bientôt aussi enviable que celle d'un charpentier coupé de sa fourniture de bois.

— Ce n'est pas une erreur, dis-je. C'est un coup monté.

Il tressaillit, car ma réponse avait la crudité d'une manchette de journal conservateur, et il me fit signe de poursuivre mon propos. Son attention empreinte de mansuétude m'était à la fois un encouragement à lui confier mes craintes sans détour et un engagement qu'il saurait se montrer digne de ma confiance.

Par bonheur, je m'étais préparé en conséquence et j'invoquai le sceau du secret pour lui en dire le moins possible, mais néanmoins suffisamment pour le gagner à ma cause. Je lui parlai de Max, de son transfert à la base militaire de Wabashikokak et du désir légitime du Dr Davis de revoir une dernière fois son patient. Il m'écouta les yeux fermés, en hochant la tête et en gonflant ses joues, ce qui lui donnait un air extraordinaire de concentration — et j'aurais dû me sentir flatté qu'il réservât un tel accueil à mes confidences. Malheureusement, je l'avais vu faire cette mimique alors qu'on lui parlait de sujets aussi importants que le plan de table pour le dîner offert en l'honneur de M. Delagrange, le goudronnage d'un tronçon de route dans sa circonscription électorale ou la location d'une polycopieuse supplémentaire pour l'usage exclusif du vingtième étage.

— Je vais voir ce que je peux faire pour vous aider, dit-il en se réveillant.

Agathe guettait ma sortie et, à peine avais-je refermé

derrière moi la porte du bureau de Butler qu'elle me faisait signe d'approcher.

— Désolée, monsieur Lecoultre, j'ai manqué le coche ! murmura-t-elle. Tout à l'heure, vous êtes entré si vite, je n'ai pas eu le temps de vous avertir. Vous n'en avez pas parlé, j'espère ?

— Pas parlé de quoi, Agathe ?

— Mais je vous ai fait signe, vous n'avez pas vu ? Tout est de ma faute, j'aurais dû l'informer. Et pendant tout ce temps je me disais : « Pourvu qu'il ne le remercie pas ! » Je parle du tigre.

C'était elle qui avait pris l'initiative du cadeau. Elle était allée chez Simpson's sur l'heure du déjeuner et n'avait pu résister quand elle l'avait vu avec ses grands yeux verts, une si belle bête ! Est-ce que Mlle Florence lui avait donné un nom ?

— Oscar, dis-je. Vous voulez dire que le ministre n'était pas au courant ?

Elle pouffa d'un rire de tête. Bien sûr que non, il lui déléguait toujours ce genre de responsabilités et attendez, je ne connaissais pas le plus beau : son nez quand il verra la facture !

— Qu'est-ce que je vais prendre ! dit-elle en secouant ses doigts comme pour les égoutter. Mais ça en valait la peine, n'est-ce pas ?

Je la remerciai hâtivement, en pensant que j'avais eu tort de m'apitoyer sur son sort. A sa façon, elle rendait les coups avec une efficacité et une candeur vicieuses qui, faute de mieux, lui tenaient lieu de dignité.

* * *

Le soir de mon entrevue avec John Butler, j'appelai New York pour demander à Sandy si elle se souvenait de ce M. Olivetti, qu'elle avait rencontré à la Jamaïque en sortant de la clinique du Dr Borgès.

— Bien sûr, dit-elle, j'y ai repensé plusieurs fois. Comment sais-tu son nom?

— C'est toi qui me l'avais dit. Peux-tu me rendre un service? Essaye de me dénicher son adresse, c'est important.

Il y eut un silence, puis elle me dit que non, elle ne voyait vraiment pas comment s'y prendre. Je lui rappelai que le vieillard lui avait montré un portrait de son petit-fils et qu'elle connaissait apparemment le photographe qui...

— Giacomino! s'écria-t-elle. C'est vrai, j'avais complètement oublié. Pas de problème, je vais lui écrire un mot. Il me doit bien ça!

— Peux-tu lui téléphoner? Je te rembourserai les frais.

— A Rome? C'est donc si important?

Oui, c'était important, mais je préférais pour l'instant ne pas en dire davantage. De toute façon, ça n'avait rien à voir avec le traitement de Florence. Elle ne laissa pas passer une aussi belle occasion et dit:

— Maintenant qu'elle n'a plus un cheveu sur la tête et qu'on la regarde partout comme une bête curieuse, on se décide à interrompre la chimio. Tu parles d'une organisation!

Je reconnaissais bien la perspective cavalière dans laquelle, de son point de fuite new-yorkais, elle plaçait nos efforts pour soigner sa fille. Mais la distance ne l'empêcha pas d'être efficace. Le soir même, j'avais sous les yeux quatre numéros de téléphone et, à ma surprise, celui de Bruxelles se révéla être le bon. J'avais tenu compte du décalage horaire et il était pour moi cinq heures du matin quand j'eus Olivetti au bout du fil. Il parlait avec un accent italien et une voix essoufflée, comme s'il avait couru pour venir me répondre. Oui, il se souvenait fort bien de Mme Lecoultre — et comment allait la petite Florence? Nous ne l'avions pas vu, mais il se trouvait à l'aéroport de Kingston le jour de notre départ et il avait observé la scène des adieux avec les gens du village. Que pouvait-il faire pour nous?

Je lui expliquai la situation dans ses grandes lignes. Sans le vouloir, j'étais entré en possession d'informations compromettantes au sujet du traitement d'un enfant atteint de cancer et qui, jusqu'à récemment, avait été hospitalisé à l'hôpital Memorial. Je m'interrompis, attendant une réaction de sa part, mais il se contenta de dire, après un silence :

— Continuez, je vous écoute.

Pour m'empêcher de divulguer ces informations à la presse, on avait manigancé quelque chose en relation avec mon récent séjour à la Jamaïque. Je ne savais pas quoi exactement et j'avais espéré que, grâce à ses relations, il pourrait me renseigner sur cette affaire. (A mesure que les minutes passaient, il me devenait de plus en plus difficile de m'exprimer de façon convaincante. Je finis par me taire, avec l'impression d'interrompre une récitation.)

— C'est tout ? demanda-t-il. Dans ce cas, laissez-moi quelques heures.

— Je vais vous donner mon numéro de téléphone au bureau, dis-je. De cette façon, vous...

— Merci, c'est inutile. Vous travaillez pour... John Butler, c'est bien ça ?

Je ne lui cachai pas mon étonnement de le trouver si bien informé et il m'expliqua posément que ses collaborateurs l'avaient alerté après avoir reçu mes deux premiers appels infructueux, à Montego Bay et à Los Angeles. Il avait mis la matinée à profit pour prendre des renseignements sur mon compte.

— Vous êtes un jeune homme... courageux, me dit-il, la voix toujours aussi essoufflée. Ne vous gênez pas... pour téléphoner à l'heure qui vous convient. Lorsque nous ne voulons pas être dérangés... le répondeur automatique prend les appels.

Cette conversation me laissa dans un état de malaise diffus et de doute sur l'à-propos de mon initiative. Il y avait longtemps qu'on ne s'était adressé à moi en m'appelant *jeune homme* et, en d'autres circonstances, je m'en serais plutôt réjoui. Ma mauvaise humeur venait sans doute de ce que, au contact du monde de M. Olivetti, j'éprouvais effectivement l'impression humiliante de manquer d'expérience et d'être dépourvu de toutes ressources.

* * *

Au cours de la semaine qui suivit, j'observai avec un détachement clinique le traitement que me réservèrent mes collègues du ministère et le personnel du cabinet de John Butler, dès que la nouvelle de ma disgrâce leur fut connue. La rumeur transforma rapidement la modification temporaire de ma cote de sécurité en une rétrogradation permanente, aggravée d'une baisse de salaire. En moins de trois jours, la pile des petites fiches jaunes qui s'accumulaient sur mon bureau pour signaler les messages téléphoniques de la journée se réduisit à trois ou à quatre feuillets. Les oublis involontaires se multiplièrent, des réunions qui auraient été annulées auparavant si je n'avais pu y assister, se tenaient maintenant sans que j'en fusse informé, ou alors la convocation me parvenait le lendemain de l'événement. Le constat le plus intéressant de cette situation fut que l'ostracisme qui me frappait était foncièrement dénué de méchanceté de la part de mes pairs, qui observaient en fait un rituel grégaire dont la signification les dépassait. Je les imaginais sans peine, de retour le soir dans leur foyer, parlant à leur épouse de ce pauvre Lecoultre qui était en chute libre des hauteurs de la hiérarchie. La pensée de cette compassion exprimée avec tact hors de ma présence me fut d'un grand réconfort.

* * *

Le soir de mon entrevue avec le ministre, je rencontrai par hasard Hnatzynshyn dans le garage souterrain de l'immeuble, alors qu'il se dirigeait vers sa voiture avec une démarche qui aurait justifié qu'une Lincoln Continental l'attendît à son point d'arrivée. La bouche grillagée du système de ventilation du garage s'ouvrait à proximité de nous, et les ventilateurs géants faisaient un tel vacarme que nous fûmes obligés de nous crier nos confidences à l'oreille.

— ... mis au rancart ! disait-il en branlant sa tête ronde.

Je ne me faisais guère d'illusions sur la façon dont ma situation était rapportée au sein du ministère, et j'aurais dû être reconnaissant à Hnatzynshyn de me le confirmer, sans chercher à me dorer la pilule. Pourtant, je me cabrai et répondis avec sécheresse que j'étais encore bien vivant, en dépit des messes de requiem qui se célébraient dans mon dos.

Il me considéra d'un air perplexe, avant de reprendre ses explications. Je réalisai alors avec confusion qu'il me parlait de sa propre infortune, non de la mienne. On lui avait en effet retiré la responsabilité de l'enquête sur les difficultés de fonctionnement de l'ordinateur de l'hôpital Memorial. C'était d'autant plus regrettable qu'il tenait un filon prometteur, mais on s'était moqué de lui et il pouvait s'estimer chanceux de n'avoir pas été congédié pour incompétence. Une équipe de trois experts de la firme Salzberg & Snyders avaient en effet diagnostiqué un vice interne dans la quincaillerie du système, en contradiction avec ses propres conclusions, qui attribuaient la responsabilité du problème à une modification aberrante du logiciel, provoquée par une cause extérieure. Je l'encourageai à m'expliquer sa théorie.

— Il ne me reste pas beaucoup d'amis, monsieur, dit-il, les mains en porte-voix. Admettons que pour les fins de la discussion, vous m'avez donné certaines indications qui pouvaient passer pour de la sympathie. Bref, j'ai peur de vous ennuyer avec mes abstractions.

— Dites toujours.

Il me déclara que, pour simplifier les choses, il ne me parlerait pas du spectre des fréquences radioélectriques, mais seulement des parasites qui nuisaient à la qualité de leur réception. Or, il se trouvait que ces parasites augmentaient quand le soleil entrait dans une période de grande activité. Bien entendu, je n'ignorais pas que les vents solaires étaient faibles, et que les disques magnétiques de la banque de données de l'hôpital auraient dû être placés dans l'espace à proximité de Mercure pendant une dizaine de siècles, avant de subir une détérioration comparable à celle qui les avait affectés au Memorial.

— A présent, effacez tout ce que je viens de vous raconter, ordonna-t-il d'un ton péremptoire. Je voulais uniquement vous amener à considérer l'idée d'un bombardement de particules. Vous avez entendu parler des rayons cosmiques? J'ai fait des rencontres singulières dans les couloirs de l'hôpital, monsieur.

Il sautait du coq à l'âne avec une agilité surprenante pour un homme de sa corpulence, et me murmura à tue-tête qu'Ottawa était un grand village et qu'il connaissait personnellement de vue la plupart des experts en électronique qui travaillaient pour le compte du gouvernement fédéral. Aussi, pouvais-je lui dire ce que Martin O'Shea, de la RCMP, et Brian McLean, de la Défense, faisaient au Memorial depuis une quinzaine de jours?

— Probablement la même chose que vous, dis-je.

— En ce cas, ils en savent plus long que moi, dit-il, je le vois à la façon dont ils m'évitent. Et si quelqu'un réussissait à mettre du vent solaire en capsule? La bombe à neutrons n'est qu'une étape, vous savez, il y a de la place pour le progrès.

Il revenait à cette idée qui semblait l'obséder, et son découragement devant l'insuccès de ses recherches me fit de la peine. Je décidai de lui venir en aide en lui suggérant d'aborder le problème sous un angle entièrement différent. N'avait-il jamais considéré l'ironie de trouver un ordinateur malade dans un hôpital ? Il me fit répéter, craignant de n'avoir pas compris la première fois à cause du tintamarre de la climatisation. Ses yeux ronds lui sortirent de la tête, et il décréta que c'était une idée parfaitement absurde.

— Je vous en suis très reconnaissant, monsieur, ajouta-t-il avec une fébrilité croissante. Il est si difficile de nos jours de trouver des idées qui ne font aucun sens. Nous autres, scientifiques, nous avons des œillères, ce qui n'empêche pas l'éclair de voyager en zig-zag, soit dit en passant. Alors comme ça, si j'ose extrapoler, vous croyez que l'ordinateur du Memorial a attrapé un rhume de cerveau...

Il se mit à penser à haute voix, et me subjugua par son habileté à jongler avec une hypothèse que je lui avais pourtant formulée dans les termes les plus vagues. Je me promis d'être plus prudent à l'avenir car, même s'il m'inspirait confiance, je ne me sentais alors pas le droit de lui révéler ce que je savais du cas de Max Sieber.

Je le vis bientôt secouer la tête avec dépit, alors que j'étais en train de penser que sa remarque sur les œillères des savants rejoignait les idées du Dr Vecchio.

— J'aimerais vous obliger, dit-il, mais je me trouve un peu à l'étroit dans votre supposition. Vous pensez à une espèce de bactérie qui s'attaquerait à la mémoire du système informatique, c'est bien ça? Seulement voyez-vous, il y a tout de même certaines différences entre l'homme et l'ordinateur...

Son intonation laissait entendre sans équivoque que ces différences étaient incontestablement à l'avantage de la machine.

— Je ne parlais pas de bactéries, dis-je en choisissant mes mots avec soin. Je me demandais simplement si un individu ne pouvait pas être la source de ces radiations dont vous parliez tout à l'heure.

Il gonfla ses joues et jeta un coup d'œil navré au plafond de la cave, à la recherche d'un compromis qui lui permettrait de conserver mes bonnes grâces.

— Les radiations décroissent au carré de la distance, et même avec un régime à haute teneur en calories, personne ne pourrait produire même le centième de l'énergie nécessaire pour... Mais au fait, j'y pense, monsieur : essayez-vous de me faire comprendre quelque chose?

— Oui et non... Je ne peux rien expliquer, Ken, si ce n'est que vous aviez raison sur un point, le mal vient de l'extérieur. Les ordinateurs en sont les victimes, pas la cause !

Son teint vira au rouge brique et je crus qu'il allait se mettre à pleurer. Il me serra les mains avec effusion, en m'adjurant de ne pas lui raconter un mensonge charitable, et en m'avouant du même souffle que mes paroles le sauvaient de la dépression nerveuse, qu'il sentait approcher chaque matin davantage, alors qu'il devait mener un véritable combat pour se lever du bon pied.

— Je vous le dis, monsieur, je vais reprendre l'enquête à mon compte, pour la satisfaction du savoir ! C'est dur d'être traité de haut par des ignorants, et si on ne lutte pas, on se dégrade. Mon étude de la gangrène peut attendre...

— Vous avez parlé de gangrène ? demandai-je, la gorge enrouée.

Il me fit signe de le suivre et, traversant le palier de la cage d'escalier, me précéda dans une grande cave dont il referma la porte derrière nous, pour nous procurer un silence relatif qui me fit l'effet d'un baume.

Trois containers aux couvercles levés étaient alignés contre le mur, sous les bouches des chutes à déchets, qui vomissaient à tour de rôle, par intermittence, le contenu des corbeilles à papier que le personnel d'entretien — qui commençait sa journée au moment où nous l'achevions — vidait à chaque étage de l'édifice.

— Ça ne pouvait pas mieux tomber, dit mon compagnon sans chercher apparemment à faire de l'esprit. Avant de vous répondre, laissez-moi préciser une chose. On m'a assigné une tâche et je l'ai appelée l'opération *gangrène*, mais c'est un sobriquet qui doit rester entre nous. Regardez-moi sans idée préconçue, monsieur. Ai-je l'air d'un mystificateur ?

— Non, dis-je avec un secret mouvement de tendresse.

Pourtant, il ne m'aurait pas tenu rigueur de le penser, m'assura-t-il, car le sort s'acharnait sur lui pour le confronter à des événements qui sortaient de l'ordinaire. Pour le détourner de son investigation au Memorial, on lui avait confié une étude sur le classement des archives et des dossiers courants du ministère. La question fondamentale était simple : était-il plus économique de classer les documents dans leur format original, de les conserver sous forme de microfiches ou de les introduire en impulsions binaires dans la mémoire des ordinateurs ? Pour résoudre ce problème, la première opération, qui semblait la plus inoffensive, consistait à évaluer la quantité de paperasserie qui circulait dans le système, mais déjà à ce stade Hnatzynshyn voguait en eau trouble.

— Nous contrôlons le processus aux deux extrémités, dit-il en désignant de ses trois mentons les containers qui nous faisaient face. Mais ce qui se passe dans l'intervalle est une drôle d'affaire, je ne vous dis que ça !

Le service des achats et l'unité centrale de correspondance étaient en mesure d'évaluer assez précisément le volume global des papiers de toute nature qui entraient au ministère chaque année. Connaissant la quantité qui en finissait au rebut, un écolier aurait été capable de calculer le nombre de documents qui restaient à classer.

— C'est ce que vous croyez ! s'exclama-t-il, alors que je n'avais fait que l'écouter sans un signe d'approbation. (Je suivais son histoire à tâtons.) Si on soustrait ce qu'on jette de ce qu'on a reçu, on devrait connaître ce qu'on garde, vous êtes d'accord ?

— Ça me paraît logique, dis-je prudemment.

— Ahaha ! Seulement voilà : on en garde sept fois plus, monsieur !

— C'est impossible ! Ou alors votre contrôle de ce qui entre n'est pas assez rigoureux.

Il me déclara avec une mine offusquée que les opérations de contrôle étaient, de façon générale, la seule activité que la bureaucratie réussissait à mener de façon quelque peu efficace. Non, il fallait avoir le courage de regarder la réalité en face. La paperasserie était une forme particulièrement virulente de gangrène — et même dans l'hypothèse où on prendrait la décision absurde de fermer l'accès du ministère à toute feuille de papier, vierge ou imprimée, la prolifération interne des documents continuerait au même rythme.

— Vous n'êtes pas seul à aimer Kafka, dis-je avec un sourire.

Il eut un soupir profond et remarqua que, Dieu merci, la définition de l'obésité n'était pas encore quantifiée. Il n'en restait pas moins qu'il avait une certaine tendance à l'embonpoint et que cette condition n'avait rien de littéraire.

— Je vous ai perdu, dis-je.

— Je mange une biscotte, monsieur, et j'engraisse d'un demi-kilo. Cette particularité de mon métabolisme me donne une compréhension unique du phénomène dont nous parlons. Avant de vous quitter, puis-je vous demander d'être sérieux pour une minute?

— Je vais faire mon possible, dis-je en pensant qu'il fallait consommer Hnatzynshyn à petites doses, pour l'apprécier à sa juste valeur.

— La maladie qui s'attaque aux ordinateurs, c'est une façon de parler?

— Non, je ne dirais pas ça... C'est même pour cette raison qu'on vous a retiré le dossier.

— Alors nous sommes dans de beaux draps! dit-il gravement. L'humanité a fini d'entrer dans l'avenir à reculons. A partir de maintenant, nous repartons d'un bon pied vers la préhistoire. Malheureusement, je ne vivrai pas assez longtemps pour savoir ce qui est arrivé aux dinosaures.

Je frissonnai, sans doute à cause de l'humidité de la cave, et je sortis sans répondre, après lui avoir serré la main comme s'il avait porté le deuil.

CHAPITRE 11

M. Olivetti m'avait donné rendez-vous à l'aéroport de Dorval, au bar de *L'Escale*, que je découvris coincé entre une boutique de souvenirs japonais et un salon de coiffure. L'établissement, qui était aux trois quarts vide, justifiait amplement sa discrétion avec sa pénombre qui lui tenait lieu de décor. Le vieillard m'attendait à une des tables du fond, assis dans une chaise roulante, les mains posées à plat sur un porte-documents en cuir. Je le reconnus à son air déplacé et à l'agitation incessante de son port de tête. (Sandy m'avait mentionné qu'il était affligé de la maladie de Parkinson). Pour le reste, il ne correspondait en rien à l'image que je m'étais faite de lui et, bien que ma fréquentation de John Butler m'eût appris à me méfier des apparences, je lui fis confiance d'entrée de jeu. Il devait approcher les quatre-vingts ans, et sa personne donnait une impression d'extrême fragilité.

— Je vous remercie d'être venu, dit-il sans se lever, en me tendant une main si décharnée que je ressentis un malaise physique à la prendre, comme si les os pouvaient s'en briser sous l'étreinte de mes doigts.

Une femme plantureuse, vêtue de noir de la tête

aux pieds, était assise en contrebas sur sa droite, dans un des fauteuils qui entouraient la petite table de simili-marbre, où elle avait distribué en éventail les cartes miniatures d'un jeu de patience. Elle me fut présentée comme étant la signora Cabotto, qui venait de Trotta, village de Calabre où Olivetti avait lui-même passé ses années d'enfance. Il m'avertit qu'elle était de mauvaise humeur, à cause de l'éclairage parcimonieux de l'endroit, qui l'empêchait de distinguer entre les rois et les valets.

— Vous les Américains, vous êtes tous les mêmes ! dit-il en jetant un regard apitoyé autour de nous. Vous noyez votre puritanisme... dans l'alcool, et vous faites l'obscurité pour... le boire !

Bien qu'il s'exprimât sans hâte et dans un français délié, il devait reprendre son souffle tous les trois mots, ce qui donnait une intensité dramatique et oppressante à chacune de ses paroles. Je lui fis observer qu'il mettait un peu vite Canadiens et Américains dans le même sac.

— En quoi sont-ils... différents ? demanda-t-il, en haussant un sourcil broussailleux.

Mme Cabotto me tira d'embarras en interrompant la distribution de ses cartes et en levant vers moi un regard aussi noir que le fichu dont elle avait recouvert sa tête et ses épaules. Elle me posa une question en italien, sur un ton insistant et direct, comme si elle était incapable d'imaginer que cette langue pût être étrangère à l'oreille d'un chrétien. Olivetti intervint pour me dire que Carlotta voulait savoir si j'avais des cigarettes sur moi, et il en profita pour me conseiller de ne pas jouer au plus fin avec elle. Elle fit main basse sur le paquet que je posai sur la table, pour le serrer dans un cabas d'osier tressé, qu'elle tenait caché sous ses jupes, entre ses godillots noirs. Puis elle reprit sa patience en reniflant, sans plus se préoccuper de moi.

— Elle m'énerve ! murmura Olivetti, avec un détachement qui semblait contredire ses paroles. Elle n'est jamais sortie... de son village, elle le transporte partout avec elle. Que le diable l'emporte !

Il n'y avait pas de chaise à proximité et je fus obligé de m'asseoir en face de lui dans un fauteuil bas, qui aurait été confortable s'il ne m'avait donné le sentiment d'être un pantin désarticulé en face d'une statue égyptienne. Je le remerciai d'avoir si promptement répondu à mon appel, mais il ne me donna pas la chance de poursuivre dans cette veine.

— Nous avons une heure devant nous... et beaucoup de choses à nous dire. Je propose de laisser faire les politesses, et de nous concentrer... sur l'essentiel.

Il était arrivé de Bruxelles au début de l'après-midi et prenait tout à l'heure l'avion pour New York. Mais que je ne me leurre pas, il s'était déplacé en premier lieu pour l'affaire de l'enfant Sieber. (Je n'avais pas prononcé le nom de Max au téléphone et je me dis qu'il devait disposer de moyens exceptionnels pour l'avoir si rapidement découvert.) Avant d'aborder ce sujet, il voulait toutefois répondre à la question que je lui avais posée à propos de cette manigance montée contre moi à la Jamaïque. Il me demanda si je savais ce que Goethe avait répondu au proverbe français selon lequel « il n'y a pas de grand homme pour son valet de chambre ».

— Non, je l'ignore, dis-je, en m'efforçant de ne pas prêter attention au reniflement chronique de Mme Cabotto.

— « Ce n'est pas parce que le grand homme n'est pas grand, cita-t-il, c'est parce que le valet... est un valet ! » Je parle de John Butler, vous l'avez compris *.

Il eut un râle d'asthmatique, qui était sa façon de rire, et me demanda à brûle-pourpoint si j'avais une haute opinion de mon ministre.

---

* *Butler* se traduit en français par : valet.

— Non, pas très haute ! dis-je sur un ton catégorique, qui contrastait avec le temps d'hésitation que j'avais pris pour répondre.

— Tant mieux. Parce que c'est une crapule ! déclara-t-il posément.

Mon raidissement ne lui échappa pas et, sur le même débit entrecoupé d'appels d'air, il me révéla que la police jamaïcaine avait monté contre moi une accusation de détournement de mineure, et disposait de plus de faux témoignages qu'il n'en fallait pour étayer sa preuve. Ma victime présumée était d'ailleurs tombée enceinte à la suite de mes agissements, et une poursuite en paternité s'ajouterait probablement à la note.

— Juliette ! murmurai-je, le cœur dans un étau.

Il hocha la tête, une seule fois, comme s'il était contraint d'économiser jusqu'au moindre de ses mouvements. Une voûte d'ombre était creusée entre l'arcade sourcilière et sa paupière, et donnait à son regard l'intensité mélodramatique d'un gros plan de film muet.

— Elle n'a pas eu le choix, dit-il. Ils ne manquent pas de moyens... pour convaincre les gens !

Je me levai brusquement, incapable de continuer à l'écouter du fond de mon siège, les yeux levés religieusement vers lui.

— Pourquoi dites-vous que Butler est une crapule ? demandai-je.

Il me révéla que, d'après les premiers renseignements qu'il avait pu obtenir, certaines personnes au ministère de la Défense voulaient s'assurer mon silence et ma docilité. John Butler leur avait fourni à mon sujet toutes les informations nécessaires pour me compromettre dans un scandale fictif, et m'obliger à filer doux sous la menace de le rendre public. J'étais terrassé.

— Et moi qui le prenais pour un imbécile, dis-je avec amertume.

— « L'hypocrisie est un vice à la mode », dit le vieillard, qui n'en finissait pas de m'étonner. Mais ne soyez pas ingrat, Butler vous a rendu service... sans le savoir !

Il m'avoua qu'au début, il n'avait pas accordé grand crédit à mon histoire, mais que l'envergure du coup monté contre moi l'avait mis en alerte. On ne se serait pas donné tout ce mal pour m'empêcher de parler, si je n'avais rien eu à dire. Une série de vérifications de routine lui avait rapidement confirmé qu'il se passait des événements exceptionnellement graves à l'hôpital Memorial. Au cours des dernières semaines, une douzaine des spécialistes parmi les plus chevronnés des États-Unis, en médecine et en biologie — et parmi eux, deux prix Nobel — s'étaient rendus à tour de rôle à Ottawa, en général pour un séjour de courte durée.

— Je n'en savais rien, dis-je avec ressentiment.

Pourquoi le Dr Davis ne m'avait-elle pas mentionné ce va-et-vient d'experts au chevet de Max ? Il est vrai que l'information ne m'apprenait rien de plus sur sa maladie et, connaissant la nature extraordinaire de celle-ci, j'aurais dû me douter qu'on ne s'était pas contenté d'appeler en consultation les célébrités locales.

J'eus soudain la révélation de l'escalade de la crise, depuis la visite au médecin de famille de Terrebonne jusqu'à l'exil à la base militaire de Wabashikokak, en passant par la réaction d'incrédulité devant le résultat des premières analyses, la priorité donnée aux travaux de recherche en laboratoire, la multiplication des réunions d'experts, la panique croissante devant un phénomène dont on ne connaissait ni l'origine ni la cure — et enfin, la prise en charge du cas Sieber par une section spéciale de l'armée. J'avais été le témoin fortuit et impuissant de l'évolution du drame dès son début, ou presque, et à ce titre j'aurais dû en pressentir toute l'ampleur et en prévoir les terribles conséquences. Au lieu de cela, l'arbre m'avait caché la forêt et, maintenant que son étendue m'était brutalement découverte, le constat de mon aveuglement et de mon impuissance me plongeait dans un découragement profond.

Sans me soucier des grognements de Mme Cabotto, je m'assis sur un coin de la petite table, bien décidé à ne pas retomber dans le rembourrage mouvant du fauteuil. Je me sentais la tête vide, et cherchai avec anxiété à me souvenir des raisons pour lesquelles j'avais demandé cette rencontre à M. Olivetti.

— Je vous ai dérangé pour rien, dis-je avec effort. J'en suis désolé, croyez-moi !

— C'est vous qui vous désolez pour rien, dit-il. Nous avons besoin l'un de l'autre, et j'ai un marché à vous proposer.

Il était en mesure de contrecarrer la machination ourdie contre moi par les autorités jamaïcaines, et de me fournir du même coup le moyen de mettre John Butler au pas. En contrepartie, il me demandait de lui révéler ce que je savais de l'affaire Sieber.

— Donnez-moi quelques minutes pour réfléchir, dis-je.

Il leva la main de son porte-documents et en agita faiblement les doigts, ce que j'interprétai comme un assentiment — en contradiction apparente avec ses signes de tête. (Son Parkinson lui donnait l'air d'être en constant désaccord avec tout ce que je lui disais.)

Je m'efforçai d'examiner à sa valeur la proposition qui m'était faite, mais mon esprit refusa curieusement de s'atteler à cette tâche et prit un intérêt coupable à observer un couple d'amoureux assis à une table voisine, qui profitaient de la pénombre pour se peloter sans vergogne. Un sac de voyage était posé à côté de la femme ; pour combien de temps serait-elle absente, et quel autre homme l'attendait à sa destination? Je détournai finalement le regard, pour le reporter sur le vieillard qui n'avait pas bougé.

— Pourquoi vous intéressez-vous à cette affaire? demandai-je, après avoir cherché en vain une façon moins directe de m'exprimer.

— Pour l'argent! dit-il avec le même essoufflement tranquille. « L'argent est la clé... de tous les grands ressorts! » Voyez-vous, le cancer est aussi... une industrie!

Sa réponse me prit de court, car je m'attendais à ce qu'il exhibe le portrait de son petit-fils ou me chante un couplet humanitaire. J'avais la certitude qu'il disposait d'une fortune personnelle et je me disais, non sans candeur, qu'il n'avait aucune raison, à son âge et dans son état de santé, de se compliquer l'existence à engraisser un pécule qu'il n'aurait probablement même pas le loisir de dépenser.

Il devina sans doute l'orientation de mes pensées et m'apprit qu'il s'était retiré des affaires après la mort de Michel, pour fonder un institut international de contrôle et de coordination de la lutte contre le cancer. En termes concrets, cet organisme surveillait la façon dont étaient gérés les centaines de millions de dollars consacrés chaque année à la recherche médicale dans ce domaine. Ce contrôle s'exerçait aussi bien sur les dépenses gouvernementales que sur celles des grandes entreprises pharmaceutiques, sur les bourses d'études des mille et une fondations privées et sur les fonds recueillis directement auprès du public, par des campagnes de souscription ou d'autres activités de même nature.

Olivetti m'expliqua avec fierté que l'institut comptait une trentaine de permanents, qui avaient tous en commun d'être à leur retraite, après avoir accompli une carrière prestigieuse dans leurs spécialités respectives. Il y avait des médecins et des biologistes, bien sûr, mais aussi des experts-comptables, des chimistes, des hauts fonctionnaires, des journalistes, et même d'anciens inspecteurs de police. Cette équipe pluridisciplinaire était d'autant plus redoutable que le bénévolat y était la règle, et que personne n'avait rien à perdre à poser les mauvaises questions aux bons endroits.

— Votre institut est-il subventionné? demandai-je, ce qui était une façon détournée de le questionner sur ses propres sources de financement.

— Vous voulez rire! dit-il, en faisant entendre à nouveau son petit râle asthmatique. Qui voudrait nous donner... une subvention, pour l'amour du Ciel! Non, il se trouve que ma famille... avait du foin dans ses bottes!

Les gens s'imaginaient poétiquement que les diverses instances qui combattaient cet ennemi commun — le cancer — auraient accueilli favorablement des études destinées à éviter la duplication des recherches et la répétition des erreurs, ou encore à proposer une coordination des efforts et une mise en commun des découvertes. En réalité, les activités de l'institut suscitaient au mieux une collaboration réticente, et au pire une opposition farouche, qui ne lésinait pas sur les moyens à prendre pour arriver à ses fins. Les cartels pharmaceutiques notamment leur menaient la vie dure, car la concurrence en ce domaine était aussi impitoyable que dans les cosmétiques ou les armements. Et tout ça n'était rien en comparaison de la conspiration du Laetryl, qui représentait à elle seule une opération de plusieurs millions de dollars, dont la gestion était sous le contrôle des grandes familles du crime organisé.

— Je comprends vos sentiments, dit-il, alors que je me taisais. Vous pensez à votre petite fille, et aux gens qui brassent des affaires... sur son dos. J'ai passé par la même révolte, moi aussi!

Il ferma les yeux et une ombre s'étendit sur son

visage creusé. Je compris à cet instant que son apparence de fragilité m'avait trompé, comme elle devait tromper la plupart de ceux qui l'approchaient. Derrière son tremblement et ses pertes de souffle, le vieil homme était une force de la nature. Je jetai un coup d'œil vers Mme Cabotto, qui comptait de l'index les cartes étalées devant elle, en me demandant si notre conversation lui échappait aussi complètement que M. Olivetti me l'avait laissé entendre.

— Max Sieber est atteint d'un mal inconnu, dis-je enfin. J'ai mis du temps à comprendre, parce que le concept même de maladie ne s'applique pas à son cas. Il n'a pas été admis au Memorial pour un cancer, comme je le croyais au début. En fait, c'est le médecin-chef de l'hôpital Sainte-Justine, à Montréal, qui l'a envoyé au Dr Davis. Il a travaillé autrefois avec elle aux États-Unis et jugeait qu'elle était la spécialiste la plus compétente pour s'occuper du cas... Max ne suit pas de traitement à proprement parler, il est en observation. C'est ça qui est paradoxal, vous comprenez? Il n'est pas lui-même malade au sens où on l'entend habituellement. Il est seulement contagieux.

— Continuez! murmura Olivetti en se penchant vers moi.

Pour le peu que j'en savais, le mal de Max attaquait uniquement les matériaux inorganiques. Les organismes vivants et toutes les matières d'origine organique étaient apparemment à l'abri de la contagion. C'était une sorte de lèpre qui s'en prenait aux objets et se développait de façon particulièrement virulente sur les métaux, le verre et toutes les matières synthétiques. Au début, lorsque Max avait été hospitalisé, la corrosion était lente et semblait se transmettre au contact. Ses jouets rouillaient et tombaient en morceaux, ses vêtements moisissaient lentement sur lui, à l'exception de ceux qui étaient en pur coton, pur lin ou pure laine. Par la suite, la zone de contagion s'était progressivement étendue, en même temps que le mal devenait de plus en plus destructeur. Un lit d'hôpital se désagrégeait en moins d'une semaine, alors qu'une plante verte dans la même chambre ne subissait aucun dommage.

— C'est tout? demanda Olivetti entre deux soupirs. Vous ne savez rien d'autre?

— Je sais où ils ont transféré Max.

Il me fit signe qu'il n'était pas autrement intéressé à l'apprendre et me lança une succession de coups d'œil rapides et incisifs, entre lesquels son regard gris revenait se poser sur l'extrémité de ses mains, comme si la propreté de ses ongles lui était un réconfort.

— Je ne vous crois pas, dit-il enfin d'un ton résigné.

Au même instant, une petite vibration perçante se fit entendre, que Mme Cabotto interrompit en relevant sa manche et en pressant sur la montre digitale qu'elle portait au poignet, et dont l'anachronisme avec son personnage était saisissant.

Olivetti lui dit quelques mots en italien, mais elle secoua la tête et se pencha pour tirer de sous ses jupes son cabas d'osier. Elle y dénicha trois flacons de pilules de couleurs différentes et deux petites bouteilles munies d'un bouchon compte-gouttes, et se livra avec ce matériel à des mélanges d'apothicaire.

— Vous me surprenez en plein conflit d'intérêts! dit le vieillard en me désignant les médicaments. Et cette folle avec son coucou, c'est comme ça... toutes les trois heures! Je pourrais l'étrangler!

Il ajouta qu'elle le surveillait sans relâche, d'une façon qui finissait par l'atteindre dans sa dignité. La confiscation de mon paquet de cigarettes en était un exemple flagrant. Avec sa suspicion maladive, elle s'imaginait que nous avions comploté ensemble pour transgresser les ordres du médecin.

— Elle va vous le rendre tout à l'heure, dit-il d'un

air faussement dégagé. A ce moment-là, essayez de m'en passer... une ou deux, mais agissez discrètement ! Elle a des yeux... tout autour de la tête.

Il avala ses remèdes avec une moue indignée, sans cesser de m'observer.

— Je vous ai offensé, reprit-il. Ce n'était pas mon intention. Je ne doute pas de votre sincérité, mais on vous a intoxiqué, comme on dit... dans le métier.

Il n'était plus assez jeune et pas encore assez vieux pour mordre à l'hameçon. Il avait vu dans le passé des tas de gens se faire prendre dans ce genre de miroir aux alouettes, et il reconnaissait dans mon récit tous les éléments caractéristiques d'une belle escroquerie — à commencer par le fait que j'étais certain d'avoir découvert la vérité par moi-même. Quel meilleur moyen d'enraciner ma conviction ?

— Et pourquoi se donnerait-on tant de mal pour me faire croire à cette histoire? dis-je, sans cacher mon acrimonie. D'ailleurs, mes informations me viennent de sources différentes, et se recoupent les unes les autres. Non, ça n'a aucun sens !

— Aucun sens ! répéta-t-il à la manière d'un écho ironique. A part ce qu'on vous a raconté, vous avez une preuve ? Un petit quelque chose... pour saint Thomas ?

Je lui racontai brièvement l'incident du xylophone mais, à mesure que je parlais, je consolidais visiblement son incrédulité au lieu de l'ébranler.

— Un jouet détérioré, dit-il pour résumer mon récit. Vous vous demandez pourquoi... on cherche à vous couillonner. C'est une bonne question ! Comme votre honorable patron... est dans le coup, vous pouvez supposer le pire.

— Mais John Butler n'a rien à voir dans l'affaire Sieber !

M. Olivetti se leva de sa chaise roulante avec une extrême lenteur et, lorsqu'il fut debout, je me rendis compte qu'il me dépassait d'une demi-tête, alors même que ses épaules étaient voûtées. Il me rappela avec un soupir de découragement que j'avais pris l'initiative de l'appeler à Bruxelles, pour lui parler des intrigues ourdies contre moi à la Jamaïque. Il savait de source sûre que Butler avait prêté la main à cette saloperie. Qu'est-ce qu'il me fallait de plus pour me convaincre ?

— Je comprends, dis-je en renonçant à m'expliquer. Mais vous le disiez vous-même : pourquoi voudrait-on m'empêcher de parler, si ce que j'ai à dire ne tient pas debout ?

Pour le moment, il ne pouvait répondre à cette question, et restait par ailleurs persuadé que le cas Sieber constituait une affaire de première importance, probablement liée à l'expérimentation accidentelle d'une arme bactériologique. Mais une maladie qui mangeait les lits d'hôpitaux, non, vraiment !

— Si vous êtes en difficulté, ajouta-t-il après un temps de réflexion, dites à votre ministre... que la veuve de Juan Cavallo le fait bien saluer.

— Juan Cavallo, dis-je machinalement.

Mme Cabotto sursauta et leva vivement la tête, pour nous jeter un regard vindicatif. Manifestement, le nom de M. Cavallo ne lui était pas inconnu.

— Sa veuve, oui, reprit Olivetti. Vous ne me tenez pas rigueur... de mon incrédulité ?

— Non, puisque je n'ai pas les moyens de vous convaincre.

Il posa une main hésitante sur son front, accusant soudain son âge, et m'avoua d'une voix changée qu'il s'était laissé prendre lui aussi à un conte de fées. Il avait eu sous les yeux des documents officiels, des déclarations assermentées, des copies de lettres pathétiques de gratitude, il avait rencontré des témoins qui lui avaient décrit par le détail les étapes de leur guérison et, contre l'avis unanime des médecins, il avait envoyé son unique petit-fils se faire assassiner à petit feu, avec du jus de carotte, des exercices de yoga et un médicament miraculeux qui se vendait avec un profit de sept mille pour cent.

— Ne perdez pas votre temps... à courir les chimères, ajouta-t-il dans un essoufflement croissant. Il faut profiter de votre petite fille, chaque minute que le Bon Dieu... vous la garde en vie !

Il se rassit dans son siège, le regard lointain. Mme Cabotto profita du silence qui suivit pour me tendre le paquet de cartes qu'elle venait de ramasser, en me faisant signe de les brasser. Je m'exécutai machinalement, l'esprit encore occupé par les propos d'Olivetti. Elle me reprit les cartes des mains et les distribua à nouveau en fer à cheval sur la table. Je réalisai alors qu'elle ne tuait pas le temps à faire des patiences, comme je l'avais supposé, mais qu'elle pratiquait la cartomancie et s'apprêtait visiblement à me dire la bonne aventure. Elle compta et retourna une douzaine de cartes, en reniflant de plus belle, comme si l'avenir qu'elle y lisait la mettait au bord des larmes. Elle me fit part de ses prédictions en italien, avec une volubilité qui n'améliorait pas mes chances d'entendement.

— Vous allez faire un grand voyage, me traduisit le vieillard, qui nous observait des hauteurs de sa chaise. Vous verrez une lumière miraculeuse... dans le ciel, et vous trouverez enfin ce que vous cherchez ! Il y aussi deux femmes, et Carlotta pense que l'une d'elles... vous prendra à ses filets.

Je me redressai, en remerciant Mme Cabotto d'un hochement de tête. A ma surprise, elle me répondit par un large sourire humide et me rendit mes cigarettes.

— La vieille chèvre vous aime bien, dit Olivetti. Elle a toujours eu un faible... pour les jeunes gens. N'oubliez pas ce que je vous ai demandé !

Il se tourna vers elle pour échanger quelques phrases en italien, puis me demanda si je ne voyais pas d'inconvénient à ce qu'ils partent en premier, de façon à éviter qu'on ne nous vît ensemble. Il devait passer au comptoir d'Air Canada pour faire changer leurs réservations sur le trajet de New York à Bruxelles. Les cartes de Carlotta déconseillaient en effet de faire escale à Paris et, bien qu'il n'eût jamais prêté la moindre attention à ses radotages de pythie, il n'était pas prêt pour autant à l'entendre réciter son chapelet et à la voir se battre la coulpe pendant six heures de vol. Je hochai la tête avec sympathie, sans croire un mot de ce qu'il me racontait. Je le soupçonnais au contraire de ne jamais prendre aucune décision importante avant d'avoir entendu les oracles de sa gouvernante.

Celle-ci s'était détournée pour ramasser ses affaires, et j'en profitai pour refiler trois cigarettes au vieillard, qui les fit prestement disparaître dans sa manche. Il m'encouragea à lui faire signe, au cas où j'apprendrais quelque chose de nouveau au sujet de Max Sieber, ou si John Butler s'obstinait à me chercher querelle.

— Votre médecin a peut-être ses raisons pour vous interdire le tabac, dis-je à voix basse, saisi d'un scrupule tardif. Ne faites pas d'imprudence !

Il leva sa main amaigrie, les doigts écartés. Je n'aurais su dire s'il me donnait sa bénédiction ou, plus simplement, s'il me conseillait de ne pas me faire de bile au sujet de sa santé.

— Comme disait l'autre, « vivre, c'est bricoler dans l'incurable », dit-il avec une ombre de sourire. Avec ma feuille de route, je peux prétendre... au statut de bricoleur professionnel, vous ne croyez pas ?

Je les vis tous deux sortir à contre-jour dans le hall ensoleillé de l'aéroport, où circulait une foule animée. Le vieil homme se tenait cambré, sa tête droite agitée de ce spasme incessant qu'il ne pouvait contrôler. Derrière lui, poussant la chaise roulante, Carlotta

Cabotto tanguait sur ses gros souliers noirs, aux talons usés en biseau, l'anse de son panier d'osier passée autour du bras.

CHAPITRE 12

Le Dr Davis m'avait prévenu avec sa brusquerie habituelle qu'elle se prénommait Maureen et qu'il était hors de question d'entreprendre ensemble un tel voyage, si nous devions rester sur notre quant-à-soi. Je l'avais appelée trois jours après ma rencontre avec M. Olivetti, pour lui annoncer que le ministère de la Défense nous autorisait à visiter l'infirmerie et l'unité de décontamination de la base militaire de Wabashikokak. Les laissez-passer ne faisaient aucune mention de Max Sieber, mais un appel au cabinet de McClelland m'avait confirmé qu'il n'y avait pas de malentendu sur le véritable motif de notre voyage.

— Quand voulez-vous partir? lui avais-je demandé. On pourrait profiter de la fin de semaine pour...

Elle ne m'avait pas laissé le temps de finir:

— Non, tout de suite! dit-elle d'une voix nerveuse. Enfin, ce soir, le temps de se retourner! Pour vous, c'est possible?

— Je peux m'arranger. Laissez-moi consulter l'horaire des vols... Je suppose que l'aéroport le plus proche est celui de Thunder Bay.

— Non! dit-elle. Je veux dire, l'aéroport est sans importance.

Elle ne savait comment me l'annoncer, c'était absurde et un peu humiliant, mais elle éprouvait une terreur panique à la seule idée d'être obligée de voyager en avion. Elle s'y était résolue l'an dernier pour aller recevoir au Texas le prix Linus Pauling, qui lui avait été décerné pour ses travaux sur la maladie de Hodgkin. Elle s'était droguée avant de monter dans l'appareil, avec pour résultat qu'elle avait vécu en pleine conscience le cauchemar de l'envolée, avant d'assister dans un brouillard comateux aux cérémonies organisées en son honneur, à la session d'ouverture du congrès de l'*American Medical Association.* Elle s'était juré après cette expérience de ne plus jamais monter dans un avion.

Je lui fis remarquer que le trajet d'Ottawa à Wabashikokak par route était une bagatelle de mille cinq cents kilomètres, et qu'il fallait compter entre quatre et cinq jours pour l'accomplir dans les deux sens, sans compter le temps que nous devrions passer sur place.

— Je vois, dit-elle après un silence. (Elle n'avait manifestement pas pensé aux détails pratiques de son projet.) Non, je ne peux pas m'absenter de l'hôpital pour une semaine, comme ça, avec un préavis de trois heures !

— J'ai le même problème, dis-je. De plus, il est hors de question que je m'éloigne de Florence plus de deux ou trois jours. On ne sait jamais...

— De ce côté-là, vous pouvez partir tranquille, dit-elle, il n'arrivera rien. Pourquoi croyez-vous que j'aie accepté votre proposition de m'accompagner ?

— Je me le demandais justement. J'ai l'impression que vous ne m'avez pas tout dit sur la maladie de Max.

— Je n'ai rien à ajouter pour l'instant, dit-elle sèchement. Laissez-moi plutôt penser à ce problème d'horaire.

Elle m'avait rappelé à la fin de la matinée, après s'être renseignée. En nous relayant au volant et en roulant d'une traite, nous pouvions nous rendre à destination en moins de vingt-quatre heures. Elle était prête à tenter l'aventure — et moi?

— On prend quelle voiture? dis-je.

— Pour ça, nous n'avons pas le choix. Un imbécile de camion a embouti la mienne en marche arrière.

La précipitation de notre départ, les préparatifs de dernière minute et la perspective de la distance considérable que nous nous apprêtions à couvrir, dans des conditions de rallye automobile, me plongèrent dans un état singulier. Une énergie sourde me travaillait, qui tournait à vide, comme si je participais malgré moi à une entreprise déraisonnable et futile, mais qui n'était pas pour autant dépourvue d'un certain attrait.

* * *

Maureen m'attendait à la nuit tombante entre les portes coulissantes de l'entrée de l'hôpital, le regard dans le vague. Elle sursauta au coup de klaxon et me rejoignit à grandes enjambées, en se parlant à elle-même. Elle ouvrit la portière pour balancer sa valise sur la banquette, puis vint prendre place à mon côté, la mine sombre.

— Fichons le camp d'ici au plus vite! dit-elle, la voix frémissante de colère.

— Quelque chose qui ne va pas? demandai-je en démarrant.

— Soyez gentil, dit-elle sourdement. Ne me parlez pas pendant un moment. Il faut que je récupère!

Elle était visiblement hors d'elle et se cala contre le dossier de son siège, les yeux clos et la respiration haletante. Je hochai la tête sans mot dire, en pensant que la route s'annonçait encore plus longue qu'elle ne le paraissait déjà sur la carte.

Le tailleur en tweed que Maureen avait choisi de

porter pour le voyage devait dater de dix ans, et sentait la naphtaline. Pourtant, avec son air tombant et ses rapiéçages de cuir aux coudes, c'était le premier vêtement que je lui voyais sur le dos qui ne la déguisait pas. Ce n'était pas qu'elle fût dépourvue de charme, au contraire — physiquement, elle ne manquait pas d'atouts — mais elle témoignait en temps normal d'un remarquable talent pour dénicher dans les boutiques de Montréal ou de Toronto les modèles de vêtements qui lui convenaient le moins, et dont la garantie d'exclusivité semblait la viser personnellement, à la manière d'une méchante plaisanterie.

J'avais pris le Queensway en direction de l'ouest, pour rejoindre la route de Renfrew. Durant la première demi-heure de trajet, Maureen ne desserra pas les dents, et je me fis un point d'honneur de respecter sa méditation, quand bien même ce silence qui s'éternisait me semblait à la longue un peu ridicule. Sans quitter la route des yeux, je pouvais la sentir à côté de moi qui se détendait peu à peu, et se laissait lentement couler dans le baquet de son siège.

— Ils ont mis Gustav à la porte! dit-elle soudain, d'une voix distante qui paraissait appartenir à quelqu'un d'autre.

Elle me raconta sur le même ton contrôlé qu'elle avait appris la nouvelle peu après m'avoir parlé au téléphone. Durant tout l'après-midi, elle avait tenté en vain de voir Goldman, le directeur du Memorial, pour entendre sa version des faits. Finalement, quelques minutes avant l'heure de notre rendez-vous, elle avait littéralement forcé la porte de son bureau, et il s'en était suivi une altercation tonitruante. Alors qu'elle évoquait la scène, son débit recommença à se précipiter, et je l'interrompis pour lui demander comment Vecchio prenait la chose.

— Oh lui, vous le connaissez! dit-elle en levant la main d'un geste résigné. Il vit dans un monde à part.

Parfois, je l'envie, il semble être à l'abri de la bassesse et des coups fourrés.

De toute façon, l'hôpital Sainte-Justine, à Montréal, et le *Salomon Beck Center*, à Boston, lui faisaient les yeux doux depuis des années, et il n'aurait que l'embarras du choix pour la poursuite de sa carrière. En revanche, son départ était une perte irréparable pour le Memorial, et elle n'osait penser à la réaction de certains de ses patients, lorsqu'ils apprendraient la nouvelle.

— Mais pourquoi a-t-il été congédié ?

— C'est une longue histoire, dit-elle. Vous vous souvenez de cet incident à propos de Joseph Trottier?

— J'allais justement vous parler de lui ! dis-je. D'ailleurs, j'ai failli vous appeler à ce sujet à quelques reprises, après ce que vous m'aviez raconté à Terrebonne. Et puis d'une chose à l'autre... Vous avez eu de ses nouvelles ?

— Oui, dit-elle. Gustav s'est mis dans la tête de tirer l'affaire au clair. Quel gâchis !

Le jour même de notre rencontre au pavillon Penfield, Joseph Trottier avait été convoqué par le directeur du personnel du Memorial, et informé de son congédiement. On lui avait payé ses trois semaines d'avis, en lui demandant de ne plus remettre les pieds à l'hôpital. Il s'était réveillé le lendemain au poste de police, après avoir été ramassé ivre-mort aux petites heures du jour, dans l'arrière-cour d'une taverne de la basse-ville. Le malheureux élevait une famille de six enfants, et la perte de son emploi était une épreuve d'autant plus critique que les circonstances qui avaient entouré son renvoi lui fermaient la porte de toutes les agences de sécurité, où il aurait pu trouver un travail en accord avec son expérience.

Pour des raisons qui échappaient à Maureen, selon son propre aveu, mais que je croyais être en mesure de comprendre, le Dr Vecchio avait décidé de venir à la rescousse de Joseph Trottier, en menaçant de quitter le Memorial si l'injustice commise n'était pas immédiatement réparée. Le psychiatre avait reçu son avis de licenciement avant même d'avoir eu le temps d'écrire la première ligne de sa lettre de démission.

— Et vous? dis-je à Maureen. Vous n'avez pas peur d'être la troisième sur la liste?

— Moi? Pourquoi voudrait-on me renvoyer? dit-elle. Ce n'est pas la première prise de bec que j'ai avec Goldman, et certainement pas la dernière. C'est un homme détestable, mais il connaît son affaire! De toute façon, il n'est pas responsable des décisions qui ont été prises dans le dossier Sieber. Il n'avait tout simplement pas le choix.

— « Les ordres venaient de plus haut », dis-je. Vous n'avez pas déjà entendu ça quelque part?

Elle répondit avec hostilité que je dramatisais à plaisir. Le Memorial n'était pas Auschwitz, et elle avait elle-même insisté dès le début pour que les mesures de sécurité les plus strictes fussent prises, pour protéger le secret de l'effet Sieber. Gustav était un romantique, et elle n'aurait pas voulu le voir changer pour tout l'or du monde, mais personnellement elle jugeait que l'intérêt des patients du cinquième nord passait avant celui de mon ami Trottier. Elle me révéla alors que ce dernier avait été mis à la porte parce qu'il était « incapable de tenir sa langue ». L'expression me fit sourire, car elle ne manquait pas d'à-propos pour décrire le bafouillage du brave homme, qui lui tenait lieu de loquacité.

Maureen se tut, réfléchissant probablement à la question que je lui avais posée, car elle murmura au bout d'un moment, les dents serrées, qu'il faudrait se lever de bonne heure pour se débarrasser d'elle. Si notre voyage à Wabashikokak donnait les résultats escomptés, bien des têtes tomberaient autour d'elle avant qu'on ose toucher à un cheveu de la sienne.

— Je prends le volant quand vous voulez, dit-elle en changeant de ton. Je ne me sens pas fatiguée. On ne voit rien, mais de jour, le paysage est très beau. Je suis allée une fois jusqu'à Sault Ste-Marie, ça doit faire quinze ou vingt ans.

Elle réfléchit, puis ajouta avec une nostalgie qui me fit dresser l'oreille :

— Dix-huit ans exactement. Parfois, on se demande... *Hell ! Watch out !*

Un chevreuil était apparu dans le faisceau des phares, au bord du chemin. Il hésita, puis se lança en avant, dans un bond qui avait la grâce irréelle d'un ralenti de cinéma. Je tentai de l'éviter en déportant la voiture sur la droite, mais il fut heurté de plein fouet et projeté dans les ténèbres. Je m'arrêtai sur le bas-côté de la route. Le bruit de craquement qui avait accompagné le choc et le cri de Maureen résonnaient encore dans la voiture.

— Je n'ai pas eu le temps de freiner, dis-je.

— J'ai vu, dit-elle.

Je sortis pour aller inspecter les dégâts. Le devant du capot était bosselé et la grille décorative avait été défoncée, mais les phares étaient intacts et le radiateur ne semblait pas avoir été touché.

— Je crois que ça ira, dis-je en revenant. Nous avons eu de la chance.

Personne ne répondit, le siège de Maureen était vide. Elle surgit de la nuit, dans la lumière rouge des feux arrière, en disant qu'elle était allée s'assurer que l'animal avait été tué sur le coup. Je me sentis vaguement coupable d'avoir fait passer la santé de ma voiture avant l'état de la pauvre bête.

— Après un pareil choc ? Le contraire m'aurait étonné, dis-je avec conviction.

— C'est là votre erreur, dit-elle.

Elle se pencha pour prendre sa sacoche en cuir, que je lui avais toujours vue en bandoulière sur l'épaule. Elle y trouva une lampe de poche, qu'elle me tendit d'un geste brusque, puis tira la fermeture-éclair d'un compartiment intérieur et en sortit un revolver de petit calibre, non sans gaucherie.

— Venez ! m'ordonna-t-elle. Éclairez-moi !

Le chevreuil était étendu dans le fossé en bordure de la route et respirait encore, les yeux ouverts, ses pattes avant agitées de spasmes intermittents. Son arrière-train était immobile, dans un angle qui me fit penser qu'il avait eu l'échine brisée sous l'impact.

— Plus vite ce sera fait..., dit Maureen en s'approchant de l'animal.

Elle examina l'arme luisante sous toutes ses coutures, à la recherche du cran de sûreté. Je ne pus m'empêcher de lui recommander la prudence, après que le canon en eut été successivement pointé sur moi et sur son propre visage.

— Je sais ce que je fais, dit-elle nerveusement.

Elle dirigea finalement l'arme vers le bas et tira une balle dans l'oreille de l'animal, dont le corps lisse fut agité d'un ultime soubresaut. Nous revînmes à la voiture en toute hâte, comme si nous n'avions pas la conscience tranquille. Je repris le volant et, après quelques minutes de route, demandai à Maureen si je pouvais lui poser une question plus ou moins indiscrète.

— Laissez-moi deviner, dit-elle. Vous vous demandez pourquoi je me promène avec une arme dans mon sac.

— Non, je pensais à autre chose, dis-je. Mais j'aimerais quand même le savoir.

Elle me dit que je n'avais probablement jamais entendu parler du professeur Thomas Anderson, mais que ça ne l'avait pas empêché d'être un savant de réputation mondiale, et l'un des experts les plus respectés en immunologie. Elle l'avait rencontré l'été dernier, à Houston, précisément à l'occasion de ce fameux congrès où elle s'était rendue par avion.

C'était un vieux monsieur doux et charmant, qui l'avait raccompagnée un soir à la porte de son hôtel, en lui disant avec galanterie qu'il voulait la protéger contre les mauvaises rencontres. Cinq minutes après l'avoir quittée, il avait été agressé en bordure d'un terrain de stationnement, par une bande de voyous qui l'avaient battu à mort, à coups de bâton de baseball. Au lendemain de cette tragédie, elle s'était acheté ce revolver chez le premier armurier venu, mais elle n'avait heureusement jamais eu l'occasion de s'en servir avant aujourd'hui.

J'eus envie de lui dire que la façon dont elle l'avait manié n'était probablement pas de nature à exercer un grand effet de dissuasion sur des malandrins qui en voudraient à sa bourse ou à sa vertu, mais je décidai de garder cette réflexion pour une circonstance plus propice.

— J'attends toujours cette question « plus ou moins indiscrète », dit-elle.

— Ah bon, d'accord ! dis-je. Pourquoi avez-vous achevé cette bête ?

— Je ne comprends pas, dit-elle. Elle était perdue, on ne pouvait tout de même pas la laisser souffrir !

— C'est ce que je pensais, dis-je. Vous me voyez venir ?

Elle soupira, oui elle me voyait venir et non, elle ne poursuivrait pas plus avant cette discussion.

— Vous n'avez pas les bonnes réponses ? dis-je.

Elle fit observer que nous avions trop d'heures à passer ensemble pour commencer si tôt à nous disputer. Elle était le médecin de Florence et croyait que la chose qui s'appelait l'éthique médicale avait sa raison d'être, quoi qu'on en dise. Certaines questions ne pouvaient être discutées entre nous, parce que nous n'étions pas sur un pied d'égalité.

— Je suis un paysan du Danube, dis-je, et vous êtes une spécialiste bardée de diplômes.

— Je ne parle pas de ça, dit-elle avec une patience que je ne lui connaissais pas. Florence est votre fille, et c'est ma malade. Vous seriez vous-même le meilleur cancérologue en ville que cette distinction ne changerait pas, Dieu merci.

— Pourquoi « Dieu merci » ?

— Vous avez un enfant malade qui est unique pour vous. Et moi, j'ai une trentaine de malades qui sont les enfants des autres.

Nous n'échangeâmes plus un mot pendant un long moment. Mes pensées tournaient autour de Florence et, au volant de cette voiture lancée dans la nuit, j'éprouvais la sensation physique de m'éloigner d'elle et de substituer à sa réalité une réalité différente : l'image d'elle en moi. Il était passé neuf heures à l'horloge du tableau de bord, elle s'apprêtait là-bas à aller au lit et à extorquer un quart d'heure de grâce à Olivier, avec probablement en prime l'histoire du petit cheval bossu. Je luttai pour garder cette image à l'esprit, mais le démon qui m'habitait eut raison de ma résistance, et Florence fut bientôt de retour à l'hôpital. Elle souffrait comme je l'avais vue souffrir une nuit, en demandant *pourquoi* — et je faisais la navette entre son lit et le poste de garde au bout du corridor, où j'allais plaider sa cause à l'infirmière de service, avant de revenir à son chevet pour lui répondre qu'elle avait déjà eu ses calmants et qu'il fallait attendre encore une heure. Elle me donnait sa main moite et son regard exténué, en disant avec un filet de voix qu'elle serait même d'accord pour une piqûre tout de suite, et moi j'avais envie de me lancer de toutes mes forces contre le mur, pour équilibrer par le dehors la souffrance du dedans.

En même temps que cette scène me hantait, je gardais une conscience aiguë de la présence silencieuse de Maureen, assise à mon côté, et je me demandais si elle serait capable, le moment venu, d'avoir pour ma fille autant de compassion qu'elle en témoignait aux quadrupèdes — et à quel sommet de vaines souffrances il fallait atteindre, avant qu'elle se décide à forcer la dose.

Je tournai la tête pour lui lancer un coup d'œil. Elle me dévisageait avec une expression mêlée de lassitude et de complicité.

— Vous feriez mieux de vous reposer, dis-je. La nuit sera longue.

— Je n'ai pas sommeil. Dites-moi, Daniel, comment avez-vous fait pour obtenir la permission d'aller visiter Max ? D'habitude, je ne sais pas dire merci — Gustav pense que c'est une forme de « contre-dépendance » ! Tout de même, je veux que vous sachiez à quel point j'ai apprécié votre intervention.

— C'est une histoire en plusieurs épisodes, dis-je. Avant de vous répondre, il faut d'abord que je vous parle d'un certain Guido Olivetti, et de son petit-fils Michel.

— Allez-y, on a tout le temps ! Vous l'avez dit, la nuit sera longue.

Je lui racontai ma rencontre avec le vieillard à l'aéroport, sans toutefois réussir à exprimer à ma satisfaction l'ambiguïté du personnage et l'impression de puissance occulte qui se dégageait de lui. Dès le lendemain, j'avais essayé de rencontrer John Butler, mais Agathe avait reçu des instructions et veillait au grain. Le barrage s'étendait aux appels téléphoniques, et même les rencontres fortuites étaient sous contrôle. On surveillait mes allées et venues, et le garde de sécurité en poste à l'entrée appelait le cabinet du ministre dès que je mettais le pied dans l'édifice. Je m'en étais aperçu par hasard, une fois que les lignes étaient occupées et qu'il n'avait pu établir immédiatement la communication. Entre-temps, j'étais arrivé au vingtième et, voyant que la brave Agathe était dans tous ses états à essayer de couper des crayons en deux à l'aide d'une grosse paire de ciseaux (sans doute pour complaire à quelle nouvelle lubie de son maître), je pris l'appel pour la tirer d'embarras, et entendis la voix du garde annoncer dans un chuchotement de circonstance que M. Lecoultre venait de prendre l'ascenseur.

Ce même jour, John Butler devait déjeuner avec le Premier ministre et je quittai ostensiblement le bureau un moment avant l'heure de son départ, pour revenir sur mes pas et lui tomber dessus comme à l'improviste, alors qu'il se dirigeait vers sa limousine. Il se composa un visage avenant et prévint l'offensive en me disant qu'il n'avait pas oublié sa promesse dans cette affaire de Wabashikokak et que nous devions absolument en discuter dans les plus brefs délais. Malheureusement, il devait rencontrer Georges ce midi et me ferait signe dès son retour. (Il baissa imperceptiblement la voix en me désignant le Premier ministre par son prénom, à la manière d'un clin d'œil entre initiés — et son *malheureusement* était une trouvaille.)

Si nous avions eu plus de temps devant nous, j'aurais probablement transmis le message suggéré par M. Olivetti de façon plus subtile, mais nous étions sur le trottoir devant le ministère et je savais que ma chance ne se représenterait pas de sitôt.

— A propos, dis-je, la veuve de Juan Cavallo m'a prié de vous transmettre ses bons messages.

— Que... Qu'est-ce qui... Je ne comprends pas! bredouilla-t-il en s'appuyant de la main contre la portière de la voiture.

Il était livide et jeta un regard traqué autour de nous, comme s'il craignait qu'un passant ait pu entendre mes paroles. Je ne l'avais jamais vu perdre contenance de la sorte, et j'étais moi-même secrètement bouleversé de lui avoir assené ce coup dont je n'avais pas mesuré la force — et que j'aurais probablement hésité à lui porter en public, si j'avais pu en prévoir l'effet.

Au cours des dernières semaines, mon opinion de l'honorable Butler avait atteint sa cote la plus basse, mais je n'avais pas pour autant accordé aux accusations de M. Olivetti plus de crédit qu'elles ne me semblaient en mériter. Je ne doutais pas que mon patron eût fourni à ses anciens collaborateurs à la Défense toute la corde qui lui avait été demandée pour me pendre, mais c'était là le genre de petits services qu'on se rendait volontiers entre politiciens de bonne compagnie. Toutefois, la façon dont Butler avait réagi en entendant le nom de M. Cavallo ébranla la confiance que j'avais placée dans la médiocrité pontifiante du ministre. Je commençai à me demander s'il ne jouait pas les imbéciles honnêtes, pour mieux dissimuler sa qualité d'intelligente crapule. Le fait que M. Cavallo eût une veuve laissait d'ailleurs entendre que les dernières entreprises auxquelles il avait été mêlé ne s'étaient pas terminées à son avantage, et le soupçon selon lequel Butler avait été impliqué de près ou de loin dans ce dénouement ne me disait rien qui vaille.

A la fin du même après-midi, Agathe devait me dire de la part du ministre que l'affaire de la Jamaïque s'était révélée une fausse alerte, comme il l'avait toujours prétendu, et que mon voyage dans le nord-ouest de l'Ontario venait d'être autorisé par le ministère de la Défense.

— Je transmets fidèlement, avait dit Agathe qui était curieuse comme une belette, mais je ne comprends pas.

Je lui avais répondu que nous pourrions échanger des informations, si elle était prête à m'expliquer le mystère des crayons coupés en deux. Elle se prit les cheveux à pleines mains et sortit de mon bureau avec un gémissement hystérique.

— Inutile de vous dire que je ne ferai pas de vieux os dans le cabinet de John Butler, dis-je à Maureen, qui avait écouté mon récit sans m'interrompre. C'est la première fois de ma vie que j'obtiens quelque chose sous la menace, et je me sens... C'est dégradant, vous comprenez?

Elle ne répondit pas et, tournant la tête, je vis qu'elle s'était endormie à force de ne pas avoir sommeil.

* * *

Maureen ouvrit un œil à la station-service pour me dire d'un ton déterminé que c'était son tour de prendre le volant, puis retomba endormie dans cette certitude. Elle s'éveilla à la naissance du jour et regarda le paysage environnant avec incrédulité.

— Où sommes-nous ? dit-elle, la voix enrouée. C'est effrayant, on se croirait dans un autre monde.

— On arrive à Sudbury, dis-je. C'est comme ça depuis une demi-heure, c'est sinistre.

Dans l'aube blême, les carrières qui s'étendaient à perte de vue ressemblaient à un paysage lunaire. Il me sembla que, si je baissais la vitre, l'air de la voiture s'échapperait avec un sifflement et nous serions pétrifiés en quelques secondes par le froid intersidéral.

— On peut faire une halte ? dit Maureen en frissonnant, alors que nous traversions une petite bourgade endormie, dont le nom n'était indiqué nulle part.

Quelques instants plus tard, nous étions attablés dans un snack-bar dont l'enseigne au-dehors disait : *Open 24 hours a day*, mais qui donnait l'impression d'avoir été ouvert cinq minutes avant notre arrivée. Nous étions les seuls clients et une jeune serveuse à la mine chiffonnée et à la démarche incertaine prit notre commande, avec une application qui ne présageait rien de bon.

En revenant des toilettes, je trouvai Maureen devant une carte routière dépliée sur la table. Elle leva la tête et me regarda par-dessus ses lunettes d'un air accusateur.

— C'est de la folie, dit-elle. On va être morts en arrivant.

— Tout de même, ça roule bien, dis-je. A part les camions, il n'y avait pratiquement personne sur la route.

— Ne me parlez pas de camions ! dit-elle froidement. Je conduis jusqu'à Sault Ste-Marie, après on verra. J'ai froid, j'espère que l'autre s'en vient avec nos cafés.

Une femme renfrognée avait surgi de nulle part derrière le comptoir pour prendre la situation en main, et une odeur de bacon grillé témoigna bientôt de l'efficacité de son intervention.

Plus tard, Maureen dit en repoussant son assiette que ça

faisait du bien. Elle avait mangé de bon appétit, quoique de façon machinale, et je l'aurais probablement décontenancée en lui demandant son avis sur ce qu'elle venait d'avaler. Elle avait terrorisé la somnambule qui nous servait en lui posant à la suite une demi-douzaine de questions incisives sur son nom, son âge (elle avait quatorze ans), sa scolarité, le genre de vie qu'elle menait — et cette dame là-bas, c'est votre mère? Je la regardais enquêter sans me mêler à la conversation, un peu absent de la réalité, les oreilles encore bourdonnantes du trajet que nous venions de couvrir, et je me disais que les traits de caractère que Maureen et Sandy avaient en commun étaient paradoxalement ce qui les différenciait le plus l'une de l'autre à mes yeux.

— Excusez-moi, dis-je.

— Je vous demandais des nouvelles d'Olivier.

— En ce moment, ça va plutôt mal, dis-je. Il a son premier chagrin d'amour, mais je crois que ça va s'arranger. Qu'est-ce qui vous fait penser à lui?

— La petite qui est enceinte, dit-elle en désignant du regard l'adolescente qui s'était réfugiée derrière le comptoir, et préparait notre addition en comptant sur ses doigts.

— Comment le savez-vous?

— Ça se voit, dit-elle.

Elle avait alors pensé à la jeune fille de la Jamaïque, dont mon fils lui avait parlé avec un bel enthousiasme.

— Olivier? Vous l'avez vu? dis-je, surpris.

J'appris avec consternation qu'il était allé la trouver à l'improviste à l'hôpital, et l'avait questionnée sur les possibilités d'emploi au Memorial, pour une jeune fille qu'il avait connue à la Jamaïque. D'autre part, comme celle-ci ne pouvait obtenir de visa d'immigration qu'à condition de présenter une lettre d'engagement de son futur employeur, il avait demandé à Maureen de lui procurer ce document pour la forme. Bien qu'elle eût refusé de marcher dans sa combine, elle ne semblait pas s'être offusquée de son effronterie, et me révéla à cette occasion qu'elle avait elle-même un fils de dix-sept ans, qui lui donnait bien du fil à retordre.

— C'est un âge difficile, dis-je, pris de court.

Elle eut un souffle du nez, qui pouvait passer pour un rire. Eric avait l'intelligence d'un enfant de huit ans, et elle l'avait fait admettre récemment dans une institution pour déficients mentaux, où il finirait probablement ses jours.

— J'aurais aimé le savoir la nuit dernière, dis-je après un silence. Ça m'aurait évité de mettre les pieds dans le plat.

Elle répondit brièvement, sur un ton dénué de reproche, qu'elle avait l'habitude. Puis, manifestement désireuse de parler d'autre chose, elle me demanda ce qui avait causé ce premier chagrin d'amour à Olivier.

— Il a reçu un mot de Juliette, qui le suppliait de ne plus écrire, dis-je. La lettre avait été postée à Miami, sans doute par un intermédiaire. Comme vous pensez bien, c'est en rapport avec l'affaire dont m'a parlé M. Olivetti.

— Quelle affaire? dit-elle.

Elle s'était endormie dans la voiture plus tôt que je l'avais pensé, ce qui m'obligea à reprendre mon histoire dès le début. Elle l'écouta avec une agitation croissante, et à peine avais-je fini qu'elle se levait brusquement, en disant que nous n'avions pas de temps à perdre. Mais sur le seuil de la porte, l'air coupant du petit matin la saisit et elle s'immobilisa pour regarder la route déserte et les maisons aux façades grises et aux fenêtres aveugles.

— Je ne voyage pas assez, dit-elle avec un autre frisson, en s'accotant contre moi, de façon que je passe mon bras autour de ses épaules pour l'accompagner jusqu'à la voiture. Elle prit place au volant et, avant de monter à mon tour, je m'agenouillai pour regarder sous l'essieu arrière.

— Toute la nuit j'ai entendu un petit bruit, comme un grattement, expliquai-je en me redressant. Je me disais que c'était peut-être un branchage qui s'était pris dans les amortisseurs.

— Mon Dieu, heureusement que vous m'y faites penser! dit-elle en se retournant pour prendre sa valise de toile sur le siège arrière, et l'ouvrir avec précaution. Elle en sortit une petite cage chromée, où trois souris blanches s'activaient sur une litière de copeaux de bois, et vida le contenu d'une fiole dans l'abreuvoir de verre fixé aux barreaux, en disant que, s'il leur était arrivé quelque chose, nous aurions été forcés de faire demi-tour.

— Je ne comprends pas, dis-je. Vous les avez apportées à cause de Max, c'est bien ça? Et pourtant vous m'avez dit que son mal ne s'attaquait pas aux organismes vivants. Alors quoi? Vous avez changé d'avis?

— La réponse pourrait être oui et non, dit-elle. Mais nous étions d'accord pour ne pas en parler, et je n'ai pas changé d'idée.

Elle me passa la cage en me demandant de la mettre à l'arrière, en la calant contre le siège. Ainsi les bestioles ne seraient pas trop bousculées durant le voyage.

— Je m'en occupe, dis-je. Mais ça n'aurait pas été plus simple de s'en procurer sur place, ou encore en passant à Thunder Bay?

Elle répondit laconiquement que ces souris-là n'étaient pas comme les autres, mais j'eus beau les examiner avec attention, je ne vis aucune différence dans leur apparence ou leur comportement avec cette autre souris qui m'avait été donnée en cadeau au salon de thé de *La Pompadour*.

— Max est-il au courant de ce qui est arrivé à sa mère? dis-je.

— Je n'en ai pas la moindre idée, dit-elle. C'est drôle, je me suis posé la même question tout à l'heure. Je me disais : « Qu'est-ce que je vais lui répondre, si jamais il me parle d'elle? » Finalement, je crois que je lui dirai simplement la vérité. A son âge, c'est moins dur d'apprendre que sa mère est morte que de croire qu'elle vous a abandonné.

— Je comprends que ça ne fait pas de différence, dis-je, mais est-ce qu'il sait que ce n'est pas sa vraie mère?

Elle conduisait la voiture d'une main ferme, et avait

pris d'emblée une vitesse de croisière plus rapide que la mienne. Elle me regardait sans cesse en parlant, ce qui était délicat de sa part, encore que j'eusse préféré qu'elle réservât à la route l'exclusivité de ses attentions.

— Comment ça, pas sa vraie mère ? dit-elle abruptement. Qui vous a raconté cette idiotie ?

Je lui rapportai les confidences que Lotte m'avait faites, à la veille de sa mort. Elle me les fit répéter, et les écouta en secouant la tête. Je la sentais réticente à m'expliquer les raisons de son incrédulité, puis elle finit par hausser les épaules, comme si le secret professionnel n'avait plus grande signification dans les circonstances. Elle m'apprit alors que Lotte était tombée enceinte à l'âge de dix-sept ans, quelques mois avant d'émigrer au Canada. Elle était restée quelque temps au pair dans une famille anglaise de Westmount, et avait accouché à l'hôpital Saint-Luc, à Montréal. Le dossier clinique avait été conservé, et le médecin traitant se souvenait bien de la jeune femme, non parce que son cas avait été particulier, mais simplement parce qu'il était lui-même de langue maternelle allemande.

Max avait été adopté à l'âge de trois ans par Richard Sieber, lorsque celui-ci avait épousé Lotte. Peut-être était-ce cela qu'elle avait voulu m'expliquer, et que j'avais compris de travers.

— Je ne sais plus que penser, dis-je. Toute cette histoire n'a aucun sens ! Si Richard n'est pas le père de Max, comment expliquez-vous leur ressemblance ?

— Quelle ressemblance ? dit Maureen, en se désintéressant une nouvelle fois de la route pour me dévisager avec surprise.

— Vous ne l'avez pas remarqué ? dis-je, surpris à mon tour. Ils ont les mêmes yeux, c'est pourtant frappant !

— De quoi parlez-vous ? dit-elle avec impatience. Max a les yeux bleu clair et Richard Sieber, brun foncé. Si c'est ça que vous appelez de la ressemblance !

— J'ai dû me tromper, dis-je.

Je n'en pensais pas un mot, mais cette discussion ne

menait nulle part et je voulais avoir du temps pour réfléchir. Contrairement à ce que j'avais cru jusqu'à présent, ce n'était pas Richard Sieber qui se trouvait à Terrebonne, dans la maison de Lotte, au moment de ma visite. Je ne savais rien de l'inconnu que j'avais surpris sur le pas de la porte, et dont le comportement s'était révélé par la suite si déroutant — rien d'autre, sinon que Max était son fils.

* * *

Nous arrivâmes à Wabashikokak au milieu de l'après-midi, le lendemain de notre départ, après avoir roulé pendant vingt et une heures d'affilée, en nous arrêtant uniquement pour faire le plein, nous dégourdir les jambes et prendre une bouchée dans le premier restaurant venu. En entreprenant un tel voyage, nous avions une assez bonne idée de l'épreuve d'endurance qui nous attendait et, de fait, nous atteignîmes après les douze premières heures de route à une sorte d'état second, qui agissait sur notre fatigue nerveuse à la manière d'un anesthésique. En revanche, nous étions moins préparés aux effets psychologiques de notre entreprise, et notamment à l'intimité qu'elle devait établir entre nous. Nos personnalités n'étaient pas faites pour s'entendre spontanément, car le besoin compulsif de Maureen de contrôler la situation me portait sur les nerfs et, de son côté, elle s'irritait de ma difficulté à dire clairement ce que je pensais, sans tourner auparavant sept fois ma langue dans ma bouche. La promiscuité que nous nous étions imposée en décidant de faire ensemble cette randonnée aurait facilement pu tourner au vinaigre. Or le contraire se produisit. En gagnant en profondeur et en vérité, notre relation se décanta et devint plus simple. Nous ne nous sentîmes bientôt plus obligés de jeter des mots dans les silences qui se tissaient entre nous, au long des heures.

* * *

La fin du voyage fut lugubre. Le temps, qui jusqu'alors avait été clément, vira soudain à l'orage et le ciel devint si sombre que je jugeai plus prudent d'allumer les phares, bien qu'il ne fût que quatre heures de l'après-midi. Le paysage lui-même s'était modifié et, durant les cinquante derniers kilomètres, nous traversâmes une région de forêts incendiées qui s'étendaient à perte de vue, par monts et par vaux, de chaque côté de la route. C'était un gigantesque cimetière d'arbres, dont les squelettes calcinés se dressaient sous la pluie, comme des fossiles d'une autre ère, à peine visibles sur l'horizon noir.

La route finissait à Wabashikokak. Plus à l'ouest, des pistes pour véhicules tous terrains suivaient la rive d'un lac vert-de-gris, pour conduire à des camps de bûcherons et à des réserves de chasse et de pêche. La bourgade semblait avoir été désertée, d'immenses flaques d'eau s'étendaient entre les maisons bâties n'importe comment, autour d'une église en planches qui avait besoin d'être repeinte. Les installations de la base militaire se dressaient au loin, sur la crête d'une longue colline, et les soucoupes géantes des installations de radar balayaient sans interruption le ciel en direction du nord. Les enseignes brisées, les bardeaux d'asphalte des toitures et les branches d'arbre fraîchement arrachées, qui encombraient pêle-mêle les jardins et les bords de la route, étaient autant de vestiges de l'ouragan qui s'était abattu sur la petite ville, peu de temps avant notre arrivée.

Maureen était penchée sur son siège, le cou tendu, et regardait le paysage dévasté en se tenant à deux mains au tableau de bord.

— *My God!* murmura-t-elle. Mais c'est la fin du monde!

CHAPITRE 13

L'entrée de la base militaire se trouvait sur l'autre versant de la colline. Après avoir roulé pendant une dizaine de minutes, nous débouchâmes au détour de la route dans un univers extraordinairement différent de celui où nous avions vécu depuis notre départ d'Ottawa. Une activité intense et ordonnée régnait sur le vaste terrain, en partie asphalté, qui s'étendait entre les hangars, la caserne principale et les bâtiments bétonnés, disposés en fer à cheval. Les installations de radar, que nous avions aperçues de Wabashikokak, étaient érigées sur la crête de la colline et, peut-être en raison d'une fausse perspective, me semblèrent d'une taille géante, par rapport aux photographies que j'avais vues au centre de recherches en télécommunications, à Kanata. Je savais par mes contacts à la Défense que la base abritait des rampes de lancement pour des fusées d'interception Rémora, ainsi que des silos souterrains où des missiles à ogive nucléaire dormaient d'un sommeil inquiétant, mais je fus incapable de localiser l'emplacement des unes ou des autres.

La barrière du poste de contrôle était baissée et un militaire nous fit signe de garer la voiture dans un emplacement réservé à cette fin. Je sortis nos laissez-passer de mon portefeuille et précédai Maureen dans une salle entièrement vitrée, en me disant que nous allions probablement y passer une demi-heure à dissiper quelque confusion bureaucratique, mais l'officier de garde nous salua par nos noms avant même que nous eussions ouvert la bouche. Il n'accorda qu'un bref regard aux sauf-conduits, que je lui tendais pourtant avec toute l'assurance qui seyait à un conseiller ministériel.

— Veuillez signer le registre, dit-il en me tendant une tablette de bois, où était fixée une formule pour les entrées et les sorties de la journée.

Une dizaine de noms précédaient les nôtres, et l'un deux ne pouvait faire autrement qu'attirer mon attention, car il occupait toute la longueur de sa case : Kenneth Hnatzynshyn. Je ne fus qu'à demi surpris de le savoir à Wabashikokak, car j'avais entendu dire qu'un exemplaire de son rapport sur les perturbations du système informatique au Memorial avait été demandé par le ministère de la Défense. Je me doutais que, contrairement aux gens des Télécommunications, la section spéciale en charge du cas Sieber n'avait certainement pas trouvé matière à rire dans les hypothèses avancées par Hnatzynshyn.

Avant de nous laisser partir, l'officier ouvrit un tiroir et nous remit à chacun une carte d'identification, scellée dans une pochette de plastique rigide, à laquelle était fixée une longue chaînette. Ma photographie était identique à celle qui figurait sur ma carte d'identité du ministère, et j'en déduisis qu'elle avait été transmise à la Défense par nos services de sécurité. Pour sa part, Maureen regardait son portrait en fronçant les sourcils, à court d'explication.

— Où diable ont-ils été dénicher cette horreur? murmura-t-elle pour elle-même.

L'officier se pencha par-dessus le comptoir pour jeter un coup d'œil sur sa valise de toile, qu'elle avait prise avec elle, et je le vis hésiter à poser une question. Il se contenta de feuilleter à nouveau le dossier ouvert devant lui et qui, à n'en pas douter, nous concernait l'un et l'autre. J'aurais donné cher pour le consulter à mon tour et découvrir le prétexte que John Butler avait trouvé pour justifier notre visite, dans sa demande à son collègue McClelland.

Un véhicule de l'armée nous attendait à la sortie du poste de garde et nous fit traverser la base sur toute sa longueur, pour nous conduire vers un bâtiment à l'écart des autres. Un écriteau à l'intersection des routes expliquait la logique de cet isolement : *Decontamination Center.*

Nous avions croisé en chemin un groupe d'hommes en uniformes de combat, qui couraient au pas de gymnastique, le fusil-mitrailleur à la main. Ils se dirigeaient vers un terrain d'exercices, où une cinquantaine de leurs camarades avançaient sur les coudes, vautrés dans la boue. J'en conclus que l'orage qui nous avait précédés avait créé des conditions de terrain particulièrement propices aux ébats des recrues.

Alors que nous arrivions à destination, un hélicoptère surgit brusquement de derrière les hangars et nous survola à si basse altitude que nous rentrâmes instinctivement la tête dans les épaules. En pénétrant dans le bâtiment, je remarquai la pâleur de Maureen et la crispation de ses lèvres.

— L'endroit vous impressionne ?

— On va revoir Max, dit-elle en retrouvant une sécheresse de ton qu'elle avait abandonnée durant notre voyage.

Notre arrivée avait été annoncée et un médecin nous attendait sur le pas de la porte. Il portait à la manche de sa blouse blanche une épaulette et un brassard combinés, qui indiquaient son grade.

— Je suis le capitaine Patterson, dit-il.

Maureen eut droit à une poignée de mains confraternelle, et on me réserva un bref salut de tête, avant de nous précéder dans les couloirs du bâtiment. L'aménagement ressemblait à celui d'un hôpital moderne, à la différence qu'il n'y avait nulle part trace de malades.

— Mais... c'est le professeur Dorfstetter ! dit Maureen en se retournant sur un petit groupe de civils que nous venions de croiser et qui discutaient entre eux avec animation. Je ne savais pas qu'il était encore en vie !

Le capitaine ne répondit pas, et le jeu de ses mâchoires disait explicitement que cette rencontre accidentelle ne faisait pas son affaire. Il ouvrit la porte d'un vaste réfectoire, qui avait été temporairement transformé en vestiaire, avec une dizaine de cabines portatives en toile alignées contre le mur et une rangée de tables supportant des piles de sarraus blancs et des articles de lingerie. Par terre, des boîtes contenaient des paires de mocassins, à semelles de corde, inventoriées par pointure.

Patterson nous informa que nous devions nous soumettre à la procédure établie et nous changer entièrement, y compris nos sous-vêtements, bas et chaussettes. L'endroit était surveillé en permanence et nous pouvions sans crainte laisser nos objets de valeur dans la cabine.

Je me déshabillai et enfilai pour tout vêtement un pantalon bouffant et une de ces blouses d'hôpital qui se nouaient dans le dos, ce que j'eus toutes les peines du monde à accomplir. Un verre d'eau était posé en évidence sur une étagère de métal et un écriteau le désignait d'une flèche, avec un ordre laconique : *prothèses dentaires*.

Maureen était déjà prête et me prouva la supériorité de son expérience en me présentant son dos nu, pour que je lui noue les attaches de sa blouse, qu'elle retenait d'une main à son cou.

Patterson, qui ne s'était pas changé, lui tendit une feuille de papier.

— Comme je vous l'ai expliqué hier au téléphone, dit-il, je ne suis pas autorisé à discuter de... du cas Sieber avec vous. Rien de personnel, je vous assure.

Elle lui jeta un regard noir mais se retint de répliquer, et désigna le document du menton, l'air interrogateur.

— Vous étiez son médecin traitant, dit-il. Vous pourriez peut-être nous aider à le convaincre ! Nous aimerions connaître la réponse à ces questions.

— Il refuse de répondre ? dit-elle, soudain inquiète,

comme si ce comportement ne correspondait pas à ce qu'elle connaissait de l'enfant.

— Il refuse de parler, dit-il après une hésitation. Quand il est seul, il lui arrive de chanter, mais nous n'avons pas été capables d'établir un véritable contact.

— Rien de personnel, je suppose? dit-elle d'un ton sarcastique, et elle se plongea dans la lecture de la liste de questions.

Patterson soupira et souleva la petite cage, qu'elle avait posée sur une pile de draps. Il examina les trois souris blanches avec une moue sceptique, et je me demandai s'il saurait mieux que moi découvrir les particularités qui les différenciaient de leurs congénères.

— *Nacht und Nebel*, dit Maureen en pliant le papier en quatre et en cherchant en vain dans son accoutrement une poche où le glisser. Vous en êtes au même point que nous à la fin du premier mois. Ça valait bien la peine de transférer ce pauvre gosse au bout du monde !

— Attendez de voir! dit-il. La zone de contagion s'étend chaque jour davantage.

Il avait parlé à voix basse et elle leva brusquement la tête, car quelque chose dans l'intonation l'avait frappée. Ils se dévisagèrent en silence, toujours sur leurs gardes l'un à l'égard de l'autre, mais se découvrant en commun le même sentiment d'impuissance et de terreur sourde devant ce phénomène qui se jouait de leur science.

— Je m'excuse, dit-elle avec effort. Nous avons eu une longue route et je suis à bout.

— Tout ce voyage, dit-il, et venir ici en personne pour...

Il branla la tête en montrant les souris, non vraiment il ne comprenait pas. Elle lui avait parlé d'endocrinologie au téléphone, mais ce champ-là avait été retourné de fond en comble... Qu'est-ce qu'elle espérait trouver de neuf, qu'ils n'auraient été capables de vérifier pour elle, à sa demande?

— Les premiers tests ont été faits au Memorial sous ma direction, dit-elle. Entre-temps, j'ai dû congédier une de nos laborantines à cause d'une négligence grave, pour une autre affaire. J'ai décidé alors de reprendre toutes les analyses dont elle avait eu la responsabilité dans le dossier Sieber.

— Je comprends vos scrupules, dit Patterson, mais vous perdez votre temps.

Il ne l'ajoutait pas, mais on devinait à l'entendre que tous les examens effectués au Memorial avaient été repris à leur point de départ, et qu'aucun aspect du problème ne pouvait avoir échappé à l'équipe qui se consacrait ici à l'étude exclusive du cas Sieber, ni aux experts appelés en consultation des quatre coins du monde. (Je m'étais gardé de l'exprimer à Maureen mais, avant même d'entreprendre ce voyage, je doutais moi aussi qu'elle fût capable de découvrir un élément nouveau, là où tous ses confrères avaient échoué.)

La salle où nous étions donnait à l'arrière du bâtiment, sur le flanc boisé de la colline. Le soldat qui gardait la sortie nous demanda de passer sous une arche électronique, apparemment semblable aux appareils utilisés dans les aéroports pour la détection des armes. Toutefois, ce modèle était plus perfectionné, car le passage de Maureen déclencha un signal. L'homme, après avoir consulté un écran de télévision, lui dit qu'elle avait oublié de retirer de sa tête quatre épingles à cheveux.

Patterson nous attendait à l'extérieur et me remit la petite cage chromée, en nous avertissant que nous avions une dizaine de minutes à marcher avant d'atteindre notre destination. Nous ne devions pas nous inquiéter des moustiques ni des mouches noires, car nos blouses avaient été traitées pour les tenir à distance. C'était d'ailleurs la première fois qu'ils se manifestaient si tôt dans l'année, et leur précocité semblait les avoir rendus particulièrement voraces.

— Vous ne nous accompagnez pas ? demanda Maureen.

— Non, ce n'est pas nécessaire, dit-il. Le sergent Bédard vous attend là-bas, elle a ses instructions. Suivez le sentier, vous ne pouvez pas vous tromper.

Il nous salua froidement et rentra dans la salle sans nous donner le temps de lui poser d'autres questions.

— Je ne l'aime pas, dis-je en me détournant.

— C'est un sous-fifre, il fait ce qu'on lui ordonne, murmura-t-elle. Mais c'est un excellent médecin.

— Vous le connaissez d'avant?

— Pas personnellement. Il était à McGill en même temps que mon mari, qui en parlait souvent. Il avait la réputation d'être extraordinairement intuitif. A le voir comme ça, on a de la peine à le croire! J'aimerais bien savoir qui est le grand patron en charge de toute cette opération...

— Je ne savais pas que votre mari était aussi médecin.

Elle secoua la tête: il avait abandonné ses études en cours de route pour se lancer dans la vente des cosmétiques. De toute façon, ils étaient séparés depuis douze ans.

Nous nous étions éloignés du bâtiment pour nous engager sur un sentier qui serpentait dans le bois et dont le charme bucolique était tempéré par les projecteurs électriques qui le balisaient tous les dix pas, fixés aux branches maîtresses des arbres. Ils étaient allumés et brillaient d'un éclat insolite, car le ciel s'était entièrement découvert depuis notre arrivée, et le soleil n'avait pas encore plongé dans les couches rougeoyantes qui s'accumulaient sur l'horizon. Les vêtements que nous portions étaient faits d'un coton léger, qui laissait passer la fraîcheur de l'air aussi bien que les rayons de lumière oblique, et cette impression d'avancer à demi nu en pleine nature, quelques instants après avoir traversé en tenue de ville les espaces bétonnés et les installations modernes de la base, était l'expérience la plus déroutante que j'eusse vécue de longtemps.

Je réalisai en même temps à quel point nous étions vulnérables et, tout en marchant, j'entrepris malgré moi de surveiller les fourrés, l'oreille aux aguets, sans savoir si je craignais de voir surgir un commando à l'arme blanche ou un ours brun, de l'humeur et de la taille de celui qui avait tué trois adolescents, quelques semaines auparavant, au nord de Thunder Bay.

— Vous ne trouvez pas étrange qu'ils nous laissent aller comme ça, sans escorte ? dis-je.

— Ne vous faites pas d'illusions, murmura-t-elle, nous sommes surveillés, je le sens dans mes os !

— Pourquoi ne m'avez-vous rien dit à propos du téléphone de Patterson ?

— Parce qu'il n'y avait rien à dire. Il m'a appelée hier à l'hôpital pour me demander mes raisons de revoir Max. Vous savez le reste.

— Mais cette histoire de laborantine...

— C'est ça, une histoire. Ce que je vous ai dit l'autre jour reste vrai : personne ne sait sur quoi je travaille. Et pourtant, c'est si simple... Si mon hypothèse se vérifie, vous en serez le premier informé !

— Pourquoi souriez-vous ?

Elle ne souriait pas, c'était l'ironie de la situation, car il était probable que je lui demanderais de ne pas divulguer publiquement ce qu'elle avait découvert, dès l'instant qu'elle me l'aurait révélé.

— Ça, c'est à voir ! dis-je avec irritation.

— C'est tout vu, dit-elle.

Nous étions arrivés à la lisière d'une vaste clairière, au centre de laquelle un blockhaus avait été construit et qui, dans cet environnement de verdure et de paix, avait toute l'apparence d'une monstrueuse pustule. Une fumée dense sortait d'une cheminée de brique rouge, qui avait été ajoutée récemment sur le côté de la bâtisse, et jetait dans le décor comme une touche de déraison.

Sur une hauteur avoisinante, à quelque cinq cents mètres de l'endroit où nous nous trouvions, un immense pylône se dressait vers le ciel, garni à son sommet de trois soucoupes, orientées chacune dans une direction différente.

— C'est une tour à micro-ondes, dis-je à Maureen qui avait suivi mon regard. Non, attendez, il y a autre chose... Vous aviez raison, nous ne sommes pas seuls !

Une grappe de boîtes oblongues avait été fixée aux deux tiers du mât et, en dépit de la distance, je voyais distinctement l'une d'elles pivoter lentement sur son axe pour fixer sur nous l'œil luisant de son téléobjectif, avec une curiosité mécanique qui me glaça d'effroi. La pensée soudaine que Hnatzynshyn se trouvait quelque part sur le terrain de la base me réconforta un peu, en me donnant l'impression que nous avions au moins un allié dans la place.

Maureen s'engagea résolument dans la clairière, mais elle n'avait pas fait dix pas qu'elle s'immobilisait pour regarder autour d'elle avec attention. Je la rejoignis alors qu'elle ramassait une petite cheville de bois, qui avait été fichée dans la mousse, et sur laquelle étaient enfilés trois anneaux métalliques, larges d'un pouce chacun.

— Qu'est-ce que c'est ? dis-je machinalement.

Je n'attendais pas de réponse, car elle regardait elle-même l'objet avec une perplexité évidente. Pourtant, elle m'expliqua sur-le-champ qu'il s'agissait d'un témoin, et que chacune des bagues était faite d'un métal différent. Celle-ci était en aluminium, celle-là probablement en acier inoxydable, et la dernière devait être un alliage particulièrement résistant, peut-être un carbure de tungstène. (Ils avaient testé au Memorial la résistance de plusieurs centaines de matériaux.)

— Vous savez lequel durera le plus longtemps ? demanda-t-elle en me tendant la cheville.

— Non, dis-je. L'aluminium ?

— Le morceau de bois, répondit-elle sans sourire. Mais vous aviez tort de toute façon ! Voyez, l'aluminium commence déjà à se piquer, après... (elle déchiffra une date, inscrite au pyrograveur dans le pieu) après trois jours d'exposition. C'est inconcevable !

Je lui avouai que les raisons de son étonnement m'échappaient, car il me semblait que les dégâts spectaculaires qui avaient été causés au Memorial par l'hospitalisation de Max étaient exactement de même nature que ceux-ci.

— Mais vous avez vu la distance? s'écria-t-elle en levant un regard épouvanté vers le blockhaus. La nature du mal ne change pas, mais chaque crise est plus violente que la précédente! Vous comprenez ce que ça veut dire?

— Des crises? Vous voulez dire que la contagion n'est pas permanente?

— L'effet est constant, dit-elle, mais nous avons observé une sorte de cycle, à la fin duquel l'activité destructive atteint son point culminant. Nous n'avons aucune idée du facteur qui déclenche le processus.

Je n'avais pas attendu cet instant pour saisir la gravité de la menace que représentait la maladie de Max. Pourtant, je fus traversé d'un long frisson.

— Il n'y aucun moyen d'arrêter les radiations? Je veux dire, par un écran de plomb ou quelque chose comme ça... Je sais, c'est idiot, vous y avez déjà pensé.

— C'est quand même moins idiot que de faire venir Dorfstetter! dit-elle avec colère.

Elle me montra que la bague d'aluminium était attaquée également sur toute sa surface, ce qui signifiait que la théorie des radiations devait être définitivement abandonnée.

— Pourquoi? dis-je imprudemment.

Elle m'expliqua en soupirant que si l'effet Sieber s'était propagé sous forme de radiations, la corrosion aurait été plus prononcée sur la partie des bagues tournée vers le blockhaus. Pour sa part, elle avait toujours soutenu que le syndrome de Max était un phénomène purement biologique.

— Mais alors, comment expliquez-vous que les matières organiques ne soient pas atteintes? demandai-je. Vous venez de dire que le morceau de bois...

Elle me coupa la parole avec une irritation qui n'était pas dirigée contre moi, mais contre cette énigme qui lui résistait depuis des mois.

— Je n'explique rien, parce que je ne sais rien! Je vous ai parlé d'une hypothèse, mais même si elle se vérifie, nous n'en serons pas plus avancés sur l'origine de la maladie. En cela, le problème n'est pas différent de celui du cancer. Il faut arriver à comprendre *pourquoi* la maladie commence... et ça, personne ne le sait ! Mais vous avez quand même raison, l'immunité de l'organique est une des clés de l'affaire Sieber.

Toutefois, même sous cet aspect, les choses continuaient à défier la logique. Par exemple, les produits dérivés du pétrole — les vinyles et la plupart des plastiques — étaient d'origine organique mais, contrairement à toutes les autres matières de même nature, ils se désintégraient au contact de Max. C'était l'inexplicable exception à une règle qui n'avait aucun sens.

Je la regardais parler avec animation au milieu de cette clairière, dans la lumière frisante du crépuscule, vêtue de cet accoutrement d'hôpital qui laissait libre cours au balancement de ses seins, et j'éprouvais une difficulté grandissante à croire à la réalité du moment présent. Les maringouins ne faisaient qu'accentuer mon désarroi car, depuis que nous nous étions enfoncés dans le bois, ils n'avaient cessé d'intensifier leur vibration susurrante à nos oreilles, et pourtant ne se posaient pas davantage sur nous que si nous avions été des ombres.

— Il faut y aller, dis-je doucement.

Elle eut un ricanement triste, en se rendant compte après moi que ses explications avaient été pour elle un moyen de retarder l'épreuve qui l'attendait dans le blockhaus. Me prenant par le bras, elle m'entraîna de l'avant avec détermination. En marchant, je vis que des centaines de chevilles de bois, semblables à celle que nous venions d'examiner, étaient plantées dans le sol, par rangées concentriques autour de l'ouvrage de béton, dissimulées pour la plupart sous la charmille, dans le lichen et le terreau des feuilles mortes.

Je pensais trouver Max dans une sorte de prison froide et sinistre. Or, même si j'avais pris le temps de réfléchir à l'aménagement probable de l'endroit, je n'aurais certes jamais pu imaginer un intérieur aussi déconcertant que celui qui nous attendait derrière la porte du blockhaus.

Un escalier de pierre descendait dans l'unique salle, qui était beaucoup plus vaste que l'aspect du bâtiment ne le laissait supposer du dehors. Des piliers de bois avaient été dressés tous les quatre ou cinq mètres pour soutenir l'entrelacs des larges planches qui étayaient le plafond de la casemate, comme s'il s'agissait de la galerie centrale d'une gigantesque mine. Je compris l'utilité de cette précaution lorsque, prenant appui sur le rempart de béton qui longeait l'escalier, je sentis mes doigts s'enfoncer dans une mince couche de poudre granuleuse. L'ensemble de la construction fortifiée se désagrégeait inexorablement, comme un château de sable.

Des ouvertures circulaires avaient été creusées dans le ciment du sol, de façon à rejoindre la terre, où des plantes vertes et des arbustes de toutes espèces avaient été transplantés. Avec la forêt des poutres d'étançonnage, le lieu offrait l'aspect saisissant d'un hybride : le croisement d'un jardin botanique et d'une chapelle de campagne.

Max était assis sur un coussin, devant le manteau d'une cheminée où ronflait un feu de bûches. Il dessinait dans un cahier d'écolier, en fredonnant du fond de la gorge une mélopée insistante. Une corbeille de fruits frais était posée devant lui, au milieu d'un assortiment de livres et de magazines. Des jouets garnissaient les tablettes d'une étagère de bois, certains étaient neufs et n'avaient même pas été sortis de leur emballage d'origine, d'autres ressemblaient déjà à des pièces de musée archéologique.

Les responsables du séjour de Max à la base n'avaient manifestement rien négligé pour assurer son bien-être et, compte tenu des circonstances, ils avaient même fait preuve d'une ingéniosité peu commune pour l'aménagement de son habitat. Cependant, je ne comprenais pas pourquoi ils avaient décidé en premier lieu de l'héberger dans ce blockhaus désaffecté, quand un chalet en bois chevillé aurait résisté indéfiniment au souffle dévastateur qui émanait de lui. Peut-être voulaient-ils justement tester la résistance des installations militaires à cette menace inconnue? Je devinai que la question n'était pas sans importance, mais j'étais alors trop occupé à observer ce qui se passait autour de moi pour me soucier d'y répondre sur-le-champ.

Deux femmes, qui portaient chacune un costume semblable au nôtre, étaient assises à l'écart et nous saluèrent d'un sourire, sans interrompre leurs occupations. Celle qui était jeune et avenante peignait une aquarelle, tandis que l'autre, la plus âgée, décorait un gâteau à l'aide d'une seringue de pâtissier — mais rien de tout ça ne facilitait l'identification du sergent Bédard.

Max ne nous avait pas entendus approcher et poursuivait son activité avec une grande application. Son regard avait une fixité étrange, comme si les signes qu'il traçait complétaient un autre dessin, enfoui à quelques mètres de profondeur, par-delà la surface du papier. Il leva finalement la tête et nous regarda, sans manifester de réaction.

— Max, c'est moi! dit Maureen, qui contrôlait mal sa voix.

Il écarquilla les yeux, et son visage jusqu'alors inexpressif se métamorphosa sous la poussée d'une joie sauvage, dont l'intensité avait quelque chose de peu rassurant. Il était assis en tailleur, le dos droit, vêtu d'une tunique de lin et, dans l'éclairage mouvant des flammes, son profil et son immobilité évoquaient une figure extatique, aux ombres impénétrables. Sans bouger de sa pose, il poussa soudain le cri le plus impressionnant que j'eusse jamais entendu sortant d'un gosier humain. C'était un grondement de triomphe, primitif et déchirant, qui saluait l'apparition de Maureen dans le blockhaus, non comme un événement décidé par elle, mais comme un fait d'obéissance à un ordre donné par lui, dans le silence de sa méditation.

Les deux femmes de garde s'étaient levées d'un même mouvement, et leur expression me confirma que l'épouvante qui m'avait saisi au cri de Max n'était pas une réaction due à ma fatigue ou à mon imagination. Le garçon se leva et rompit l'envoûtement, en retrouvant enfin un comportement adapté à son âge. Il se blottit contre Maureen et, la main levée, tenta du bout des doigts d'arrêter les larmes qui coulaient sur ses joues, car elle pleurait d'abondance, toute déontologie bue, et riait nerveusement entre deux sanglots.

Finalement, Max se détacha d'elle pour aller ramasser son cahier à dessin. Il en arracha avec soin la page sur laquelle il travaillait au moment de notre arrivée, et vint me la tendre sans un mot, en me dévisageant de la même façon que le soir de notre première rencontre à l'hôpital, avec cette intensité grave et angoissée qui tentait de me communiquer un mystérieux message. Ses cheveux clairs avaient allongé, son visage était amaigri, et je vis soudain devant moi le fantôme de Lotte. Comment avais-je pu croire un instant qu'elle n'était pas sa véritable mère quand une ressemblance si troublante existait entre eux? Avait-elle cherché elle aussi à me faire comprendre quelque chose, à me révéler par le mensonge une vérité qui ne pouvait franchir ses lèvres?

L'enfant se détourna et courut vers Maureen, qui l'entraîna aussitôt à l'écart. (Elle était transformée par son émotion, et j'eus l'intuition que les liens qui l'attachaient à Max infirmaient les propos vertueux qu'elle m'avait tenus la veille dans la voiture, sur la relation entre le médecin et son malade.) Je rejoignis de mon côté le sergent Bédard, qui me fit admirer ses aquarelles, et l'infirmière Kornitchuk, qui nous prépara un thé parfumé, mais n'eut pas l'idée de nous offrir d'entamer son gâteau. Elle devait être plus jeune que je ne l'avais cru au premier regard, mais elle avait été malheureusement contrainte d'abandonner son dentier dans une des cabines du vestiaire et son sourire, dont elle n'était pas avare, avait un charme centenaire qui servait surtout les intérêts de sa compagne. Elles étaient manifestement heureuses l'une autant que l'autre de la diversion que leur apportait notre visite, et elles m'entraînèrent dans un babillage chuchoté, ponctué de fous rires et de petits gestes flirts, dans une ivresse de thé au jasmin. Je participai de bon cœur, soulagé de voir que le terme de notre voyage n'était pas aussi dramatique que je l'avais craint.

Max avait attiré Maureen dans le coin du blockhaus qui lui servait de chambre et, à travers le feuillage des arbustes et des plantes, je les apercevais qui discutaient à voix basse — et le geste de Maureen, qui tout en parlant lui caressait doucement les cheveux et le visage, me remplissait de bonheur.

— Regardez-moi ça ! dit le sergent Bédard, en forçant la note de son indignation. Vous vous rendez compte que ce petit bâtard ne m'a jamais dit un seul mot ! C'est comme si je n'existais pas ! J'avais fini par croire qu'il était complètement timbré.

— Ça se comprendrait, remarquez ! dit Mlle Kornitchuk, en jetant autour d'elle un coup d'œil entendu.

Le dessin que Max m'avait donné en cadeau représentait une scène conventionnelle de la Nativité, avec la Vierge Marie, l'Enfant dans sa crèche, l'âne et le bœuf et les trois rois mages. Le choix du sujet me mit vaguement mal à l'aise, car la fête de Noël était passée depuis bientôt cinq mois. La facture du dessin était elle-même surprenante, en raison de l'abondance des éléments de composition, de la précision du trait et de la minutie des détails. L'enfant avait certainement dû travailler durant des heures pour arriver à un tel résultat.

— Vous avez de la chance, dit Mlle Kornitchuk, qui me guettait du coin de l'œil. D'ordinaire, il les détruit aussitôt qu'ils sont terminés ! Et quand il dessine, il ne veut jamais nous laisser voir...

Je me tournai pour observer Max, qui écoutait à présent Maureen en fronçant les sourcils, avec une concentration qui révélait sa maturité d'esprit. Son expression se modifia lentement, comme s'il refusait de croire ce qui lui était dit. Je devinai alors que Maureen lui faisait part de la raison principale de sa visite, et lui expliquait dans le détail cette hypothèse qu'elle avait gardée pour elle jusqu'à cet instant. Quelle que fût la nature de son secret, j'avais présumé qu'il était terrifiant, dès le jour qu'elle l'avait évoqué pour la première fois devant moi. Or l'incrédulité de Max n'était pas un refus de faire face à l'horreur, mais une hésitation à accueillir une nouvelle qui le bouleversait de joie.

Il eut sans doute conscience d'être observé, car il regarda dans ma direction et se leva même pour mieux me voir par-dessus la verdure qui nous séparait. Et, alors que tout à l'heure il n'avait fait que me dévisager de son regard énigmatique (je me demandais même s'il m'avait seulement reconnu), il me fit un signe de la main, en me souriant avec une complicité heureuse. De toute évidence, il me croyait en mesure de partager son bonheur et j'agitai le bras à son intention, en m'efforçant de rire à mon tour. L'instant d'après, la vérité m'effleura et je me sentis défaillir sous le choc.

CHAPITRE 14

J'avais attendu d'être dans la voiture pour montrer à Maureen le dessin de Max. Elle l'examina avec un soupir de lassitude.

— C'est curieux, dit-elle enfin, d'une voix sans timbre.

— Je trouve aussi, dis-je. Avez-vous remarqué l'absence de saint Joseph?

— Je ne parlais pas de ça, mais ça revient peut-être au même. Voyez, il a signé *Max König.* C'est le nom de jeune fille de sa mère.

Elle se demanda s'il avait voulu démontrer par là qu'il connaissait maintenant le secret de son adoption — et que Richard Sieber n'était pas son véritable père.

— A-t-il dit quelque chose à propos de Lotte? demandai-je.

— Indirectement, oui. Il m'a dit qu'elle habitait maintenant dans ses rêves. C'est une figure de style plutôt littéraire pour un garçon de dix ans, vous ne pensez pas?

Je lui répondis que Max n'avait pas fini de nous surprendre, et qu'il ne parlait peut-être pas au sens figuré. Elle murmura sans conviction que c'était une hypothèse intéressante, mais qu'elle ne se sentait pas équipée pour donner dans le mysticisme.

Nous n'échangeâmes plus un mot jusqu'à Wabashikokak. Nous avions trop à nous dire pour nous en parler comme ça, de but en blanc. Je stationnai la voiture devant l'unique hôtel de la place, et ouvris la portière de mon côté. Maureen resta assise dans son siège, immobile, le regard éteint.

— Ça ne m'inspire pas confiance, à moi non plus ! dis-je. Mais nous n'avons sans doute pas le choix.

— *HOTEL*, fit-elle en lisant distraitement les lettres de néon qui donnaient à nos visages une teinte cadavérique. Ils ne lui ont même pas trouvé un nom !

— Si vous préférez, on peut retourner à Thunder Bay.

— Pas question ! dit-elle.

La bâtisse était sinistre, avec ses fenêtres en verre opaque au rez-de-chaussée et ses fausses pierres encastrées çà et là, dans un crépi de ciment et de diamantine. Maureen m'y précéda dans une salle basse et enfumée, aux trois quarts pleine, qui était un compromis douteux entre une taverne et un centre communautaire. Elle s'arrêta en se demandant probablement si elle devait aller de l'avant ou faire demi-tour.

— En tout cas, on ne passe pas inaperçus ! murmura-t-elle à mon intention.

Balançant à bout de bras sa valise de toile, elle traversa la salle jusqu'au comptoir, et m'attendit pour me demander de prendre l'initiative des opérations. (C'était la première fois que je la voyais accepter une attribution conventionnelle de nos rôles.) Un petit vieillard évasif et débordé me salua en m'appelant son colonel, et me répondit que certainement, il y avait peut-être des chambres disponibles. Il tendit la main en précisant que c'était dix dollars, et je reçus une clé en échange de mon argent.

— Nous voulons deux chambres, dis-je.

Il nous regarda alternativement, d'un air malheureux et vaguement réprobateur, et garda la main tendue. (Je venais d'y déposer un second billet.)

— La clé ! réclama-t-il.

Il reprit sa clé et m'en donna une autre à la place.

J'entendis derrière moi un grognement d'exaspération.

— Deux chambres, répétai-je en brandissant un nombre équivalent de doigts.

— Je vous ai donné l'appartement, dit-il avec perplexité. Le spécial du jour, c'est la côtelette de porc...

Je me tournai vers Maureen pour lui demander si elle avait faim.

— ... mais il n'en reste plus, ajouta-t-il dans mon dos. On peut vous faire un *club-sandwich.*

— N'importe quoi, dit-elle. Avec de la bière.

— La même chose pour moi, dis-je.

Nous prîmes place à une table, notre bagage dans les jambes, affichant une mine neutre en attendant que les conversations reprennent autour de nous.

— Je crois qu'on s'est trompés de section, murmura Maureen, sans toutefois manifester l'intention d'aller s'asseoir ailleurs.

Toutes les tables environnantes étaient occupées par des Amérindiens de la réserve de Wawate, située en face de Wabashikokak, sur la rive nord du lac Seul. Ils formaient un groupe à part des autres consommateurs, par leur retrait autant que par leur comportement. La plupart d'entre eux étaient déjà dans un état d'ébriété avancé, et les propos qu'ils échangeaient en leur langue avaient l'accent universel, pâteux et veule de la désespérance humaine noyée dans l'alcool. Sans doute à cause de mes préjugés sexistes, la déchéance des femmes me sembla particulièrement pitoyable. L'une d'elles, qui ne devait guère avoir plus de vingt-cinq ans, avait glissé de sa chaise et, la bouche grande ouverte et les yeux révulsés, buvait le filet de bière qui coulait de la table, où un verre avait été renversé.

Je n'étais pas tombé de la dernière pluie et j'avais déjà eu l'occasion d'assister à quelques beuveries mémorables mais, faute peut-être de fréquenter les bons endroits, je n'avais jamais été témoin d'un spectacle aussi déprimant. Il n'y avait autour de nous ni effervescence, ni joie, ni même cette fraternité de la cuite commune — seulement une compulsion morbide et solitaire à rejoindre au plus vite l'hébétude du néant.

Le petit vieillard débordé vint nous apporter notre repas à notre table. Il se présenta comme étant M. Wilbur Apples, mais quelque chose dans ses manières suggérait qu'il n'en était nullement convaincu. Il posa devant nous quatre chopes de bière, trois tranches de pain et deux assiettes de spaghetti à la bolognaise.

— Je croyais que c'était un *club-sandwich*, dis-je sur le ton de la conversation.

— Votre dame a dit « n'importe quoi », répondit M. Apples d'un air indécis.

Je le rassurai après avoir consulté Maureen du regard. Je ne voulais pas ajouter à sa perplexité et à mon inquiétude en lui demandant pourquoi le spaghetti à la bolognaise correspondait davantage à cette définition que le *club-sandwich*. Il sortit un bout de papier graisseux de sa poche et me demanda si je parlais italien.

— Non, pourquoi?

— Votre nom... j'avais cru, dit-il. On a laissé un message pour vous. Il faut appeler M. Lecoultre.

— Je suis M. Lecoultre.

Cette révélation ne contribua pas à alléger le fardeau de son incertitude et il se résigna à me passer la note, non sans l'avoir au préalable pliée et dépliée une demi-douzaine de fois. Elle portait un numéro de téléphone, avec un indicatif international, mon nom et celui de M. Olivetti. J'étais renversé. Comment ce diable d'homme s'y était-il pris pour suivre ma trace jusque dans cet hôtel que je ne connaissais pas moi-même une demi-heure auparavant? Mme Cabotto avait-elle tiré de sous ses jupes une boule de cristal, pour le renseigner sur chaque étape de notre voyage à Wabashikokak?

Je fis part de mes réflexions à Maureen, mais elle accorda plus d'attention à son assiette qu'à mes paroles. Aussi, après avoir descendu mon spaghetti, je la priai de m'excuser et gagnai la cabine téléphonique que j'avais repérée à travers le rideau de fumée, au fond de la salle.

Je fus incapable de joindre Olivetti. La ligne était sans cesse occupée, et je finis par me dire que la transcription d'un numéro de onze chiffres avait dû être une épreuve insurmontable pour l'anxiété chronique de Wilbur Apples. J'appelai alors à la maison, et j'eus Olivier au bout du fil. Il était seul, sa sœur était restée à jouer avec la cadette des Jarvis et passerait probablement la nuit chez eux.

— Ah bon ! dis-je. Et à part ça, comment ça va ?

— Mais... tout va bien. Pourquoi ?

Il s'étonnait et je compris que, pour lui, je n'avais été absent d'Ottawa qu'un seul jour. Comme j'avais pris la voiture, Florence était allée toute seule à l'hôpital, en taxi. Elle avait adoré ça !

— Pourquoi à l'hôpital ? dis-je. Je n'étais pas au courant.

Il ne pouvait rien me dire de plus, le Memorial avait appelé tôt ce matin pour fixer le rendez-vous. C'était sans doute pour une vérification. Étais-je inquiet ?

— Non, c'était pour savoir.

— On est allés manger chez Agostino ce soir, dit-il. Flo s'est défoncée, c'était pas possible ! Nicole l'a pesée chez eux, elle a pris quatre kilos depuis les vacances... Tu es là ?

— Je t'écoute, dis-je en m'efforçant de ne pas trahir mon émotion. Tu as un stylo sous la main ?

Je lui dictai un message pour sa grand-mère à Québec, et un autre qu'il devait transmettre le lendemain à mon bureau. Je raccrochai et restai un moment immobile, à regarder l'appareil sans le voir, ne sachant trop comment accepter mon soulagement de n'avoir pas entendu la voix de Florence.

* * *

En revenant à notre table, je trouvai Maureen en discussion avec une jeune femme, qui me sourit comme si elle me connaissait.

— Mlle Kornitchuk a travaillé dans l'unité sanitaire de la réserve de Wawate pendant six ans, dit-elle. Elle me racontait justement des choses passionnantes sur la région.

L'autre ne se fit pas prier pour reprendre sa narration et, alors qu'elle nous parlait sur le ton de la confidence, je la dévisageais en essayant de ne pas laisser paraître mon incrédulité. Au moment où nous avions quitté le blockhaus, elle nous avait dit qu'elle essayerait de se faire remplacer par une collègue pour une petite heure, le temps de venir prendre un verre avec nous. J'avais cru à une formule de politesse et pris congé d'elle en pensant que je n'aurais pas l'occasion de la revoir. Je n'avais pas entièrement tort car, dans l'intervalle, elle s'était métamorphosée. Ses dents avaient repoussé, ses cheveux étaient montés en chignon, elle portait de grandes lunettes à monture moderne, qui lui mangeaient le visage, et un lourd manteau rouge, en laine peignée, dont l'élégance était incongrue en ce lieu. J'avais beau savoir que c'était elle, je ne la reconnaissais pas.

Elle disait que nous ne devions pas porter un jugement sur les Ojibwas à partir de ceux d'entre eux qui nous entouraient. Bien sûr, l'alcoolisme était un des symptômes les plus visibles du mal qui rongeait la réserve, et on le montait en épingle pour masquer les véritables causes du problème. Elle ne voulait pas seulement parler du passé historique et du génocide des tribus indiennes par les colonisateurs blancs, elle parlait aussi du présent, de l'indifférence des politiciens et des mois de silence que la presse canadienne avait observés pour honorer la mémoire des enfants qui étaient morts de typhoïde et de diphtérie au cours de la dernière année. L'exode vers le sud ne faisait que changer le mal de place. Des familles entières s'établissaient dans les grands centres, où les adultes faisaient bientôt profession de chômeurs et d'assistés sociaux. Ceux qui s'en sortaient le mieux étaient les adolescents des deux sexes, dont la prostitution nourrissait le reste du clan. La situation n'était peut-être pas plus enviable aux État-Unis, mais au moins des groupes de pression s'efforçaient d'alerter l'opinion publique et d'éveiller les consciences.

— Nous autres, dit-elle, on se sent bien trop inférieurs pour se payer le luxe de la honte.

Les joues échauffées, elle ne parlait plus à voix basse comme au début, et je vis que Maureen jetait un coup d'œil embarrassé aux tables voisines. Je partageais son scrupule, bien que la plupart de ceux qui nous entouraient ne fussent plus en état de s'offusquer de quoi que ce soit.

Je n'aurais su dire si l'infirmière noircissait le tableau pour se rendre intéressante, ou si la réalité était aussi tragique qu'elle le prétendait, mais j'entendais dans son plaidoyer un accent de sincérité qui ne trompait pas. Elle avait été témoin de faits et d'événements qui l'avaient révoltée et les dénonçait avec passion, sans se réfugier dans le confort des nuances. Je lui enviai sa capacité de s'indigner, et me trouvai coupable de n'avoir pas encore démissionné du cabinet de John Butler.

Elle dut sentir la disposition d'esprit dans laquelle nous nous trouvions, car elle changea subitement de ton et nous avoua qu'elle regrettait d'avoir accepté ce travail à la base militaire, même s'il était bien payé. Sans le vouloir, elle s'était placée dans une position ambiguë envers ses amis de la réserve. Elle avait mis des années à gagner leur confiance, et ne voulait pas risquer de la perdre pour une malheureuse prime de mille dollars.

— Où est le conflit ? demanda abruptement Maureen.

— Ils me remettent des cadeaux pour Max, murmura-t-elle. Évidemment, je suis obligée de faire celle qui ne comprend pas.

— Mais qu'est-ce que... Comment savent-ils ? dit Maureen avec stupeur.

Elle n'en avait pas la moindre idée, et ce n'était pas elle qui leur avait vendu la mèche. Même à l'intérieur de la base, la présence de Max n'était connue que d'un petit groupe de personnes, triées sur le volet. Pourtant, malgré ces mesures de sécurité extrêmement sévères, les Indiens de la réserve lui avaient posé des questions sur l'enfant dès le lendemain de son arrivée d'Ottawa. Elle répondait qu'elle ne savait pas de quoi ils parlaient, ils écoutaient ses dénégations d'un air entendu, puis s'en allaient en haussant les épaules, après avoir déposé leurs offrandes par terre ou sur le capot de sa voiture. Pour autant qu'elle pouvait le comprendre, ils considéraient Max comme une sorte de messager, ou de symbole, elle ne savait pas comment l'expliquer.

— Pourquoi des cadeaux? murmurai-je. Connaissent-ils seulement la nature de sa maladie?

— Je l'ignore, dit-elle. Non, je ne crois pas, mais c'est sans importance pour eux. D'ailleurs, ils s'imaginent qu'il est en convalescence à la base.

— En convalescence? Qu'est-ce qui vous permet de dire ça? demanda Maureen, en se raidissant.

— Mais la façon dont ils en parlent! dit l'infirmière. Entre eux, ils l'appellent *mamatowee awashis*, ce qui veut dire quelque chose comme: l'enfant-qui-guérit.

Maureen avança la main pour finir sa bière, mais son geste fut trop brusque. La chope vola à terre, où elle se brisa avec fracas.

— Je ferais mieux d'aller me coucher, dit-elle en se levant. (Son visage était pâle et défait.) La journée a été très éprouvante!

Elle prit en note l'adresse de Mlle Kornitchuk, dans un petit agenda qu'elle avait sorti de sa sacoche. Je pensai au revolver qui s'y trouvait, et à la crainte insensée que j'avais eue à Terrebonne dans le salon mortuaire, quand je l'avais soupçonnée de chercher à revoir Max dans la seule intention de le tuer.

En montant l'escalier de l'hôtel, je lui demandai si elle savait pourquoi l'infirmière était venue nous retrouver ce soir à la taverne.

— Pour plusieurs raisons, dit-elle sans se retourner. Avant que vous n'arriviez, elle m'a questionnée à votre sujet. Elle vous trouve très à son goût.

— Merci, dis-je. Et quelles sont les autres raisons?
— Elle est morte de peur, dit-elle.

* * *

L'appartement au premier étage justifiait toutes les hésitations de M. Apples. Il se composait de deux chambres en enfilade, au plancher de linoléum, séparées par une salle de bains qui n'avait pas su garder pour elle son humidité, ni son odeur de détergent. Des ampoules nues au plafond contribuaient par la crudité de leur éclairage au confort douillet de ce palace.

— Si je trouve un cafard ou une araignée, je craque! dit Maureen, en se laissant tomber dans l'unique fauteuil de la suite.

— Vous prenez quelle chambre? demandai-je, mon sac de voyage à la main.

— La vôtre, dit-elle.

J'hésitai, ne sachant comment interpréter sa réponse. Elle s'aperçut de mon indécision et m'avertit avec un pauvre sourire qu'elle n'était pas en train de me faire des avances, mais qu'elle ne se sentait pas bien vaillante, elle non plus.

— Quelque chose en particulier? dis-je avec un frisson.

Non, c'était une peur sourde et irrationnelle (ce n'était pourtant pas son genre), et de toute façon, elle n'avait plus la force de chercher les mots pour s'expliquer. Si j'étais assez gentil pour lui passer la couverture du lit de l'autre chambre, elle dormirait comme ça dans le fauteuil, il fallait absolument qu'elle récupère, ça n'avait plus aucun sens...

Je l'emmitouflai dans la couverture et tirai une chaise pour qu'elle y étendît ses jambes. J'eus l'envie de lui caresser la tête, mais je me retins et fermai la lumière, avant de m'étendre tout habillé sur le lit, les oreilles bourdonnantes.

* * *

J'eus le plus grand mal à reprendre pied dans la réalité. Il me fallut lutter contre un tourbillon de confusion et de panique pour savoir enfin où je me trouvais, et ce que me voulait cette créature assise sur le bord du lit, qui me secouait l'épaule.

— Daniel, il faut que vous voyiez ça !

Je me levai pesamment et, guidé par la main, suivis Maureen sur le balcon, où je fus brusquement plongé au sein d'une féerie grandiose. Le ciel était en feu. Une draperie lumineuse avait été déployée dans la nuit, haut sur l'horizon, et ses plis ondulaient lentement, avec des reflets jaune et vert. Le phénomène se produisait manifestement à très haute latitude, bien au-delà des couches que pouvaient atteindre les nuages les plus légers, et cet éloignement de la terre ne faisait qu'accentuer les dimensions cosmiques de l'illumination.

— Couvrez-vous, dit Maureen en se débarrassant de sa couverture pour me la mettre sur les épaules.

— Et vous ? dis-je. Voulez-vous que j'aille chercher...

Elle ne me donna pas le temps de finir et vint se placer devant moi, pour m'obliger à l'encercler par derrière de mes deux bras, de façon à l'incorporer dans la chaleur de la couverture. Elle était transie et je lui demandai combien de temps elle avait passé sur le balcon, avant de venir me chercher.

— Je ne sais pas, dit-elle. Un quart d'heure peut-être ? Ce n'est pas la première fois que je vois une aurore boréale, mais celle-ci sort de l'ordinaire. Regardez, elle change de forme, c'est hallucinant !

Les raies brillantes de la draperie s'étirèrent démesurément pour converger, à la vitesse d'un météore, vers un point unique, au zénith du firmament. De là, elles se développèrent dans toutes les directions, à la manière d'un gigantesque dôme. Cette métamorphose ne fit qu'accroître la luminosité de l'objet et des teintes nouvelles s'y ajoutèrent, dans les gammes du rouge et du violet. Certaines d'entre elles apparaissaient et s'effaçaient à un rythme régulier — et cette pulsation ouvrait mon esprit à une dimension métaphysique, qui m'impressionnait autant que si, admirant un galet façonné par le ressac de l'océan, j'y avais tout à coup senti battre un cœur.

— Je ne savais pas qu'un phénomène de cette envergure pouvait exister, dis-je, sans chercher à dissimuler mon émotion. Comment l'explique-t-on ?

Elle avait lu autrefois des articles sur le sujet, et se souvenait vaguement que des jets de particules à haute énergie, en provenance du soleil, atteignaient le champ magnétique de la Terre et étaient attirées vers les deux pôles, où elles entraient en collision avec les molécules des couches denses de l'atmosphère, ce qui produisait une décharge d'énergie sous forme lumineuse.

— C'est curieux, dis-je, quelqu'un m'a parlé de vents solaires récemment... je ne sais plus à quelle occasion. Et ces craquements, qu'est-ce que c'est ?

— Vous en avez entendu parler ? dit-elle en se méprenant sur mes paroles. C'est une légende qui a la vie dure, mais les spécialistes s'accordent pour dire qu'elle est sans fondement.

— Je ne lis pas assez, dis-je. Vous n'entendez vraiment rien ?

Elle me jeta un coup d'œil surpris par-dessus son épaule, et demanda si la question était sérieuse. Je lui dis de l'oublier, intrigué au plus haut point par le fait que, contrairement à moi, elle ne percevait rien des craquements pourtant distincts qui troublaient la paix nocturne, et dont l'origine me restait inconnue. Subitement, je me souvins de ma visite au Memorial, le soir de l'orage, alors que j'avais entendu ce même bruit mystérieux en sortant de la chambre de Max.

— J'ignorais que la réserve était si proche, dis-je.

De l'autre côté du lac, nous pouvions voir, en effet, presque aussi distinctement qu'en plein jour, les maisons et les baraques du village indien, ainsi que des silhouettes immobiles, sur les porches et le long de la grève, qui partageaient notre contemplation des lumières célestes.

— Ce pays était à eux, dit-elle d'une voix changée, en désignant le vaste panorama qui s'étendait devant nous. Les lacs, les forêts, le gibier, tout ça leur appartenait. C'était un peuple fier !

Le froid eut finalement raison de notre endurance et nous rentrâmes précipitamment dans la chambre. J'avais à peine refermé la porte du balcon que Maureen se serrait contre moi en grelottant. Je lui frictionnai le dos à pleines mains, ce qui ne l'empêcha pas de continuer à parler, la voix hoquetante.

— Oui, un peuple fier et libre, reprit-elle avec amertume. On ne les a pas seulement dépouillés de leurs territoires... Vous les avez vus en bas, dans la taverne ? On leur a pris leur âme et on les a parqués dans des camps !

— Max va remettre les choses en ordre, dis-je.

Elle poussa un gémissement et, dans la pénombre, son regard chercha à déchiffrer le mien. Puis elle posa brusquement ses lèvres sur ma bouche, autant pour m'embrasser que pour m'empêcher d'en dire davantage.

— Alors vous y avez pensé, vous aussi ? murmura-t-elle enfin d'une voix rauque, avec un mélange de gratitude et d'effroi.

Elle me prit la couverture des épaules pour l'étendre sur le lit, en disant que comme ça, nous devrions pouvoir survivre. Elle ôta ensuite ses souliers et se glissa entre les draps, vêtue de son tailleur et d'un châle de grosse laine. Je la rejoignis et elle se blottit à nouveau contre moi, toujours frissonnante. Elle n'avait pas encore réussi à fermer l'œil, c'était sa fatigue qui l'empêchait de s'endormir.

— Sur les hauts plateaux de l'Himalaya, dit-elle, il y a une peuplade qui s'appelle les Hunzas. Ils ne connaissent pas le cancer.

— Pourquoi me dites-vous ça ?

— Est-ce que je sais ? dit-elle. Je viens d'y penser, c'est tout.

Elle se tut et, après un moment, sa respiration se fit lente et régulière. Je me sentis m'alourdir à mon tour.

— L'homme nu ! dit-elle soudain d'une voix claire, comme si elle exprimait par ces mots la conclusion angoissée de son faux sommeil.

Si la contagion de l'effet Sieber devait continuer de s'étendre et franchir les limites de la base militaire, les descendants des premiers habitants de Wabashikokak retrouveraient la dignité de leurs ancêtres, dans la lutte pour la survivance. En revanche, les Blancs s'enfuiraient en débandade, impuissants à s'adapter à la perte de leur confort et à la ruine de leurs technologies.

— Vous avez entendu parler de *synchronicité* ? demanda-t-elle, les yeux fixés au plafond. C'est une marotte de notre ami Gustav. Il est jungien, il ne croit pas aux coïncidences.

Elle ne s'était jamais vraiment donné la peine de le suivre dans ses explications ésotériques, car elle avait une tournure d'esprit essentiellement rationnelle. Elle était convaincue par exemple que le mal de Max recevrait tôt ou tard une justification scientifique, et rejetait sans l'ombre d'une hésitation ,toute tentative de l'expliquer par des causes surnaturelles. Par contre, elle ne pouvait se défendre contre l'impression qu'une affinité mystérieuse existait entre l'enfant et cette région perdue du nord.

— Il n'a pas été exilé ici par hasard, dit-elle. Je ne parle pas de l'armée... Par exemple, ces lumières dans le ciel, ça ne vous frappe pas ?

Elle s'impatienta contre elle-même, elle s'exprimait lamentablement mal. Il n'y avait évidemment pas de causalité directe entre l'aurore boréale et la présence de Max, ce qu'elle voulait dire était simplement que quelque chose était dans l'air, en préparation — la convergence de forces inconnues et redoutables.

— *Mamatowee awashis !* dis-je.

— Non, taisez-vous !

L'hôtel sans nom était étrangement silencieux. Le rectangle de la fenêtre s'étirait sur le plancher de linoléum, projeté par quel nouvel incendie des hautes régions du ciel ? Je me sentais tragiquement perdu, loin des miens et des lieux familiers de mon existence, démuni de ressources et d'influence. Il me semblait que ma compréhension même de la situation se lézardait, comme si mon intelligence avait été affectée par ma visite dans le blockhaus, et subissait le même sort que les bagues de métal et les murs de béton armé.

— Mlle Kornitchuk a mal interprété le sens du surnom que les Ojibwas ont donné à Max, dis-je. L'enfant-qui-guérit.

— Je ne veux pas en entendre parler, dit Maureen en se cachant le visage dans mon épaule.

— A l'heure qu'il est, ce n'est pas Max qui est en convalescence, mais les souris qui vous lui avez demandé de garder près de lui.

Elle se libéra de mon étreinte et se dressa sur son coude, le menton posé dans le creux de sa main.

— Quel drôle de type vous faites ! dit-elle, après m'avoir dévisagé. Vous avez toujours l'air de penser à autre chose, on ne se méfie pas assez... Je vous en supplie, Daniel, ne sautez pas aux conclusions, attendez les prochains tests ! J'ai vu des gens affronter courageusement les pires épreuves, et s'effondrer au premier faux espoir.

— J'y ai pensé, dis-je. Jusqu'à nouvel avis, je mets mon cœur entre parenthèses. A présent, dites-moi ce qui vous a mis la puce à l'oreille.

Elle se laissa retomber sur le lit et, dans le désordre des draps, de son châle, de mon chandail et des couvertures, chercha le réconfort de ma main. C'était simple, dit-elle — et justement parce que c'était simple, elle avait mis du temps à comprendre. Au cours des derniers mois, les traitements donnés au cinquième nord avaient enregistré un taux de succès nettement au-dessus de la moyenne. La chose n'était pas d'une évidence immédiate, car un certain nombre de patients recevaient les soins de la clinique externe. Par chance, elle avait la responsabilité de six cas dans le groupe des enfants qui avaient été hospitalisés en même temps que Max. Dès son premier soupçon qu'il se passait quelque chose d'anormal, elle avait comparé les dossiers de ses malades à ceux des autres. La conclusion était indiscutable : tous les enfants qui avaient été en contact avec Max pour une période de quelques jours étaient stationnaires ou en voie de guérison. L'effet Sieber était double, à la fois destruction du monde matériel et régénération des organismes vivants.

— J'ai découvert ça la veille de notre rencontre à Terrebonne, dit-elle. Ce jour-là, vous avez dû me prendre pour une folle ! Mais il fallait absolument que je vérifie mon hypothèse, vous comprenez ? Je ne pouvais rien faire sans preuves !

— Les souris que vous avez apportées avec nous étaient cancéreuses, c'est bien ça ?

— Évidemment ! dit-elle en secouant la tête. Quand je pense à toutes celles que nous avons sacrifiées pour rien !

La situation ne manquait pas d'ironie. Ils s'étaient obstinés à mettre des animaux sains en contact avec Max et à les disséquer ensuite, en faisant tous les tests et toutes les analyses imaginables, pour chercher en vain une trace biologique de cette lèpre qui avait rongé en quelques jours les barreaux des cages. Mais, comme ils n'avaient jamais soupçonné que le pouvoir destructeur de Max pouvait avoir un effet curatif sur les organismes vivants, l'idée ne leur était jamais venue de placer à son chevet des animaux malades, et d'en observer la guérison. Après coup, la chose semblait pourtant évidente et donnait du poids à l'hypothèse selon laquelle le cancer chez l'homme est causé par un agent inorganique. En simplifiant à outrance, on pouvait dire que l'effet Sieber guérissait le cancer pour la raison même qui rendait les antibiotiques totalement inefficaces.

— J'aimerais vous poser une question, ajouta-t-elle en

cherchant soudain ses mots. Supposez que les tests nous confirment que les trois souris sont guéries, ou en voie de l'être. A partir de là, qu'est-ce qu'on fait? Non, prenez le temps d'y penser!

Pourquoi me parlait-elle à voix basse, et pourquoi lui avais-je répondu de la même façon? Je ne craignais pas de déranger les voisins, car j'éprouvais la sensation essoufflante que nous étions à présent les seuls occupants de l'hôtel, et que même Wilbur Apples l'avait déserté après l'heure de fermeture. En vérité, nous chuchotions par peur de réveiller les ombres qui s'étaient accumulées dans les recoins de la chambre, maintenant que le flamboiement du ciel s'était mystérieusement éteint.

Je suivis le conseil de Maureen pour la forme, certain de pouvoir répondre à sa question dans la minute. Je finis par relâcher ma respiration sans avoir prononcé un mot. Les choses n'étaient pas aussi simples qu'elles le semblaient au premier abord. J'avais une conviction pour unique argument, qui était liée à ce reproche que mon ex-femme m'avait maintes fois adressé, au sujet de mon comportement à l'égard de la maladie de Florence. Ne comprenait-elle pas que ma passivité était la traduction maladroite du sentiment d'impuissance qui me rongeait le cœur? J'étais sans doute d'un naturel conciliant et pacifique, mais il n'empêche que si j'avais eu connaissance, six mois auparavant, que le moyen de sauver mon enfant existait quelque part, et qu'on m'en refusât l'accès, l'homme tranquille se serait vite changé en bête féroce.

A la fin de l'après-midi, sur le chemin du blockhaus, Maureen m'avait prévenu que je changerais d'avis au sujet de la divulgation du résultat de ses recherches, et il m'était indifférent à cette heure de lui donner raison.

— C'est épouvantable, on ne peut rien dire! En tout cas, pas avant d'avoir trouvé l'explication du pouvoir de Max.

Elle m'avoua avec une trace d'embarras qu'elle s'était tout de même confiée à quelqu'un, juste avant notre départ d'Ottawa. Elle ne voulait pas laisser de témoignage écrit derrière elle mais, en même temps, elle avait pensé à Lotte et à un accident toujours possible.

— Qui est-ce ? dis-je.

— Je crois que vous le connaissez, dit-elle. C'est l'aumônier de l'hôpital.

Le père Maurice l'avait étonnée une fois de plus par la pénétration de son jugement, qu'il avait le don de faire passer pour du sens commun. Avant de s'ouvrir à lui, elle ne s'était pas vraiment arrêtée à penser au-delà des aspects purement scientifiques de son hypothèse. L'idée d'être sur la voie d'une cure universelle du cancer l'avait obnubilée — sans compter qu'elle n'avait pas eu beaucoup de répit pour mettre de l'ordre dans ses idées. Il lui avait alors demandé combien d'enfants dans le monde — pour ne parler que d'eux — étaient atteints d'une forme ou l'autre de cancer. Elle n'avait pas les chiffres précis en mémoire, mais ça devait représenter un ordre de grandeur de plusieurs centaines de milliers de cas.

— Et alors, vous l'imaginez avec son air de ne pas y toucher, dit-elle, il me demande comme ça si j'allais être responsable de choisir ceux qui rencontreraient Max, et si j'avais déjà pensé à établir mes critères de sélection.

— Que comptez-vous faire ? dis-je.

— Arrêter d'en parler, surtout avec vous ! Je me suis arrangée avec Patterson, il testera les souris après quarante-huit heures d'exposition à l'effet Sieber. Le plus beau de l'histoire, c'est que s'il ne trouve rien, il y verra la confirmation de mon incompétence !

— On peut arrêter d'en parler, dis-je, mais comment arrêter d'y penser ? Vous vous souvenez de ce poème de Poe ? « Bois, ô bois ce bon népenthès... » Vous n'auriez pas dans votre sac un remède pour oublier, à part le pistolet ?

— On peut arranger ça, dit-elle.

Quelque part au loin, dans le silence de la nuit, sortant de la forêt qui entourait Wabashikokak, on entendait des hurlements de loups. L'aube n'était pas loin.

— Je ne pensais pas que vous étiez capable de tant d'abandon, murmurai-je.

— Et moi, je me demandais si j'avais une place dans la parenthèse.

Elle m'embrassa, à la quête de mon souffle, et quand mes reins levés pressèrent ses reins creusés, elle m'accueillit avec des mots décousus et des sanglots, et je n'aurais su dire si elle pleurait de soulagement ou de joie. C'était d'ailleurs de peu d'importance, car nous savions tous deux que le véritable objet de notre commerce n'était pas le plaisir.

CHAPITRE 15

J'arrivai devant la maison avec un sentiment de gratitude et de bien-être anticipé, étourdi par les heures de route et secrètement soulagé d'arriver avant le retour d'école des enfants. J'avais envie de me retrouver seul pour un moment, de me promener de pièce en pièce en touchant aux meubles et aux bibelots, de décacheter le courrier et de prendre une douche interminable. J'aurais voulu pouvoir retarder de plusieurs heures le moment de me retrouver face à Florence, si grande était mon impatience de la serrer contre moi, et si forte ma crainte que sa bonne mine n'encourageât en moi la prolifération de ce cancer endémique de l'âme, l'espoir.

J'entrai dans la maison, me débarrassai de mon manteau et de mon sac de voyage. En me retournant, je découvris avec un hoquet de frayeur une forme affaissée dans un fauteuil du salon.

Le vieillard aux yeux clos était si immobile qu'il me fallut l'observer de près pour lui découvrir un signe de respiration. La cigarette qu'il avait commencé de fumer avant de s'assoupir lui avait échappé des doigts, pour se consumer entièrement sur l'accoudoir de son siège.

— Monsieur Olivetti ! dis-je en lui touchant le genou.

J'eus la curieuse impression d'avoir mis en marche un

automate. Ses yeux s'ouvrirent dans un déclic et sa tête repartit aussitôt dans son spasme de Parkinson.

— Padre mio, vous m'avez fait peur ! dit-il. J'ai cru que c'était... cette vieille peau de Carlotta. Elle m'espionne sans relâche, je la vomis !

Son essoufflement avait empiré depuis notre dernière rencontre, et un râle lointain accompagnait à présent chacune de ses aspirations.

— Depuis quand m'attendez-vous ? dis-je.

Il se pencha pour prendre sa boîte de cigarettes, l'ouvrit et, avec un soin méticuleux, s'en servit pour ramasser la cendre sur le bras du fauteuil, sans plus d'émotion que s'il passait le plus clair de son temps à brûler le mobilier des gens qui l'accueillaient. Mon fils l'avait reçu à l'heure du déjeuner, et lui avait tenu compagnie jusqu'à son départ pour l'école. C'était un garçon bien élevé, dit-il, ensemble ils avaient eu une discussion intéressante sur nos vacances à la Jamaïque.

— Vous avez l'heure ? dit-il.

— Il est quatre heures moins vingt.

— Vous m'excuserez, dit-il. Mon temps est compté !

Il s'avança sur son siège et je me levai à demi du mien, pris au dépourvu et pensant qu'il s'apprêtait à partir. Il se contenta de poser ses cigarettes sur la table basse, et me fit signe de me rasseoir.

— Pas pour vous ! précisa-t-il. Compté pour moi ! Je suis au bout de mon rouleau. Vivre est une maladie, le sommeil nous en soulage... de temps en temps, mais c'est un palliatif. C'est la mort qui est le véritable remède !

— Vous ne devriez pas dire ça.

— Ce n'est pas moi... qui le dis ! chuchota-t-il. Je n'aurais pas assez d'imagination. Heureusement que j'ai de la mémoire ! Ça me permet d'avoir l'esprit des autres.

Je ne voyais nulle part sa chaise roulante, et je me demandai de quelle façon il était parvenu jusque dans ce fauteuil. Je lui offris à boire. Il commença par refuser, puis se ravisa et me demanda de lui faire un petit café-cognac, de préférence sans café. Alors que j'essayais de comprendre sa rhétorique, je le vis jeter un coup d'œil par-dessus son épaule. Même absente, cette vieille peau de Carlotta surveillait chacun de ses excès.

— Vous ne devriez pas, c'est ça ? dis-je en sortant une bouteille et deux verres du cabinet à liqueurs.

— Je les emmerde jusqu'au trognon ! dit-il.

Je l'écoutais en souriant malgré moi, me disant qu'il aurait été capable de donner un air de respectabilité aux propos les plus obscènes. Maigre comme une statue de Giacometti, il se tenait dans son fauteuil le buste droit, avec ses demi-lunettes cerclées d'or et ses cheveux blancs encore abondants, divisés par une raie médiane et plaqués sur la tête avec de la brillantine. Il commença par humer le verre de cognac, les yeux fermés, puis l'inclina en tremblant, comme s'il voulait se contenter d'y humecter ses lèvres.

— J'ai bien reçu votre message à Wabashikokak, dis-je. J'ai essayé de vous joindre au numéro que vous aviez laissé, mais je n'ai pas réussi à avoir la communication.

Il fit un geste de la main pour me signifier que c'était sans importance. Avant toute chose, il tenait à s'excuser de l'incrédulité avec laquelle il avait accueilli mon récit, l'autre jour à l'aéroport. Mais aussi, pourquoi ne lui avais-je pas dit que l'enfant Sieber était parent avec Walter König, le biochimiste ?

— Walter König ? dis-je en me souvenant vaguement d'une allusion de Lotte au sujet de son frère. Vous le connaissez ?

— Personnellement, non ! Mais de réputation, qui ne le connaissait pas ?

En petites phrases haletantes, et pourtant sans montrer la moindre hâte, il entreprit de me livrer le résultat de ses recherches.

Le couple Sieber avait reçu la visite, l'été dernier, du frère de Lotte, Walter König, de passage au Canada pour affaires. C'était la première fois qu'il revoyait sa sœur depuis qu'elle avait quitté la Suisse, dix ans auparavant. Il était resté une semaine à Terrebonne, puis avait emmené Max pour un voyage de quatre jours à Goose Bay, dans le nord de Terre-Neuve.

— Lotte m'en avait vaguement parlé, dis-je. Mais qu'est-ce que König est allé faire dans ce coin perdu?

— Pas perdu pour tout le monde! dit le vieillard avec un sanglot d'hilarité. Je connais des multinationales... qui sont en train d'y gagner une fortune! L'or noir, mon jeune ami...

L'exploration pétrolière dans la mer de Beaufort et au large des côtes du Labrador attirait dans les régions nordiques une main-d'œuvre spécialisée de plus en plus nombreuse, de l'équipement lourd et d'énormes capitaux. Mais le forage des puits sous-marins représentait une menace écologique d'une gravité extrême, car l'océan Arctique était appelé à devenir un jour le principal, sinon le seul, réservoir d'eau potable de l'Amérique du Nord. Depuis plusieurs années, Walter König travaillait pour le compte des laboratoires Kaufmann à la mise au point d'une parade biochimique aux fuites de pétrole, qui laisserait à des bactéries nouvellement développées le soin de nettoyer la place au lendemain d'un désastre.

Il était descendu dans un motel de Goose Bay, accompagné de Max, et des témoins les avaient aperçus le même soir qui dînaient dans un restaurant voisin. Le lendemain matin, une femme de chambre découvrit l'enfant étendu tout habillé sur son lit, dans un état cataleptique. Il fut transporté à la clinique locale, où il demeura jusqu'à l'arrivée de ses parents. Le rapport de l'interne de service notait qu'il était sorti de sa prostration à deux reprises, pour subir des accès de panique qui avaient nécessité l'administration de fortes doses de calmants.

On n'avait jamais revu Walter König, et sa disparition fit à l'époque les manchettes des journaux à sensation, dont certains allèrent jusqu'à prétendre que le savant avait été enlevé par des extra-terrestres. Si on ne parlait pas de soucoupes volantes dans les milieux scientifiques, on y murmurait par contre que le gouvernement suisse et la firme Kaufmann avaient secrètement financé une expédition privée, qui avait battu la région de Goose Bay pendant six semaines, sans découvrir la moindre trace du frère de Lotte ni de la voiture qu'il avait louée à un garagiste de l'endroit.

Par la suite, les enquêteurs s'étaient rendus à plusieurs reprises à Terrebonne, pour interroger Max à son domicile. Apparemment, ils avaient été incapables de lui soutirer un récit cohérent, ou de comprendre les causes de la terreur que lui causaient certaines de leurs questions au sujet de ce qui était arrivé à son oncle. Lotte avait finalement obtenu un certificat du médecin de famille, attestant que ces interrogatoires nuisaient au rétablissement de son fils.

— Vous croyez qu'il y a un lien entre la disparition de Walter König et la maladie de Max ? dis-je.

— Évidemment ! dit-il. Mais ne me demandez pas... de vous en dire davantage. Je ne sais rien de plus ! König était un drôle de moineau, mais ce n'était pas le genre d'homme... à abandonner son fils comme un petit Poucet. Il lui est arrivé quelque chose, c'est sûr !

— Vous avez dit son fils, remarquai-je. Vous voulez dire son neveu.

Il porta la main à sa poitrine et fit entendre ce râle asthmatique qui lui tenait lieu de rire. Je me dis qu'il me faudrait éviter à l'avenir de lui tenir des propos divertissants, qui risquaient de lui être fatals. Il finit néanmoins par trouver le moyen de faire une provision d'air suffisante pour me dire que son contact chez Kaufmann, en Suisse, lui avait refilé une information qui ne figurait nulle part dans les rapports officiels sur König. Le biochimiste, qui était le dernier de lignée d'une des familles les plus en vue de la haute bourgeoisie bâloise, avait eu une liaison scandaleuse avec sa sœur Lotte, alors âgée de dix-sept ans. König père avait menacé de traîner Walter en justice, mais le conseil de famille était intervenu pour sauver l'honneur du nom, et l'affaire avait été étouffée tant bien que mal. Lotte était enceinte et s'exilait au Canada deux mois plus tard.

Du bout de son soulier verni, Olivetti poussa son verre dans ma direction, comme si son pied agissait en toute indépendance de sa volonté. Je lui servis un second cognac, l'esprit ailleurs.

— Vous ne dites rien ? demanda-t-il en affilant son nez.

— Lotte avait essayé de me révéler son secret, dis-je. Je n'ai pas su l'écouter, et l'idée d'un inceste ne m'est jamais venue.

— Oh, un inceste ! dit-il, comme s'il trouvait que j'avais recours à de bien grands mots pour désigner un petit accroc, qui pouvait se produire dans la lingerie des familles les plus respectables.

Il inclina le buste vers moi et, à la sévérité de sa mine, je compris qu'il s'apprêtait à m'en raconter de bien bonnes. Il commença par me dire que le groupe Kaufmann continuait de dépenser des sommes considérables pour retrouver Walter König.

— Ils doivent avoir leurs raisons, dis-je. König a sans doute fait une découverte importante... Vous dites vous-même qu'il n'est probablement pas étranger à la maladie de Max.

— Tout doux, jeune homme ! J'ai dit que sa disparition... était liée à la maladie de son fils. Ce n'est pas pareil ! Mais vous avez quand même... débusqué la couleuvre. On s'est fait couillonner par des boursicoteurs !

Ses mains décharnées fouillèrent en tremblant le porte-documents en maroquin posé sur ses genoux, et me tendirent une liasse de coupures de journaux. Certaines faisaient état de rumeurs persistantes sur la découverte d'un médicament révolutionnaire pour le traitement du cancer, par une firme bâloise ; les autres provenaient des pages financières de divers quotidiens, et le nom de Kaufmann était souligné au crayon gras dans les cours de la bourse et dans des articles ayant trait à l'actualité économique.

Il faisait peu de doute pour Olivetti que la disparition d'un biochimiste de la trempe de König avait dû être un coup dur pour le consortium suisse, qui avait financé de bonne foi une première expédition de recherches, en complément du travail régulier de la police. Ce branle-bas n'était cependant pas passé inaperçu et une nouvelle vague de rumeurs circulait à présent dans les milieux spécialisés, selon laquelle Walter König aurait expérimenté son médicament sur son neveu, qui était atteint d'un cancer des os. Les autorités canadiennes auraient alors hospitalisé l'enfant au Memorial, non pour le soigner, mais pour tenter de découvrir le secret de sa prétendue guérison.

— Mais comment peut-on colporter des choses pareilles ? m'écriai-je avec indignation. Ça ne fait aucun sens !

— Oh, que si ! Souvenez-vous que « point d'argent, point de suisse » ! Les actions de Kaufmann n'ont pas cessé... de grimper depuis quatre mois ! Voyez vous-même, elles sont à quarante-deux point cinq. Six fois leur valeur de janvier. La spéculation sur l'espoir, mon jeune ami ! On recherche König... et on trouve des capitaux ! Et dire que j'ai manqué... me faire prendre !

— J'ai rencontré Walter König l'autre jour, dis-je.

Le tremblement chronique du vieil homme fut court-circuité par un violent sursaut, et il sauva son verre de justesse en le posant sur l'accoudoir du fauteuil. Il me fit un signe de main, qui signifiait : « Allez-y, déballez votre sac ! » Je l'observai, alors que je lui racontais ma visite à la maison des Sieber, et l'intensité avec laquelle il écouta mon récit me prouva une fois de plus qu'en dépit de son âge et de son apparente fragilité, il était dominé par la passion.

— Merci mille fois ! dit-il lorsque j'eus fini mon histoire. Vous me donnez un coup de santé ! Et ces enfoirés qui vont attribuer ça... à leurs saloperies de médicaments !

Il m'expliqua avec un surcroît de dignité dans ses manières que ses docteurs étaient tous des fils de putes, qui l'avaient donné pour mort une demi-douzaine de fois. À chaque nouvelle auscultation, ils lui trouvaient une nouvelle maladie, en plus de l'aggravation des anciens bobos.

— Vous n'avez pas l'air si mal en point, dis-je pour lui faire plaisir.

— Ne vous y fiez pas ! dit-il dans ce qui semblait devoir être son dernier souffle. J'ai posé mon propre diagnostic... pas besoin de ces charlatans ! J'ai une santé psychosomatique, voilà !

Comme pour faire la preuve de son mal, il se déplia de son fauteuil avec une lenteur théâtrale, puis traversa le salon d'un pas ferme, pour aller jeter un coup d'œil par la fenêtre. J'étais stupéfait, car depuis notre rencontre à l'aéroport je le croyais incapable de se déplacer sans aide. Je fis mention de sa chaise roulante, ce qui déclencha contre mon intention un nouveau râle de rire. Quand il eut repris son calme, il m'expliqua qu'il utilisait ce moyen de locomotion dans les lieux publics, pour économiser ses forces déclinantes. Il évoqua certains aéroports avec leurs kilomètres de couloirs souterrains, mais un fond d'amusement dans sa voix dénonçait la supercherie. Je compris qu'il tirait profit de son apparence sénile pour éviter les files d'attente et expédier les formalités douanières et les contrôles de police en passant par des portes à accès privilégié.

— Cette vipère arrive toujours... cinq minutes avant l'heure ! dit-il. Fallait-il que je sois cinglé le jour où je lui ai offert cette maudite montre !

Une ambulance s'était arrêtée devant la maison, et Mme Cabotto en sortit, flanquée d'un infirmier. Elle lui fit signe de l'attendre près du véhicule et s'engagea en tanguant dans l'allée qui menait au porche d'entrée. Olivetti avait regagné sa place et, avant de s'asseoir, avala son cognac d'un coup et fit prestement disparaître le verre dans une potiche, posée sur un guéridon à portée de sa main. Puis il s'assit lentement, en prenant soin de cacher avec son coude la brûlure de cigarette sur le bras du fauteuil. Il y avait chez ce vieillard un fond de petite délinquance qui me le rendait vaguement suspect et infiniment sympathique.

J'allai répondre à la porte et reçus Carlotta Cabotto

dans les bras. Contrairement à son humeur de l'autre jour, elle était exubérante et me plaqua deux baisers sonores sur les joues, avant de déverser entre nous un torrent de paroles en italien. Je lui souris en retour, en me sentant un peu coupable d'avoir en son absence fourni son patron en tabac et en spiritueux.

— Je vous avais averti, dit Olivetti, alors que nous l'avions rejoint au salon. La vieille chatte est en chaleur ! Si elle pouvait s'envoyer... des petits garçons de douze ans, elle n'hésiterait pas ! C'est révoltant !

Sans se préoccuper des compliments du vieil homme, dont la nature pouvait difficilement lui échapper, Carlotta fit une rapide inspection de la pièce, confisqua en passant la clé du cabinet à liqueurs, puis s'assit pour sortir de son cabas son attirail de flacons et de petites bouteilles.

— « Le drame de la vieillesse, continua Olivetti, ce n'est pas qu'on se fait vieux, c'est qu'on reste jeune. » Pourquoi ne m'avez-vous encore rien dit... sur votre voyage dans le nord ?

En lui racontant notre visite au blockhaus, je fus soudain saisi par l'envie de lui révéler l'aspect insoupçonné du pouvoir de Max. Ce qui me retint de le faire fut ma conscience de la séduction qu'il exerçait sur moi.

— Bref, Esculape est dans le cirage ! dit-il en conclusion de mon récit. Je me réjouis de voir... comment les Américains vont s'y prendre.

— Pourquoi les Américains ?

— Mon téléphone là-bas, c'était pour vous avertir ! dit-il. Ils ont acheté Max.

— Quoi ? Vous plaisantez ! dis-je, la poitrine soudain oppressée. On n'achète pas un enfant, qu'est-ce que vous racontez !

— Ça dépend du prix, dit-il calmement.

Selon les maigres informations qu'il avait pu se procurer, Ottawa avait fait débloquer plusieurs questions en litige dans le contentieux des relations avec Washington, en échange du transfert de l'enfant Sieber dans un laboratoire de recherches de l'armée américaine, situé près de Tanana, en Alaska.

Mme Cabotto intervint sans ménagement dans notre discussion et entreprit de morigéner le vieillard, en désignant l'ambulance qui attendait devant la maison. Ils échangèrent des injures, elle dans une hystérie criarde, lui dans un essoufflement sarcastique et des spasmes de rage. Elle finit par lui tourner le dos et alla ouvrir la porte d'entrée, pour faire signe à l'infirmier de venir lui prêter main-forte.

— Vous avez vu comme cette chipie me traite? dit Olivetti en se levant tranquillement. Quand elle m'insulte comme ça, ça me guérit de mon hypotension... pour au moins trois jours ! Elle et les rebouteux, je leur chie sur la tête !

Il avait été hospitalisé la semaine dernière à New York et, comme son médecin s'opposait à tout déplacement, il avait jugé que la transgression de cet ordre était de nature à lui procurer une autre semaine de survie. Toutefois, pour ne pas être accusé de mauvaise volonté, il avait accepté de loger à la clinique Fraser, en arrivant à Ottawa.

— Il ne fallait pas vous déranger, dis-je. Je serais allé vous voir là-bas.

— L'odeur des hôpitaux me porte sur le moral ! dit-il sans sourire. Je ne l'impose pas... à mes amis, sauf en cas de nécessité.

Sur le perron, il me serra la main en me remerciant une nouvelle fois de lui avoir appris que Walter König était vivant. Carlotta Cabotto et l'infirmier l'accompagnèrent jusqu'à l'ambulance en lui prenant les coudes et en le soutenant sous les bras. Il les dépassait d'une tête et marchait le front haut et le dos cambré. Mon cœur se serra, dans la brusque intuition que cette image serait la dernière de mon souvenir de lui.

Après son départ, je pris la douche brûlante que je m'étais promise, puis décidai de faire une sieste en attendant le retour des enfants.

* * *

Je m'éveillai le lendemain, vers dix heures du matin. J'avais le vague souvenir que Florence, puis Olivier étaient venus dans la chambre et m'avaient parlé. Je me demandai s'ils étaient déjà partis pour l'école ou s'ils avaient congé — et quel jour étions-nous, vendredi ou samedi? Je décidai qu'il était grand temps de me lever, fermai les yeux et sombrai à nouveau dans le sommeil.

Je repris conscience à cinq heures et demie de l'après-midi. Je ne me rappelais pas avoir jamais dormi de la sorte, et la fatigue accumulée au cours du voyage à Wabashikokak ne suffisait pas à expliquer mon interminable repos. La première pensée qui me vint en ouvrant les yeux fut que j'allais bientôt connaître le résultat des derniers tests ordonnés par le Dr Davis, et je compris pourquoi je m'étais attardé dans le sommeil.

Je trouvai les enfants attablés à la salle à manger, qui terminaient leur repas. Mon couvert était mis et un cadeau de Florence m'attendait sur l'assiette. Elle se précipita pour me faire une fête et je m'assis en la tenant dans mes bras, éberlué et en proie à un léger vertige. Je les interrogeai à tour de rôle sur ce qui s'était passé pendant mon absence, et ce qu'ils avaient fait hier soir — et non, je n'avais aucun souvenir de leur avoir dit d'aller au cinéma et de me laisser dormir. Je les écoutai parler, en faisant un effort soutenu pour me convaincre que nous étions bien aujourd'hui le lendemain de la veille.

— Personne n'a appelé? demandai-je, la bouche sèche.

— Oui, le Dr Davis, dit Olivier.

Je sursautai et ne pus réprimer un mouvement d'humeur. Pourquoi n'était-il pas venu me réveiller? C'était important, il aurait dû avoir assez de jugement pour s'en rendre compte!

— C'est exactement ce que je lui ai proposé, répondit-il

d'un ton offusqué. Elle a refusé en me disant de te laisser dormir, que tu l'avais bien mérité. Elle voulait aussi avoir le numéro de téléphone de ma mère à New York, alors je...

— Et elle n'a pas laissé de message pour moi?

— Laisse-moi finir! Oui, mais c'est juste un proverbe français, elle m'a dit que tu comprendrais: *le chat est parti, les souris dansent*. Pour une anglophone, elle se débrouille pas trop mal! Pourquoi fais-tu cette tête?

— Tu ne peux pas comprendre, dis-je avec effort. Le proverbe signifie que ta sœur est probablement guérie.

Il me fit répéter, puis se leva brusquement de table, le visage contracté, et passa au salon pour aller regarder par la fenêtre. Il devait avoir lu quelque part qu'un homme qui se respecte ne pleure pas en public, surtout quand il vient d'avoir dix-sept ans.

— Je le savais, dit Florence calmement, en descendant de mes genoux pour se couper une tranche de gâteau. Mes cheveux vont repousser comme avant.

— Mais qui te l'a dit?

— Ben, le Dr Davis, dit Florence. Mlle Bernardin voulait qu'on aille dans la salle des professeurs, mais elle était pressée et on est resté dans le couloir.

— Tu veux dire qu'elle est venue à l'école juste pour t'annoncer ça... que tu étais guérie?

— Mais non, c'est à cause de Max, dit-elle, la bouche pleine. Elle a pleuré, mais elle était pas fâchée, alors j'ai fait mon possible pour me rappeler ce qu'il m'avait dit.

— Elle a pleuré? dis-je avec incrédulité. Tu es sûre?

J'imaginais mal Maureen donnant ainsi libre cours à ses sentiments en sa présence, dans le couloir de l'école.

— Elle pleurait en dedans, tu sais bien! expliqua Flo avec application. Elle avait la voix tout électrocutée.

Maureen l'avait questionnée sur les propos de Max, qu'elle nous avait rapportés un jour au Memorial. (Il lui avait dit de ne pas s'en faire, qu'il allait *seulement* mourir et que c'était la meilleure solution pour tout le monde.)

— Je sais pas comment elle savait, ajouta-t-elle, mais Max m'a dit un secret quand on était à l'hôpital, et j'avais même pas le droit d'en parler. Seulement, le docteur a promis que c'était pour son bien. Tu crois que je me suis fait avoir ?

— Non, je ne crois pas, tu peux lui faire confiance. Et c'est quoi, ce fameux secret ?

— Oh, c'est rien qu'un jeu, dit-elle évasivement. Max m'a montré un truc avec un verre. Je l'ai expliqué au docteur, mais elle a eu l'air de trouver que c'était pas terrible. C'est bon ? C'est la maman de Claire Jarvis qui l'a donné à Olivier, pour pas qu'on meure de faim.

Je m'étais servi une pointe de quiche et l'avalais machinalement, luttant à nouveau contre le sentiment d'avoir perdu le décompte des jours. Quand avais-je téléphoné de Wabashikokak ? Hier ? Avant-hier ? En relevant la tête, je remarquai que Florence me dévisageait avec une gravité qui n'appartenait pas à son âge, et lui demandai ce qui la tourmentait.

— C'est Max qui me donne du souci, dit-elle en soupirant. Avec les enfants, on n'a jamais fini.

En sortant de table, je téléphonai à l'hôpital pour demander à parler au Dr Davis, et ne réussis qu'à m'exaspérer contre la réceptionniste du service d'urgence. Ma frustration était d'autant plus aiguë que je connaissais d'avance la réaction de Maureen, lorsque je lui dénoncerais l'indifférence crasse de cette préposée aux appels de détresse. Elle me parlerait de la pénurie de personnel qualifié, des syndicats tout-puissants et des centaines d'appels qui convergeaient tous les jours au central du Memorial. Sans le savoir, elle me ferait mesurer une fois de plus la banalité désespérante de mes rapports avec la machine hospitalière.

J'avais décidé d'attendre au lendemain pour avoir l'explication de sa visite à l'école de Florence. Néanmoins, je finis par céder au démon qui me conseillait d'aller faire un tour à son bureau avant la tombée de la nuit, et qui me susurrait que Maureen n'était pas le genre de personne à avoir la voix électrocutée pour des prunes.

* * *

Je n'avais pas fini de traverser le hall du Memorial que je regrettais déjà d'être venu. L'odeur d'hôpital ne prit pas de temps à faire une boule dans ma gorge, j'avais envie de fermer les yeux pour ne plus lire les visages des gens qui se déplaçaient autour de moi, dans l'asepsie contagieuse de cet univers clos. Une lumière verte s'alluma sur le mur avec un tintement de cloche, les portes de l'ascenseur s'ouvrirent et je me trouvai nez à nez avec l'inconnu que j'avais croisé dans l'antichambre du salon funéraire de Terrebonne, et qui semblait me précéder partout depuis ma rencontre avec le père Maurice, dans le confessional de l'église St. Andrew. Il m'avait également reconnu et ne me donna pas le temps de décider de l'attitude à prendre. Il sortit de la cabine la main tendue et me prit par le coude pour m'entraîner cavalièrement vers la sortie.

— Doctoresse Davis n'est pas là, dit-il avec un sourire résigné. Je l'ai attendue deux heures pour rien. Tant pis pour elle !

— Vous la connaissez ? dis-je, pressentant que je n'étais pas au bout de ma surprise.

Il devait avoir dans les trente ans, mais sa coupe de cheveux, du style des années cinquante, lui donnait un air frais émoulu de collège militaire. Je l'avais pris dès le début pour un homme de la Gendarmerie royale, mais à peine eut-il ouvert la bouche que je réalisai ma méprise. Il parlait le français avec un accent alémanique, étrangement semblable à celui de Lotte.

— Définitivement ! répondit-il. Elle avec moi, on a collaboré, comme qui dirait. Échange d'informations, mise en commun, en tout bien tout honneur !

Nous étions sortis de l'hôpital et marchions sur la

pelouse en direction de la morgue. Le soleil était bas sur l'horizon et posait sur toute chose une teinte d'ocre. J'avais fait ce chemin avec Maureen quand elle était encore pour moi le Dr Davis, et j'eus le sentiment poignant de fermer une boucle. Mon compagnon s'arrêta subitement et me tendit à nouveau la main, le buste raidi. Pour un peu, il aurait claqué des talons.

— Graber ! dit-il. Helmuth Graber ! Je suis venu pour dire au revoir.

— Vous connaissez mon nom, je crois, dis-je en lui rendant sa poignée de main. Il y a deux choses que j'aimerais vous demander, monsieur Graber.

— Service ! dit-il. J'écoute.

Nous avions repris notre marche et je le surveillai du coin de l'œil, pour déterminer s'il se payait ma tête ou s'il était sérieux.

— J'aimerais savoir qui vous emploie, dis-je, et aussi pourquoi vous vous intéressez à Max Sieber.

— *Sicherungs Dienst GmbH !* dit-il avec une fierté juvénile. Notre client pour cette affaire est la firme Kaufmann.

En principe, il n'était pas autorisé à divulguer ce genre d'informations, mais il savait qu'il pouvait compter sur ma discrétion. De toute façon, la doctoresse était au courant et il préférait prendre les devants et m'en parler d'homme à homme. Dans son métier, moins il y avait d'intermédiaires, plus le renseignement était sûr. Sans compter qu'avec les femmes... Il m'expliqua alors qu'il était membre d'un bureau d'enquêteurs privés et que je faisais fausse route en l'interrogeant sur Max Sieber. Sa mission au Canada avait été de retrouver Walter König, le frère de Lotte, car ils avaient de bonnes raisons de croire qu'il était toujours en vie.

— Vous connaissez son lien de parenté avec Max ? dis-je en baissant la voix.

Il approuva de la tête en avouant qu'il était lui-même originaire de Bâle-Ville, et j'eus l'impression que, tout redoutable limier qu'il était, il rougissait de confusion à l'évocation des mœurs scandaleuses de la famille König.

— Je rentre demain à Zurich, à notre quartier général, dit-il. Pourriez-vous transmettre mes messages à Frau Davis, et lui faire savoir que je suis venu prendre congé ?

— Je n'y manquerai pas, dis-je. Qu'est-ce qui vous a décidé à abandonner les recherches ?

— Négatif ! dit-il. Qui parle d'abandonner ? Moi je pars, mais les autres continuent leur travail.

— Les autres ! Vous n'étiez pas seul ?

— Vous voulez rire ! dit-il. Il en reste cinq dans le champ, et on parle d'envoyer des renforts.

— Pourquoi voulez-vous à tout prix retrouver ce M. König ? demandai-je après un moment de réflexion.

Il n'en avait pas la moindre idée et ce n'était pas son travail de le savoir. Mais si on considérait les sommes dépensées par Kaufmann pour lui mettre la main au collet, on pouvait penser que c'était une personne extrêmement importante. Quant à lui, il avait cru que le secret de l'opération était bien gardé, mais il se rendait compte à présent qu'il s'agissait en réalité d'un secret de polichinelle. C'était à se demander si quelqu'un n'organisait pas délibérément les fuites !

— Le cancer est aussi une industrie, murmurai-je.

— Je vous demande pardon ?

— Non, rien. Je me rappelais les paroles d'un vieil ami. Dites-moi, quel genre d'informations échangiez-vous avec le Dr Davis ?

— Je la tenais au courant de nos recherches, dit-il. En retour, elle devait me transmettre des renseignements sur König, mais ça n'a rien donné. Max a toujours refusé de parler de ce qui est arrivé à Goose Bay. De toute façon, il ne peut plus rien nous apprendre à présent.

— Pourquoi dites-vous ça ?

Nous étions revenus à notre point de départ, devant l'entrée de l'hôpital. Il me dévisagea avec étonnement et dit qu'à cause de mon poste au gouvernement, il avait pris pour acquis que je connaissais la nouvelle.

— De quoi parlez-vous? dis-je, le cœur serré par l'angoisse.

— Mais... de la disparition de l'avion! dit-il.

Max et une équipe de médecins et de techniciens étaient partis hier après-midi de Wabashikokak pour rejoindre la base américaine de Tanana, en Alaska. L'avion militaire qui les transportait n'était jamais arrivé à destination. Des recherches avaient été entreprises dans la matinée, mais il avait fallu les interrompre à cause des conditions atmosphériques.

Mon premier mouvement fut de mettre l'information en doute, car je ne pouvais concevoir qu'on eût pris le risque de faire monter Max dans un avion, connaissant la nature de son mal. Helmuth Graber m'observait en fronçant les sourcils.

— Mes excuses! dit-il. Je ne voulais pas vous causer un choc, parole! J'ignorais que vous étiez si attaché au petit Sieber... Vous savez pourquoi on me rappelle en Suisse? Je parle trop.

Son visage d'étudiant se plissa dans une grimace tragicomique. Il me serra la main pour la troisième fois, en me disant qu'il regrettait de n'avoir pas saisi plus tôt l'occasion de se faire connaître. Puis il se détourna et s'éloigna au pas de course, comme si une urgence subite requérait plus loin ses bons offices. Je lui en voulais un peu, non de partir, mais de me laisser seul en ma compagnie.

Ce que je venais d'apprendre au sujet de la disparition de l'avion ne me permettait pas de me prononcer avec certitude sur le sort de ses passagers. Pourtant, je ne doutai pas un instant de la mort de Max, tant elle me paraissait dans les circonstances être l'aboutissement logique de son extraordinaire destinée. (Peut-être aussi étais-je à la recherche d'un chagrin, pour tempérer l'indicible soulagement que me procurait la guérison de ma fille.) *J'ignorais que vous étiez aussi attaché au petit Sieber*, avait dit Graber avec l'accent de Lotte. Je ne l'avais pas réalisé non plus, avant cette minute. Car enfin, nous ne nous étions rencontrés qu'à trois ou quatre reprises, et je n'avais même jamais entendu le son de sa voix, n'était-ce le cri terrifiant avec lequel il avait accueilli l'arrivée de Maureen dans le blockhaus.

En vérité, les événements dramatiques qui m'avaient mis en relation avec Max ne suffisaient pas à expliquer l'intensité et la singularité de mon sentiment à son égard. L'effet Sieber semblait s'être exercé secrètement sur mon cœur, afin d'en modifier l'alchimie. Mon amour pour Florence s'était mystérieusement développé : Max y avait trouvé sa place, comme s'il était le prolongement d'elle dans une autre dimension. J'étais incapable de m'expliquer la nature de ce phénomène, mais j'avais la prescience que le temps ne le modifierait pas. Le jour viendrait où les épreuves de ces derniers mois seraient estompées par l'oubli, mais où je continuerais de voir flotter derrière Florence une ombre double, et dans ses yeux l'appel du regard énigmatique de celui qui n'était plus.

* * *

Le père Maurice avait enfilé un imperméable par-dessus son pyjama pour venir me répondre, et m'assura pourtant qu'il attendait ma visite.

— Vraiment ? dis-je. Vous n'allez pas vous aussi me parler de prémonition et de transmission de pensée !

— Oh non ! Seulement j'ai rencontré le Dr Davis cet après-midi au Memorial, et nous avons parlé. A-t-elle finalement réussi à vous joindre ?

— Non, mais elle a laissé un message à la maison. L'église est fermée ?

Il secoua la tête et m'invita à entrer dans le presbytère, en levant son bras comme une aile. Sans poser d'autre question, il me dit que nous allions traverser par la crypte, mais qu'il faudrait nous contenter d'un éclairage de fortune. Le tableau de contrôle des circuits électriques était sous clé et le sacristain, qui avait le trousseau, était parti au cinéma avec sa mère, qui était une femme plus jeune que lui, si je voyais ce qu'il voulait dire.

Nous entrâmes à l'arrière de l'église. S'éclairant de la flamme de son briquet, Maurice traversa le chœur pour aller allumer une demi-douzaine de cierges. Son ombre gigantesque s'allongea bientôt sur le mur de pierre et courba pieusement la tête en épousant la voûte du plafond. Je le rejoignis, marchant malgré moi sur la pointe des pieds, car chaque bruit débusquait un écho dans l'ombre environnante.

— Je ne suis pas croyant, vous le savez, dis-je. Votre Dieu ne me manquait pas dans le malheur, bien au contraire ! Ce soir, c'est différent. Vous n'ignorez pas que je viens d'avoir la confirmation de la guérison de Florence. Je suis profondément désemparé et je n'ai personne vers qui me tourner pour dire merci.

J'entendais mes paroles comme si elles avaient été prononcées par quelqu'un d'autre. Était-ce tout ce que je trouvais à dire, pour annoncer que mon enfant était miraculeusement sauvée ? Toutefois, en dépit de leur indigence, les mots me donnèrent accès aux émotions que j'avais retenues depuis mon départ de la maison. Un soulagement sans bornes, mêlé à une joie sauvage, me submergea comme une passion incontrôlable. J'aurais voulu me démener et crier pour célébrer ma libération de l'horreur, et tout ce dont j'étais capable fut de sangloter, en bégayant des phrases incohérentes à cet ami qui me tenait les mains, le regard papillotant de compassion et de gêne.

— Je peux Le remercier à votre place, dit-il doucement. Il n'est pas à cheval sur l'étiquette.

— Je crois que j'étais venu vous le demander.

Il s'avança vers l'autel et s'agenouilla sur la première marche. Je m'attendais à le voir joindre les mains et à l'entendre murmurer quelque formule consacrée, mais il se contenta de regarder devant lui, la tête levée, en présentant silencieusement ses paumes. Il réunissait toutes les conditions pour paraître ridicule, avec ses cheveux hirsutes et les tuyaux rayés de son pantalon de nuit qui dépassaient au bas de son imperméable froissé, dans la lumière dansante des cierges. J'aurais voulu pouvoir continuer à l'observer sous cet angle grotesque, afin d'échapper au trouble qui m'envahissait. Cet homme seul accomplissait en mon nom une démarche à laquelle ma raison ne pouvait souscrire, mais dont la noblesse et la sincérité me chaviraient le cœur.

Il se redressa enfin et alla s'asseoir sur un des bancs latéraux, en me faisant signe de le rejoindre. Il me posa quelques questions sur mon voyage à Wabashikokak et sur mes projets d'avenir, mais j'eus l'impression que mes réponses ne l'intéressaient qu'à moitié. Sa physionomie, que je lui connaissais ouverte et sereine, était étrangement soucieuse.

— Étant donné que le Dr Davis ne vous a pas parlé, dit-il finalement, vous ne savez probablement pas ce qui s'est passé à la base militaire après votre départ.

— Non ! Qu'est-il arrivé ? demandai-je, soudain en alerte.

Il hésita, ne sachant par où commencer. D'après ce qu'il avait compris, Max se trouvait dans une sorte de petite forteresse, isolée au milieu d'un bois. Au cours de la nuit qui avait suivi notre visite, l'infirmière de garde s'était absentée pour une demi-heure afin d'observer une aurore boréale. A son retour, elle avait découvert l'enfant sans connaissance, et la jeune femme qui était restée seule avec lui se trouvait dans un état de choc profond. (Maurice voulait sans doute parler du sergent Bédard.) Elle semblait incapable de comprendre les questions qui lui étaient posées, et répétait inlassablement qu'elle avait vu « la lumière de Dieu », et que Sa voix était comme « un tonnerre de musique ».

— Quelque chose s'est produit quand elle était seule avec Max, dis-je.

Ma déduction relevait de l'évidence et je l'avais exprimée sans y penser, l'esprit occupé par le souvenir de ma rencontre avec Walter König, dans la maison de Lotte.

— Nous autres prêtres, dit Maurice avec hésitation, nous sommes traditionnellement réservés à l'égard des gens qui ont des visions. De toute façon, il semble bien que la chose soit aujourd'hui passée de mode.

— Mais ce qui est arrivé là-bas vous trouble, dis-je.

— Ce sont les quatorze guérisons du cinquième nord qui me troublent, Daniel! répondit-il d'une voix altérée. Ça ne laisse pas beaucoup de place au hasard... On a crié au miracle pour beaucoup moins!

Ce qui le rendait malheureux, c'était l'impression de n'avoir pas été suffisamment attentif envers Max, quand il se trouvait encore au Memorial. L'enfant ne se faisait pas remarquer, il parlait peu, on avait tendance à le laisser pour compte.

— Vous oubliez que vous m'avez fait venir dans cette même église pour me dire qu'il fallait le protéger...

— Je ne l'oublie pas, dit-il sourdement. Mais je croyais alors qu'il était dangereux... Je veux dire, dangereux pour l'homme! Pourquoi ai-je été aussi aveugle?

Il baissa la tête avec découragement et murmura, faisant allusion au fait que je n'étais pas croyant, qu'il enviait ma certitude. Les cierges à proximité du maître-autel vacillèrent soudain, alors qu'un souffle glacé traversait l'église déserte, dont les ombres semblaient vouloir se refermer sur nous.

* * *

Un fauteuil de cuir de chez Van Leuwen, aux clous de laiton à tête ronde, occupait le milieu du salon, à demi sorti de son emballage de carton ondulé. Olivier apparut au haut de l'escalier et dégringola les marches, incapable de tenir pour la circonstance cette composition désabusée qui servait de personnalité à ses dix-sept ans. Sa mère venait d'arriver en taxi de l'aéroport, elle avait reçu un coup de téléphone du Dr Davis dans l'après-midi et sauté dans le premier avion pour Ottawa. Et ça, c'était un cadeau de M. Olivetti.

— Non, mais tu t'imagines, dit-il, juste à cause d'une brûlure de cigarette ! Ce type est dingue.

Dans la pénombre de la chambre, une ombre était agenouillée au pied du lit et tenait Flo dans le cercle de ses bras. La petite dormait, en faisant entendre par intervalles un ronronnement de fond de gorge. Je m'approchai, pensant que Sandy l'embrassait sur le visage et les bras. En vérité, elle la léchait doucement, à petits coups de langue, avec l'avidité possessive et farouche d'une louve pour sa dernière portée. Elle m'avait toujours rappelé qu'elle était sa mère, mais je crois bien que j'avais oublié que Florence était sa fille.

CHAPITRE 16

La maison d'été que nous avions louée à Pilgrim's Island, au sud de Cape Cod, se trouvait dans la partie boisée de l'île et avait un charme de vieille Angleterre qui me séduisit dès la minute de notre arrivée. La propriété descendait en pente douce vers le bras de mer qui se prolongeait jusqu'au port de St. Matthew. Le flot n'y avait pas l'ampleur des vagues qui battaient les plages de l'est, et Olivier pouvait sans risque sortir le voilier que nous avions découvert, à côté d'un hors-bord flambant neuf, dans la remise flottante au bout du quai.

Je me levais chaque matin aux environs de six heures, quand bien même j'avais promis à Chénier et à ma mère (rétablie de ses rhumatismes par la guérison de Florence) de profiter de mes vacances pour faire la grasse matinée plus souvent qu'à mon tour. Tout en m'efforçant de donner le change, je reconnaissais en mon for intérieur qu'ils n'avaient sans doute pas tort de me traiter en convalescent. J'avais toutefois renoncé à leur expliquer que la difficulté n'était pas pour moi de me remettre de mes épreuves des derniers mois, mais bien d'en accepter la privation subite. L'angoisse m'avait intoxiqué à la manière insidieuse d'une drogue, et il m'arrivait de me réveiller au milieu de la nuit, le souffle court, effrayé de ne plus avoir peur.

Après avoir enfilé deux chandails l'un sur l'autre, je m'installais sur la pelouse dans un fauteuil d'osier. La végétation du jardin était si exubérante qu'elle me dissimulait presque entièrement les maisons voisines et retardait l'aurore d'une petite heure. Les premiers rayons de soleil levaient alentour une brume qui traînait à ras du sol jusqu'au petit déjeuner. J'avais renoncé à lire les journaux à ce moment de la journée, dont les pages bientôt imbibées de rosée se déchiraient sous les doigts. Par acquit de conscience — et parce que j'étais encore dominé par la compulsion du travail — j'emportais avec moi un bloc-notes et un livre, qui restaient généralement sur mes genoux. Je me surprenais à trouver du plaisir dans la contemplation paresseuse de la nature, ou dans la poursuite d'une réflexion à bâtons rompus.

Mes premiers compagnons de la journée étaient les lapins de garenne, une des curiosités de cette île où la possession et le port des armes à feu étaient sévèrement réglementés. Faute d'être pourchassée par les hommes, l'espèce s'était multipliée hors de proportions et se laissait approcher d'aussi près que les pigeons de Trafalgar Square. Il n'était pas rare, si je restais immobile un moment, que je me retrouve entouré d'une dizaine de lapins, dont les oreilles s'orientaient indépendamment l'une de l'autre — et qu'autant de derrières blancs ne détalent au premier geste brusque de ma part.

Florence me rejoignait habituellement aux environs de huit heures pour m'apporter une tasse de café, avec des mines impayables de soubrette. Le breuvage qu'elle préparait de si bon cœur était exécrable, et je n'avais d'autre issue que de le verser sur la pelouse, à peine avait-elle tourné le dos. Elle marchait nu-pieds dans l'herbe mouillée, en chemise de nuit, je lui répétais pour la dixième fois que le fond de l'air était frais au petit matin et que je ne voulais pas la voir à nouveau malade. Elle me promettait avec insouciance de ne plus recommencer, et nous savions l'un et l'autre que c'était presque un jeu, et une façon de se dire qu'on s'aimait.

Je pouvais passer des heures à la regarder jouer dans le jardin ou sur la plage, sans me lasser un instant d'observer jusqu'à ses activités les plus insignifiantes, émerveillé de la voir seulement respirer et tourner la tête et remuer les bras et s'ébattre avec la grâce de l'enfance. Mon âme n'était pas près d'être rassasiée de cette succession de miracles. Parfois je sentais monter à ma gorge des bouffées de panique, qui me laissaient grelottant sous le soleil, dans la grande paix de l'été. Je ne savais comment apprivoiser la douceur de vivre, je me sentais seul et démuni dans l'épreuve du bonheur.

Sandy téléphonait tous les trois ou quatre jours pour prendre des nouvelles et annoncer sa visite prochaine, dont elle fixerait la date dès que Samuel lui aurait donné une réponse pour le contrat avec les Arabes. Je sus qu'elle ne viendrait pas en l'entendant feuilleter son agenda, car elle aimait trop arriver à l'improviste et créer autour d'elle un climat d'effervescence et de coups de théâtre, pour nous laisser le temps de nous organiser en prévision de sa venue.

* * *

Le soleil était habituellement haut levé, la rosée évaporée et les lapins de garenne à l'abri dans l'ombre des fourrés quand Olivier nous rejoignait au jardin, la tête hirsute et les yeux clignotants. Il avait mûri au cours des derniers mois, et la confirmation de la guérison de sa sœur semblait avoir marqué un tournant dans son adolescence. Il traversait à présent une période de mysticisme et de remise en question et, alors que nous étions incapables auparavant d'avoir une discussion suivie, il passait à présent des heures à s'interroger devant moi sur les intentions du destin, l'existence de Dieu et l'avenir de l'humanité.

A force de persévérance, il avait réussi à trouver un emploi à Juliette, comme aide ménagère dans une famille de Toronto. Toutefois, la jeune fille renonça à son projet à la dernière minute. Olivier prit la chose fort mal, mais j'eus l'impression que son chagrin n'était pas dénué d'un certain soulagement.

Quelque temps avant notre départ en vacances, il avait passé une semaine chez sa mère à New York, mais n'en était pas revenu aussi enthousiaste que les fois précédentes, et m'avait bientôt tenu un long discours sur l'impérialisme culturel et les méfaits de la société de consommation. Un soir, après avoir parlé avec Sandy au téléphone, je lui fis part de mes doutes sur la visite qu'elle se promettait de nous faire au cours de l'été.

— Elle attend peut-être une invitation formelle, dit-il.

— Pour venir nous voir? Tu plaisantes!

— Pas pour venir, pour rester. Je crois que son Brésilien l'a laissée tomber.

Je lui demandai en me raidissant s'il me suggérait de reprendre la vie commune avec sa mère, et il me donna une nouvelle preuve du changement qui s'était opéré en lui en me répondant posément que cette décision ne regardait que nous.

— Je le pense aussi, dis-je, mais ça ne t'empêche pas d'avoir une opinion.

— Pour moi, les choses sont bien comme elles sont, dit-il après avoir pesé sa réponse. Mais pour toi, tu ferais mieux de te ranger avant d'être trop vieux.

— Je n'y avais jamais pensé, dis-je.

Dans la semaine qui suivit notre arrivée à Pilgrim's Island, je reçus une longue lettre de Maureen, dont le ton me rassura, car j'avais craint qu'elle ne me tienne rigueur de l'avoir délaissée depuis notre voyage à Wabashikokak. Ma démission subite du cabinet de Butler et mes démarches pour trouver un nouvel emploi m'avaient en effet laissé peu de temps à partager avec mes amis.

Le lendemain de ma rencontre avec Helmuth Graber,

elle était passée me voir à l'improviste à la maison. Comme moi, elle s'était intuitivement préparée au pire en apprenant la disparition de l'avion qui transportait Max en Alaska, mais elle n'en avait pas moins été bouleversée par l'appel du Dr Patterson. Il lui avait confirmé que l'appareil, après s'être inexplicablement écarté de sa route, s'était écrasé dans le Grand Nord canadien, dans la région de Hornby Bay. Il n'y avait pas eu de survivants.

— Cette histoire est cousue de fil blanc, dis-je avec colère. On ne disparaît pas comme ça, pas de nos jours...

— Peut-être, dit-elle, les yeux embués de larmes, mais Max est mort. Patterson ne me mentirait pas sur ce point. Il fait actuellement l'impossible pour résister aux pressions des Américains, qui prétendent que le corps leur appartient, en vertu de l'entente de transfert à Tanana.

Je pensai au geste que Max m'avait fait dans le blockhaus, quelques jours auparavant, et à son expression de bonheur en apprenant que, grâce à lui, Florence et ses camarades du cinquième nord étaient sauvés. Mon esprit se refusait à admettre que la vie s'était retirée de ce bras, que l'intelligence avait déserté ce regard énigmatique, et que des fonctionnaires pouvaient aujourd'hui se disputer de la sorte les restes d'un enfant de dix ans.

— Pourquoi me regardez-vous comme ça ? dit Maureen.

— Qu'est-ce que ça vous fait ? Je veux dire, la disparition de Max...

Je m'attendais vaguement à une réponse défensive, sur le même ton un peu didactique qu'elle avait adopté dans la voiture, lorsque nous avions parlé d'euthanasie. Au lieu de cela, elle resta pensive un moment et finit par avouer qu'elle avait perdu sept kilos au cours des dernières semaines.

— Je ne me plains pas, ajouta-t-elle. Seulement il est clair que mon organisme essaie de me dire quelque chose... Je ferais mieux de l'écouter pour une fois.

Cherchant ses mots, elle me confia que Max avait cessé depuis longtemps d'être pour elle un patient comme les autres, qu'en réalité il avait transformé son existence — et elle ne parlait pas seulement des aspects professionnels de leur relation.

— Il m'a toujours fait un peu peur, murmura-t-elle. Je crois que je me suis trop attachée...

Dans sa lettre, elle m'annonçait son départ du Memorial, qui s'était effectué dans des conditions apparemment très favorables pour elle. Le Conseil canadien de la recherche médicale l'avait en effet pressentie pour mettre sur pied et diriger une équipe pluridisciplinaire, en vue d'étudier les nouvelles formes de traitement immunologique du cancer. (C'était évidemment une périphrase pour désigner l'effet Sieber.) Des moyens financiers considérables avaient été mis à la disposition du groupe — ce qui était surprenant quand on connaissait les difficultés à trouver au Canada des subsides pour la recherche scientifique — et un laboratoire remarquablement bien équipé avait été aménagé à son intention dans une aile du pavillon Penfield.

« *De toute façon, je ne pouvais continuer ma pratique au Memorial,* écrivait-elle. *La guérison simultanée des quatorze enfants du cinquième nord n'est pas passée inaperçue, malgré nos précautions. La journée avant mon départ, j'ai reçu le matin la visite d'un couple autrichien, et l'après-midi, c'était une mère qui m'amenait sa fille de Stockholm. Pas moyen de leur faire entendre raison, ils me suppliaient de sauver leur enfant comme nous avions sauvé les autres. Pour moi, c'était intolérable. Et que pouvais-je leur répondre ? Que nous avons eu le remède à portée de la main et que nous l'avons laissé échapper ?* »

Comment aurait-elle pu continuer à s'occuper d'enfants atteints d'un cancer terminal, à leur prescrire des traitements chimiques barbares et à assister à leur agonie, tout en sachant que la cure existait et qu'il n'y avait maintenant pas d'autre solution que d'en rechercher désespérément le mécanisme ? M'avait-elle dit que le petit Jacques, qui était hospitalisé en même temps que Max, n'avait pas survécu, contrairement aux autres enfants? Pourtant, sa tumeur était en régression, mais les médicaments qu'il prenait l'avaient empoisonné. Cela, Maureen ne pouvait l'oublier, quand bien même elle n'avait rien à se reprocher. Elle avait fait interrompre les traitements pour les patients du cinquième nord dans l'heure qui avait suivi la formulation de son hypothèse.

« *Je n'ai pas de mérite à avoir pris ce risque. Dès le premier instant, j'avais la certitude que cette hypothèse-là était la bonne. Vous ne savez pas ce que je donnerais pour éprouver à nouveau une telle intuition, qui me mettrait cette fois sur la piste du pourquoi. Car l'effet Sieber est devenu pour moi une obsession. Qui se plaint? Je n'ai jamais été aussi stimulée intellectuellement. J'ai rédigé en une semaine un article pour le* New York Review of Books, *qui m'aurait demandé auparavant un mois de travail. C'est comme si ce mystère rendait le reste tellement plus simple... Depuis notre voyage là-bas, je n'arrête pas de me dire que nous avons fait fausse route dès le début. Nous avons approché le problème avec une mentalité étroite, avec des schèmes scientifiques trop rigides. Gustav disait, dans un séminaire interne, que nous perdions notre temps à considérer le cas Sieber sous un microscope, qu'il fallait plutôt essayer de le voir avec un télescope. Personne n'a compris. (Je ne suis pas sûre qu'il savait lui-même ce qu'il disait.) A propos, il travaille à présent à l'hôpital Sainte-Justine, à Montréal. Je suis allée le consulter au sujet de la proposition du Conseil de la recherche. Bien sûr, je lui ai parlé des enfants et des souris. Le croirez-vous? Il a pleuré en apprenant la vérité, et il s'est reproché de ne pas avoir demandé à Max la clé du problème.* »

Vecchio avait observé de longue date que les enfants atteints d'une maladie incurable connaissaient intuitivement la gravité de leur état, avant même que le diagnostic ne l'ait confirmée. Partant de cette constatation, il avait développé une théorie selon laquelle le malade connaissait aussi le remède de son mal, et il prétendait que son rôle à lui n'était pas seulement d'aider ses petits patients à lutter contre le cancer, mais devait également les encourager à formuler ce savoir inné, c'est-à-dire à aller chercher dans leur inconscient le secret de leur guérison.

La façon dont Maureen décrivait l'approche de son collègue laissait percer son scepticisme, mais elle admettait elle-même qu'elle n'avait pas d'autre choix que d'explorer des voies qui s'écartaient de la méthode scientifique traditionnelle — laquelle, pour le cas Sieber, les avait conduits dans une impasse. Elle n'était toutefois pas disposée à suivre longtemps les élucubrations de mon ami au nom impossible à prononcer (elle voulait parler de Hnatzynshyn), en dépit de l'estime que je semblais porter au personnage. On lui avait d'ailleurs plus ou moins forcé la main pour qu'elle l'intégrât dans son équipe de recherche, et elle me concédait qu'après avoir passé quelques heures en sa compagnie, elle avait eu du mal à retomber sur ses pattes. Elle craignait d'ailleurs de l'avoir brusqué, mais les propos qu'il lui avait tenus sur la disparition des dinosaures avaient mis sa patience à rude épreuve. Par contre, une autre de mes connaissances était venue la voir, qui l'avait séduite dès les premières minutes de leur rencontre. (Elle ne pouvait en dire autant de la gouvernante qui l'accompagnait et qui n'avait cessé de mettre son nez dans des affaires qui ne la regardaient pas.)

Maureen me racontait alors que M. Olivetti lui avait proposé de mettre à sa disposition les ressources et les facilités de son institut de surveillance de la lutte contre le cancer, et elle m'avouait avec une touche de cynisme que l'état du vieil homme la poussait à accepter rapidement son offre, car tout semblait indiquer qu'il ne serait malheureusement pas en mesure de la maintenir longtemps. Je fus incapable de partager ce pressentiment. L'écrasement de l'avion qui transportait Max en Alaska avait certainement été un choc pour le vieillard, et je ne doutais pas qu'il y avait puisé de nouvelles énergies pour confondre ses médecins et survivre une fois de plus à leurs pronostics.

Maureen poursuivait dans cette veine de confidences au long de trois autres pages et cet épanchement me surprit, car elle s'était toujours montrée réservée dans l'expression de ses pensées et de ses sentiments, même durant notre voyage à Wabashikokak. Bien que sa lettre ne fît pas la moindre allusion à notre relation et se terminât par un abrupt : « *Il est tard, je vous laisse* », je lus entre les lignes un message de confiance qui me fit du bien.

Elle avait eu la prudence de poster la lettre à Montréal et l'avait adressée à M. L. Daniel, à la poste restante de St. Matthew. Elle était d'ailleurs parmi les trois ou quatre personnes qui connaissaient ma véritable retraite, car officiellement je séjournais sur l'île de Nantucket, chez un ami qui avait accepté de jouer le rôle d'intermédiaire en cas d'urgence. J'avais réussi à convaincre Sandy d'utiliser un téléphone public pour nous appeler, en lui faisant croire que, de cette façon, je pouvais accepter les frais de la conversation et me les faire rembourser par le gouvernement. A dire vrai, ces précautions me semblaient excessives et donc un peu ridicules, mais je m'y étais résolu en me souvenant du destin tragique de Juan Cavallo, et en sachant que ma démission subite du cabinet de John Butler avait inquiété plusieurs hauts fonctionnaires du Conseil privé, car j'avais eu accès à des documents dont la cote *top secret* avait été estampillée en rouge sur la couverture, non pour protéger la sécurité publique, mais pour couvrir les intérêts du parti au pouvoir.

* * *

Dans les jours qui suivirent la réception de cette lettre, je fus hanté pas un fantasme morbide, qui faisait irruption devant mes yeux aux moments les plus inattendus. J'imaginais la sépulture de Max, où était rassemblé de lui ce que les savants avaient laissé, après s'être acharnés en vain sur chaque partie de son corps, à la recherche du terrifiant secret dont il avait été le dépositaire. Personne ne venait jamais se recueillir sur cette tombe — savait-on seulement où elle se trouvait? — et personne donc ne remarquait que la lourde dalle qui la couvrait se désagrégeait inexorablement, comme un rocher du désert érodé par des vents millénaires. Les monuments funéraires environnants subissaient à leur tour l'effet de la contamination, mais les rares visiteurs de cet endroit perdu ne remarquaient rien — ou s'ils remarquaient quelque chose, ils satisfaisaient leur curiosité par des explications toutes faites. Le jour viendrait pourtant où les murs des maisons en bordure du cimetière commenceraient à se lézarder, les fenêtres ne s'ouvriraient plus, les portes ne fermeraient pas, les rideaux tomberaient lentement en poussière, et la panique éclaterait enfin, dans sa laideur et ses excès. Il serait cependant trop tard pour empêcher la propagation de la lèpre, et la ville désertée ne serait bientôt plus qu'un amas de ruines, aussi fragiles que les derniers pans d'un château de sable.

CHAPITRE 17

St. Andrew possédait un bazar qui aurait été une mine pour renouveler le contenu des poches du Dr Vecchio. Florence avait entrepris une opération de charme tôt le matin pour m'arracher la promesse que nous y ferions un saut au cours de la journée. Je refusai de m'engager, en lui expliquant que j'étais venu sur l'île pour me reposer. A la fin de l'après-midi, je l'assis sur le porte-bagage de la bicyclette et Olivier nous suivit en voiture, branlant de la tête, manifestement dépassé par l'inconsistance de ma pédagogie. Il avait obtenu son permis de conduire un mois plus tôt et prétendait qu'il ne conduisait pas pour le plaisir, mais pour amortir la surprime que la compagnie d'assurances m'avait infligée en apprenant l'existence de ce chauffeur de moins de vingt et un ans.

Nous nous étions séparés à l'entrée du bazar et je recensais la section des disques lorsqu'un toussotement intentionnel me fit retourner. Kenneth Hnatzynshyn se tenait devant moi, dans une tenue estivale qui le déguisait autant qu'un costume d'opérette, et je n'aurais sans doute pas pu garder mon sérieux si je n'avais été frappé par un autre changement. Il avait maigri (ce qui ne l'empêchait pas d'avoir encore une carrure respectable), et son visage était marqué par un vieillissement précoce qui me fit une pénible impression. Il accueillit ma surprise avec le sourire emprunté et pompeux d'un clergyman qui se serait permis une facétie, et me serra la main avec effusion.

— Ken ! Si je m'attendais à vous rencontrer ici !

— N'accusez pas le hasard, dit-il. Je suis venu exprès pour vous voir, monsieur. Pour le bazar, c'est différent, on peut dire en effet que c'est un coup de chance !

Il était arrivé par le bateau de trois heures et m'avait aperçu dans la rue, par la fenêtre du bureau de poste où il se faisait expliquer comment se rendre chez moi.

— Qui vous a dit que j'étais sur l'île ?

— Mais... le Dr Davis ! J'étais venu vous voir à ma sortie de l'hôpital, et j'ai laissé un message à votre secrétaire. Elle vous l'a remis, au moins ?

— Oui, je vous remercie, dis-je avec confusion. (J'avais complètement oublié la chose.) J'aurais bien voulu vous recevoir, mais la situation à l'époque était un peu... bousculée !

— Vous n'avez pas à vous excuser, dit-il sur un ton péremptoire. Si j'avais eu en main toutes les données de la situation, je me serais abstenu de cette visite intempestive. Mais je n'ai appris que plus tard votre décision de quitter le cabinet de M. Butler et, d'ailleurs, je veux profiter de l'occasion pour vous exprimer mon admiration.

Il me tendit la main avec une solennité de cardinal et, de tous les témoignages qui m'étaient parvenus à la suite de ma démission (dont l'explication officielle n'avait leurré personne), celui-là me toucha plus que les autres, pour quelque obscure raison.

— Une île, c'est bien, poursuivit-il gravement. Tout le monde se connaît et on peut voir venir. J'ai mis deux jours pour vous rejoindre, à cause des détours. *Ils* n'aimeraient pas me savoir en votre compagnie, si j'ose dire.

Les enfants nous avaient rejoints et Hnatzynshyn, après avoir salué Olivier avec déférence, se tourna vers Florence pour demander comment s'appelait ce gentil petit garçon.

— Je suis une fille, dit-elle sans cacher son indignation.

Mes cheveux sont tout neufs et font juste commencer à pousser, mais je perds rien pour attendre !

— Si je vous avais d'abord entendue parler, je ne vous aurais jamais pris pour un garçon, affirma-t-il comme s'il déposait sous serment. Vous avez indubitablement la voix mélodieuse d'une petite fille, il faudrait être sourd pour ne pas s'en apercevoir.

Elle considéra avec attention ce personnage qui la vouvoyait, glissa un regard vers moi pour déterminer si elle pouvait le prendre au sérieux, puis se décida à clore l'incident en poussant un soupir de *prima donna*. Elle pouvait bien avoir eu le cancer, ça ne l'empêchait pas parfois d'avoir une tête à claques.

Je donnai dix dollars à Olivier en lui demandant d'emmener sa sœur manger une pizza chez *Jimmy's*, puis je proposai à Hnatzynshyn de poursuivre notre discussion en faisant tranquillement à pied le tour du port. Il me pria de l'attendre quelques instants, disparut au fond du magasin et revint avec un objet qu'il me dissimula gauchement. (Il me sembla entrevoir un flacon.) Pour ne pas l'embarrasser, je l'attendis dehors, le laissant régler son achat à la caisse.

Le ciel s'était couvert et un fort vent chargé d'embruns et d'odeurs salines déviait le vol des goélands. Mon compagnon s'arrêtait tous les trente pas, le souffle court.

— Vous avez parlé d'hôpital, dis-je.

— Je n'aurais pas dû commencer par la fin, monsieur. Vous n'allez rien comprendre.

— Vous pouvez m'appeler Daniel... Pourquoi ne commencez-vous pas par le début ?

— J'en suis incapable ! Je veux dire, pour la question de votre prénom. J'espère que vous ne le prenez pas en mauvaise part. Regardez-moi bien ! Voyez-vous quelque chose en moi qui me justifierait d'être arrogant ?

— Vous avez été malade ? dis-je.

— J'ai failli mourir. Comme vous le savez, j'étais assez corpulent. C'est ça qui m'a sauvé la vie ! Je me trouvais avec Max Sieber dans l'avion, monsieur. Je faisais partie du groupe qui l'accompagnait à Tanana.

— Vous ? dis-je avec stupéfaction. Mais je croyais qu'il n'y avait pas eu de survivants !

— Ç'aurait peut-être mieux valu, dit-il, la mine sombre. Il me raconta alors que le voyage avait été minutieusement préparé du côté canadien. Personnellement, il avait été chargé d'établir, à l'intention des Américains, les spécifications détaillées de tous les appareils radioélectriques et de l'ensemble de l'équipement électronique de vol, compte tenu des perturbations que l'effet Sieber exercerait sur ces instruments. La durée du trajet était de quatre heures et quinze minutes, et ses calculs, de même qu'une simulation au sol avec une réplique de l'appareil modifié, avaient démontré que celui-ci pourrait voler pendant huit heures avant que les premiers effets de la contagion ne menacent son fonctionnement.

— Vous avez entendu parler de M. Asimov ? demanda-t-il. Il a dit quelque part que contre la sottise, les dieux eux-mêmes étaient impuissants.

— Il citait M. Goethe, dis-je, incapable de résister.

— On ne peut se fier à personne ! Vous vous souvenez de cette tentative désastreuse que les Américains avaient faite en Iran, il y a quelques années, pour libérer des otages ?

— Bien sûr, pourquoi ?

L'enquête officielle sur ce coup de force avait révélé qu'une des causes principales de son échec était l'obsession militaire du secret. Seuls quelques haut gradés de l'État-major avaient eu une vue d'ensemble de l'intervention, contrairement à leurs subalternes, qui ne connaissaient du plan que la phase d'opération dont ils étaient directement responsables. Or, la même erreur avait été commise dans l'organisation du transfert de l'enfant Sieber. A la dernière minute, l'officier chargé de la supervision de l'appareil avait pris l'initiative de faire remplacer certaines pièces de l'équipement électronique, qui étaient d'un modèle abandonné depuis des années, par des instruments plus perfectionnés, sans se douter que leur complexité même les rendait plus vulnérables à une menace dont il n'avait jamais entendu parler.

— Et vous vous êtes écrasés, dis-je.

Mon compagnon s'assit sur le socle d'un treuil, au bord du quai et contempla pensivement le ciel gris.

— Non, dit-il enfin. Nous nous sommes perdus.

Il se lança dans une explication technique où il était question des systèmes ADF et INS, de gyroscopes, de radiogoniomètres et d'astronavigation. Je finis par démêler de cet écheveau que, après trois heures d'un vol sans histoire, en dépit de mauvaises conditions atmosphériques et d'une visibilité réduite, l'ordinateur de contrôle de navigation avait réagi à la présence de Max, de la même façon qu'auparavant l'ordinateur de l'hôpital Memorial. L'avion s'était écarté de sa route d'une vingtaine de degrés, à l'insu du pilote qui se fiait à ses instruments.

— La liaison radio était aussi affectée? demandai-je avec incrédulité.

Nous avions repris notre marche à pas lents. Le temps avait fraîchi, mais cela n'empêchait pas Hnatzynshyn de s'éponger le front de son mouchoir.

— Non, pas au début, dit-il. Ce sont d'ailleurs les gens de la ligne DEW qui nous ont avertis, alors que nous dérivions déjà depuis quarante-cinq minutes.

Le capitaine avait tenté de se réaligner sur son itinéraire mais, après une autre heure de vol et des difficultés croissantes à maintenir le contact radio, il s'était rendu à l'évidence et avait cherché un trou dans la nappe nuageuse, pour préparer un atterrissage en catastrophe. L'appareil avait continué à voler à basse altitude pendant une trentaine de minutes sur un relief accidenté, avant de se poser sur le ventre, sur une vaste plaine bordée d'un trait sombre qui figurait sans doute la lisière d'une forêt.

— Ce fut un miracle, monsieur ! Seulement, nous étions deux dans l'avion à savoir que le miracle serait de courte durée.

Il voulait parler de Mlle Kornitchuk et de lui-même. A la réflexion, Max se doutait peut-être de ce qui allait arriver, mais comme il n'avait pas dit un mot depuis le début du voyage, il était difficile de savoir ce qu'il comprenait de la situation.

— Je crois qu'il comprenait beaucoup plus de choses que nous le pensions, dis-je.

— J'espère que vous avez tort, ce serait épouvantable ! Parce que ça voudrait dire qu'il était le seul à ce moment-là à savoir que le Grand Nord était le pire endroit sur terre où nous pouvions aller en sa compagnie !

L'avion était doté de la « boîte orange », c'est-à-dire d'un émetteur de localisation d'urgence, fonctionnant sur piles et diffusant un signal de détresse en cas d'atterrissage forcé ou d'écrasement. Hnatzynshyn avait pris le capitaine à part pour lui expliquer la nature de l'effet Sieber, et la nécessité de placer cet instrument à bonne distance de l'appareil pour éviter qu'il cesse de fonctionner avant que les équipes de secours n'aient déterminé leur position. En dépit de la confirmation de Mlle Kornitchuk, appelée à la rescousse, le capitaine avait refusé de croire à une histoire aussi invraisemblable, et ce ne fut que plusieurs heures plus tard, alors que d'autres instruments avaient cessé à leur tour de fonctionner, qu'il avait accepté à contrecœur la proposition qui lui était faite.

Hnatzynshyn avait revêtu une des combinaisons thermiques de l'équipement de secours, qui comprenait également un traîneau, des torches électriques, des fusées de signalisation et des vivres. Un des hommes d'équipage s'était porté volontaire pour l'accompagner, mais il n'avait pas fait vingt pas dans le blizzard qu'il criait au suicide et rebroussait chemin.

— Il a tenté de me dissuader de poursuivre seul, dit-il. Quand je me demande si je n'aurais pas mieux fait de l'écouter, ce n'est pas de la frime, monsieur !

Il avait mal évalué la distance jusqu'à la lisière de la forêt et n'y était parvenu qu'après une demi-heure de marche. La tempête avait augmenté d'intensité, alors qu'il finissait d'attacher l'antenne de l'émetteur de localisation à la branche maîtresse d'un conifère. Il avait exécuté ce travail comme un robot, incapable de penser à autre chose qu'à la morsure du vent sur son visage. Il avait alors pris la décision insensée d'abandonner le traîneau et de retourner à l'avion, dont il lui semblait apercevoir la silhouette dans les dernières lueurs du jour.

Il s'était efforcé de marcher en ligne droite, mais après quelques minutes, s'était rendu compte de la folie de son entreprise et était revenu sur ses pas. Il avait entendu parler des froids du Grand Nord, mais ce qu'il avait enduré là-bas était indescriptible.

— Je ne suis pas un sportif, me dit-il, la chose ne doit pas vous surprendre. Avez-vous déjà pensé une minute que j'étais un sportif ? Je n'ai jamais eu beaucoup d'endurance sur le plan physique et, bref, j'étais exténué. Je me suis dit que j'allais mourir et le plus drôle, c'est que ça ne me révoltait pas.

Il avait réussi à creuser un trou dans la neige, au pied de l'arbre où se trouvait l'émetteur d'urgence, et il s'était construit un abri rudimentaire, en utilisant une partie du matériel fixé au traîneau par des lanières de cuir, notamment une bâche de toile et des couvertures. Il avait aussi découvert un nécessaire de premiers soins, une flasque de brandy et une boussole qui, dans cette région du globe, ne lui était d'aucune utilité.

Il avait attendu la nuit et la mort au fond de son trou, soulevant de temps en temps un coin de la bâche pour observer le ciel, intrigué malgré lui par ce crépuscule qui n'en finissait pas de tomber. La température glaciale devait avoir exercé un effet de ralentissement sur la marche de son esprit, car il avait mis des heures à réaliser que le soleil ne se coucherait pas.

— Vous vous rendez compte ? me demanda-t-il, le regard humide. Ça voulait dire que nous avions dérivé au-delà du 67e parallèle ! Je sais que c'est risible, monsieur, mais quand j'ai réalisé ça, je me suis senti vraiment loin de la maison.

Les équipes de secours étaient arrivées le surlendemain en hélicoptères, au début de la matinée. (La tempête avait empêché la veille toute tentative d'approche.) Les militaires avaient aperçu la boîte orange avant même de découvrir l'abri de Hnatzynshyn, car la neige avait presque entièrement recouvert la bâche, et ce ne fut qu'en approchant de l'arbre qu'ils avaient trouvé le malheureux, en lui marchant littéralement sur la tête.

— A l'hôpital, on m'a montré des photographies de l'intérieur de l'avion, pour la rédaction du rapport, me dit-il. (Il transpirait abondamment.) J'aurais préféré ne pas les voir, mais j'étais le seul survivant et ils avaient besoin de mon témoignage. Il y a comme ça des images qui ne vous lâchent plus.

— Je comprends très bien ce que vous voulez dire, murmurai-je en le prenant par le bras.

— Je vous crois, dit-il avec une solennité émue. Puis-je vous faire une confidence? Je suis plus à l'aise avec vous maintenant que vous n'êtes plus le premier conseiller du ministre Butler. Les titres m'impressionnent, monsieur, je n'y peux rien.

— Vous avez maigri, dis-je. Vous êtes resté longtemps à l'hôpital?

On l'avait gardé une semaine, mais je ne devais pas sauter aux conclusions. Il avait perdu du poids pour une autre raison, qui s'appelait le remords, s'il pouvait se permettre.

— Quand j'ai quitté l'avion avec la boîte orange, expliqua-t-il, je me suis trouvé bien courageux. Après avoir vu les photographies, je me suis demandé si je n'étais pas simplement plus astucieux que les autres. Seulement il n'y a pas de réponse à cette question, voilà ! Et les questions sans réponse me font maigrir, c'est mécanique !

Après un silence ponctué de soupirs, il me confia que tous les actes d'héroïsme n'étaient pas décorés par le

Gouverneur général. Il voulait parler de cette infirmière, Mlle Kornitchuk, une femme comme on n'en rencontre pas souvent, monsieur. Elle savait qu'elle allait mourir à cause de Max et pourtant, elle lui avait donné son manteau de laine et n'avait gardé pour elle qu'un anorak, en sachant que la toile synthétique se désagrégerait en quelques heures.

— Et quand je vous dis qu'il faisait froid, ce n'est pas...

Sa voix s'étrangla et, détournant la tête, il s'essuya furtivement les joues.

Nous étions arrivés devant chez *Jimmy's*, où j'aperçus par une fenêtre Olivier et Florence, attablés chacun devant un formidable dessert. Ils avaient pris soin de mes dix dollars jusqu'au dernier sou.

— Kenneth, vous vous rongez les sangs inutilement, dis-je en me tournant vers lui. (Il s'était assis sur un banc devant le restaurant, l'air misérable.) Vous n'avez jamais pensé qu'il y a peut-être une raison au fait que vous avez survécu ?

— Vous parlez comme le Dr Vecchio, dit-il sur un ton de reproche.

— Ça ne me donne pas tort pour autant, dis-je. Je ne savais pas que vous le connaissiez.

— Nous le consultons régulièrement, le Dr Davis et moi-même. Il s'intéresse beaucoup à nos recherches, c'est pratiquement un membre du groupe... Aussi je vous demande de ne pas prendre ma remarque à rebrousse-poil. J'ai une grande estime pour lui ! Seulement, monsieur, vous conviendrez que c'est une personne plutôt excentrique.

Je ne pus m'empêcher de sourire, car ce jugement tombant de sa bouche avait une chute particulièrement comique. Il me raconta alors que Vecchio lui avait fait le « tarot des livres » et, comme il entreprenait de m'expliquer de quoi il retournait, je lui dis que j'avais eu droit à une démonstration qui m'avait impressionné.

— Je suis heureux de l'entendre, dit-il. Je suis un homme de science, et les hommes de science ne font pas bon ménage avec les cartomanciennes. Il n'empêche que j'ai pris un livre au hasard et que je l'ai ouvert n'importe où. Ce fut une révélation, monsieur !

Alors que je m'asseyais à côté de lui sur le banc, il fouilla la poche de son bermuda et déplia un morceau de papier qui, apparemment, ne le quittait plus. *Il était le gardien de la maison*, lut-il à haute voix, *mais, ignorant la valeur des reliques qu'elle contenait, il laissait entrer les visiteurs sans les accompagner, et le musée fut bientôt une ruine vide.*

— Si je comprends bien, vous en avez conclu que le secret de Max était à présent sous votre garde, dis-je d'un ton encourageant. Je suis certain que vous êtes à la hauteur de cette responsabilité.

— Et serai-je aussi responsable des ruines ? murmura-t-il sombrement.

Il se tut et je le laissai inspecter avec soin la propreté de ses doigts boudinés, avant d'interrompre le silence pour lui demander doucement :

— Ken, pourquoi êtes-vous venu me voir ?

— Pour vous dire quelque chose, monsieur, répondit-il sans lever la tête. Vous devez penser que ça ne vient pas vite, n'est-ce pas ?

— Prenez votre temps, je suis en vacances... De toute façon, votre visite me fait plaisir.

Il se redressa en faisant une provision d'air, puis me dit dans un souffle que ce n'était pas par hasard qu'il s'était retrouvé dans l'équipe de recherche du Dr Davis. Il avait usé de ses influences pour s'y faire nommer.

— Ne soyez pas si scrupuleux, dis-je, tout le monde procède de la sorte. Vous savez bien que vous êtes la personne la plus qualifiée pour aider le Dr Davis à découvrir l'explication de l'effet Sieber.

— Pour l'en empêcher, monsieur ! dit-il, le visage cramoisi.

Il s'était fait des amis sûrs à la Défense, où on le considérait comme une autorité à cause de sa réputation d'incompétence aux Télécommunications. Or il avait appris, par une indiscrétion en provenance du cabinet de McClelland, que les fonds alloués au Dr Davis par le Conseil canadien de la recherche médicale provenaient en réalité du budget de l'armée, et qu'ils avaient été transférés secrètement à cet organisme sur l'intervention personnelle du Premier ministre.

— Vous voulez dire que Maureen... ? commençai-je.

— Elle s'est fait posséder, j'en ai peur, dit-il d'un ton navré. Elle croit qu'on lui donne de l'argent pour découvrir le remède du cancer, alors que ces messieurs ne s'intéressent qu'aux applications militaires de l'effet Sieber. C'est une triste réalité, je vous l'accorde.

— Mais il faut l'avertir ! m'écriai-je en pensant à la réaction de Maureen quand elle apprendrait la vérité. Elle est capable de se défendre !

— Je savais que vous alliez dire ça ! fit-il avec résignation. Malheureusement, les choses ne sont pas aussi simples.

Il me concéda qu'il manquait habituellement de jugement au sujet des femmes, mais il croyait néanmoins que le Dr Davis ne se laisserait jamais convaincre d'abandonner ses recherches sur le cas Sieber. D'ailleurs, il ne le souhaitait pas, car si la chose se produisait, l'armée trouverait quelqu'un d'autre pour continuer le travail, et il risquerait de perdre sa position privilégiée.

— Tant que je me trouve à ses côtés, dit-il, je suis en mesure d'influencer les recherches pour les empêcher d'aboutir. Je ne laisserai pas les visiteurs entrer dans le laboratoire sans les surveiller de près, si vous me permettez cette allusion au texte de tout à l'heure.

— Mais pourquoi me dites-vous ça, à moi ? demandai-je en m'écartant machinalement, déconcerté par la franchise avec laquelle il me dévoilait ses plans.

— Pour deux raisons, dit-il avec un embarras pathétique. J'ignore si je prends trop de place à cause de mon embonpoint, mais le fait est que vous êtes mon seul véritable ami. Je m'excuse, monsieur, ce genre de déclaration est toujours déplacé. La seconde raison est que je désire savoir si vous m'approuvez.

— Votre confiance me touche, dis-je encore sur mes gardes. Mais pourquoi mon approbation est-elle si importante pour vous ?

— Vous êtes le père de Mlle Florence, dit-il gravement, et vous étiez le premier conseiller du ministre Butler.

Je voulus répondre, mais les mots me restèrent dans la gorge. J'avais toujours vaguement soupçonné que les manières fantasques de Hnatzynshyn dissimulaient la qualité de son jugement, mais je n'en fus pas moins surpris de voir avec quelle finesse il avait su résumer en une phrase le dilemme auquel il me demandait de faire face avec lui. Si les savants trouvaient le moyen de reproduire l'effet Sieber, les cancéreux du monde entier connaîtraient une délivrance semblable à celle des quatorze enfants du cinquième nord ; dans le même temps, des généraux disposeraient d'une nouvelle arme terrifiante pour leur arsenal. Je pensai en frissonnant à John Butler, qui avait été autrefois ministre de la Défense pendant cinq ans.

— Je ne peux pas vous répondre de but en blanc, dis-je. Laissez-moi y penser jusqu'à demain.

J'interpellai Olivier, qui sortait du restaurant avec sa sœur, et nous marchâmes tous les quatre jusqu'à la voiture, qui était stationnée devant le bureau de poste. Hnatzynshyn cherchait quelque chose dans le sac de voyage qu'il portait en bandoulière.

— Mademoiselle Florence, dit-il d'un ton tragique, je ne sais pas si votre père vous l'a dit, mais je suis une autorité en matière scientifique. Pour me faire pardonner ma gaffe de tout à l'heure, je désire vous offrir un cadeau.

Il sortit un flacon de lotion capillaire et lui en prescrivit l'usage sur un ton de réclame télévisée, qui était irrésistible. Olivier, qui avait mis ma bicyclette dans le coffre de la voiture, se tordait les côtes.

— C'est où, le cuir chevelu ? demanda Florence

Pour toute réponse, il lui caressa la tête avec une délicatesse qui frôlait la niaiserie, et qui pourtant me donna une brusque envie de pleurer.

— Vous n'avez pas de bagages ? dis-je.

— J'ai pris une chambre au *Crow's Nest* en arrivant, dit-il. Je ne refuserais pas un brin de conduite... Je me fatigue vite depuis mon sursis.

Je lui répondis qu'il n'était pas question de le laisser descendre ailleurs qu'à la maison, il protesta pour la forme et nous passâmes au motel pour prendre ses affaires, non sans perdre dix minutes à expliquer à une cousine de Wilbur Apples que nous ne demandions aucun remboursement et que oui, nous avions noté que les draps étaient changés chaque matin, même le dimanche.

Sur le chemin du retour, alors que le jour commençait à baisser et que l'air se chargeait d'électricité, Hnatzynshyn me fit observer que, sur son côté, la portière de la voiture était munie d'une poche, sans doute pour mettre des cartes routières et d'autres documents. Il sollicita la permission d'y glisser la main.

— Je vous en prie, dis-je, en me demandant s'il cesserait un jour de me prendre au dépourvu.

Il se redressa en brandissant une feuille de papier d'un geste de prestidigitateur. C'était la scène de nativité que Max m'avait donnée à Wabashikokak.

— Le Dr Davis m'a dit que je le trouverais probablement à cet endroit, dit-il. Nous ne voulions pas vous demander de l'envoyer par la poste, c'est trop risqué.

C'était encore une idée du Dr Vecchio, qui avait sursauté en lisant le rapport de Maureen sur notre visite au blockhaus. Selon ses propres observations, Max n'avait fait de cadeau à personne pendant son hospitalisation, et au contraire détruisait systématiquement toutes les productions qu'il avait réalisées, dans sa chambre ou en atelier de psychothérapie.

— Il pense que Max a voulu nous communiquer un message, c'est bien ça ? dis-je en pensant à ce que Maureen m'avait écrit sur les théories du psychiatre. Vous pensez découvrir quelque chose?

Nous étions arrivés à la maison et, me tournant vers mon invité, je vis qu'il s'était laissé aller à la renverse sur son siège, et respirait avec peine. Son visage avait une teinte cireuse qui me fit peur. Il tenait le dessin de Max contre sa poitrine, d'un geste qui aurait été théâtral chez tout autre que lui.

— Ken, vous ne vous sentez pas bien?

— Il a du chagrin, dit Florence derrière nous.

Il ouvrit les yeux et se tourna pour lui sourire avec effort, en lui disant qu'elle avait à moitié raison, et que certaines joies étaient si profondes qu'elles faisaient presque mal. Il me suivit dans la maison et, debout au milieu de la salle de séjour (il refusa de s'asseoir en disant que ça l'empêchait de penser), il regardait la feuille de papier avec une intensité qui le transfigurait. Je me dis qu'il n'y avait pas lieu de se faire trop de souci pour lui. Sa passion de comprendre le protégerait du découragement et du remords.

— Si vous me pardonnez la prétention de ce jugement, déclara-t-il, je dirai que le Dr Vecchio est un génie en son genre.

Il me cita la remarque du psychiatre, que Maureen m'avait rapportée dans sa lettre, et me demanda ce qu'un télescope nous permettait de voir dans le dessin de Max.

— Je suppose que c'est l'étoile de Bethléem, dis-je comme si je répondais à une devinette.

Il approuva en se mordant les lèvres, puis s'excusa d'avoir à me poser une question personnelle. Étais-je croyant? Il ne me donna pas le temps de répondre et se reprit, en disant qu'il s'était mal exprimé. En réalité, il se préoccupait de savoir si j'avais reçu une éducation chrétienne.

— Vous croyez que l'effet Sieber est un phénomène surnaturel?

— Je ne l'ai jamais pensé un seul instant, dit-il d'un ton offusqué. La religion n'explique pas la science, monsieur, et l'inverse est une question qu'il est préférable de ne pas débattre.

Il avait été élevé en Saskatchewan dans un milieu très religieux, et il était resté lui-même pratiquant. Pourquoi le Bon Dieu se fatiguerait-il à faire des miracles, quand il n'avait qu'à laisser libre cours aux lois de la physique, qui étaient elles-mêmes des objets de sa création ? A présent, si je n'y voyais pas d'offense, il désirait se retirer pour prendre du repos. Il en avait encore beaucoup à me dire, mais préférait attendre au lendemain, car la découverte qu'il venait de faire pouvait changer bien des choses.

— Vous croyez vraiment que ce dessin peut vous aider à comprendre l'effet Sieber ? demandai-je, sans cacher mon incrédulité.

Je l'avais accompagné à sa chambre et me rendis compte en ouvrant la porte que Florence était venue mettre des linges de toilette sur le dossier d'une chaise pendant que nous discutions dans la salle de séjour, et déposer une carafe d'eau sur la table de chevet. Me remémorant la conversation que j'avais eue la veille avec Olivier, je me demandai soudain comment ma fille réagirait à l'arrivée d'une autre femme dans la maison.

— ... l'explication théorique depuis longtemps, disait Hnatzynshyn. Le véritable casse-tête, c'était l'origine du phénomène. Cette chambre est très accueillante, monsieur. Je suis confus.

Il me serra la main, en ajoutant que le Dr Davis l'avait pourtant prévenu que j'insisterais pour lui offrir l'hospitalité. Je devinai qu'il avait hâte de se retrouver seul, mais ma curiosité l'emporta et je lui demandai la permission de lui poser à mon tour une question indiscrète. Il me fit un signe d'acquiescement, alors que ses yeux roulaient derrière les verres épais de ses lunettes, comme pour s'assurer qu'il n'y avait pas de microphone dissimulé dans les murs ou le plafond.

— Qu'avez-vous raconté à Maureen à propos des dinosaures ? dis-je.

— Je n'aurais pas dû, n'est-ce pas? avoua-t-il avec un soupir de contrition, en s'asseyant lourdement sur le lit. J'ai tendance à présenter des spéculations comme des faits établis, c'est fâcheux pour les gens qui ne me connaissent pas, et ils ont tendance à être de plus en plus nombreux. Je croyais que le Dr Davis avait eu du mal à accepter mes théories, mais je constate avec plaisir qu'elle a jugé à propos de vous en parler. Il s'agit de l'extinction des dinosaures, des animaux remarquables à plus d'un point de vue.

— Je comprends, dis-je, une main sur la poignée de la porte. Et de quoi sont-ils morts?

— Mais... de l'effet Sieber, monsieur. Malheureusement, je crains de n'avoir plus assez d'énergie ce soir pour m'étendre sur le sujet. C'est une longue histoire, comme de raison.

Je le laissai et regagnai la salle de séjour, où Florence se regardait dans le miroir qui surmontait le buffet. Elle se tourna et me dévisagea avec curiosité.

— Tu fais la grimace, dit-elle. On dirait que tu vas éternuer.

— C'est rien, dis-je.

Je ne savais comment lui expliquer que j'avais dans les muscles des joues un fou rire qui ne se décidait pas à fuser.

CHAPITRE 18

Contrairement à mes habitudes, je dormis tard le lendemain matin. A mon réveil, je trouvai Florence au pied de mon lit, plongée dans un album de bandes dessinées. Elle m'apprit que son frère avait accompagné le gros monsieur à la bibliothèque de St. Matthew, et qu'ils seraient de retour pour le déjeuner.

— Je t'ai fait un café, mais il est tout froid, dit-elle. Y sera pas bon.

— Je m'en passerai pour cette fois, dis-je.

Je n'étais pas fâché d'avoir deux heures devant moi pour penser aux révélations de Hnatzynshyn sur son projet de contrecarrer les recherches de Maureen, et sur les manigances dont celle-ci avait été victime à son insu. J'étais bien sûr curieux d'entendre la suite du discours qu'il m'avait tenu la veille, mais ne pouvais me résoudre à le prendre tout à fait au sérieux. Les dinosaures arrivaient dans son histoire avec autant d'à-propos que le roi Charles 1er dans le mémoire que M. Dick, le protégé de la tante de David Copperfield, se proposait d'envoyer au Lord Chancellor. J'avais décidé toutefois de ne pas laisser paraître mon scepticisme, en partie pour éviter de le froisser, et en partie parce que j'avais appris à ne pas porter de jugements trop hâtifs sur ses élucubrations.

Il arriva sur le coup de midi, portant avec précaution une petite boîte en provenance du bazar de St. Matthew. Il semblait avoir recouvré sa contenance et sa solennité. Olivier le suivait, les bras chargés d'une dizaine de livres empruntés à la bibliothèque municipale. J'avais préparé le déjeuner et dressé la table dans la véranda, avec l'aide de Florence, qui s'assit en face de notre invité et le regarda manger sans dire un mot, fascinée par l'appétit avec lequel il vidait son assiette. Je lui avais recommandé de ne pas faire de remarques à haute voix sur l'apparence des gens en leur présence, en lui expliquant qu'elle risquait de leur faire de la peine. Olivier n'aida pas ma cause quand il sortit avant la fin du repas pour aller faire de la voile avec ses copains, et qu'il se frappa le front d'un air entendu en passant derrière Hnatzynshyn.

— J'ai réfléchi à la question que vous m'avez posée hier, dis-je. Je ne pense pas que nous puissions prendre une décision à la place du Dr Davis. Il faut la mettre au courant, elle est capable autant que nous de décider si les politiciens sont plus dangereux pour l'humanité que le cancer.

Il me dévisagea comme s'il ne savait pas de quoi je voulais parler.

— Les Américains sont un peuple surprenant, déclara-t-il. Vous auriez dû voir les trésors qu'il y avait dans cette bibliothèque, pour une population de cinquante-trois mille habitants. J'ai de bonnes nouvelles, monsieur.

Il se servit une généreuse portion de compote de fruits et demanda à Mlle Florence si elle était disposée à lui faire une grande faveur.

— Je promets rien avant de savoir, dit-elle.

— Max vous a montré le secret pour faire chanter les verres, dit-il. J'aimerais que vous m'en fassiez la démonstration.

Elle baissa le nez et bredouilla qu'elle avait essayé, mais que les verres ici ne marchaient pas, c'était rien que de la camelote en plastique.

— C'est ce que je pensais, dit-il avec satisfaction.

Il ouvrit la boîte de carton qu'il avait posée sur la table en arrivant, et en sortit un verre à pied de belle qualité, qu'il tendit à Florence. Elle le remplit d'un peu d'eau et, les yeux brillants, trempa son index dans le liquide avant de le promener d'un mouvement circulaire sur l'arête du verre. Aussitôt, une note mélodieuse s'éleva dans la véranda, et je me rappelai le jour où j'étais entré dans sa chambre, pour tenter de localiser la source de cette étrange musique.

— Vous pouvez le garder, dit Hnatzynshyn. Tout le plaisir est pour moi.

Elle était trop heureuse pour songer à le remercier et sortit s'installer sur le hamac, tendu entre deux arbres devant la véranda. La vibration du cristal s'éleva à nouveau dans la chaleur de l'après-midi.

— C'est quoi, l'idée ? dis-je, empruntant malgré moi au vocabulaire de mon fils.

— C'est une page du testament de Max Sieber, dit-il. Vous souvenez-vous de M. Howard Hughes, le milliardaire américain ? De son vivant, il avait disséminé les bribes de ses dernières volontés à droite et à gauche. Je ne veux pas ternir sa mémoire, mais je crois que c'était un homme plutôt extravagant.

Le Dr Vecchio aussi lui avait semblé être une personne extravagante au premier contact, et pourtant il commençait à croire que ses théories sur la signification des coïncidences valaient la peine d'être étudiées. Me souvenais-je de notre rencontre dans le sous-sol du ministère, alors qu'il se livrait à une recherche en *garbologie** ? Il m'avait parlé à cette occasion des vents solaires, en rapport avec les troubles de fonctionnement des ordinateurs du Memorial. Or, il aurait aussi bien pu faire appel aux rayons cosmiques pour illustrer sa théorie. A l'époque, il ne connaissait pas l'exis-

---

* Garbologie (de l'anglais *garbage* : ordures) : science consacrée à l'étude sociologique et écologique des détritus.

tence de l'enfant Sieber, et c'était tout de même troublant qu'il eût justement choisi de faire cette comparaison.

— Voulez-vous dire que les vents solaires ont joué un rôle dans la maladie de Max ?

Il approuva d'un hochement de tête et m'expliqua que sa façon de travailler était foncièrement différente de celle des médecins, et s'apparentait plutôt aux méthodes que la police de l'Allemagne de l'Ouest utilisait dans sa lutte contre le terrorisme — et je vous prie d'excuser ce rapprochement, monsieur. Il avait introduit dans un ordinateur toutes les données relatives à l'affaire Sieber, et les avait systématiquement comparées au contenu des mémoires de diverses universités nord-américaines, du Smithsonian Institute et de Statistique Canada. Ce fut un exercice long et fastidieux, dont le principal résultat avait été une information sur la fréquence des aurores boréales, qui s'était fortement accrue pendant les six derniers mois.

— Ne le prenez pas en mauvaise part, dit-il, mais j'ai le sentiment de vous avoir perdu en cours de route. C'est de ma faute, je suis arrivé en vous promettant une bonne nouvelle, et je ne vous en ai encore rien dit. C'est que, voyez-vous, je procède selon un ordre logique. Vous souriez, monsieur ?

— Je vous aime bien, Ken. Pourriez-vous seulement me dire quel est le lien entre le vent solaire, les aurores boréales et l'effet Sieber ?

— Ce qui est rare est précieux, dit-il, le visage congestionné par l'émotion, et la vérité est que je suis rarement présent quand des choses chaleureuses sont exprimées à mon endroit. Quant au lien qui vous préoccupe, c'est celui d'une causalité directe, si je peux me permettre.

Il se lança dans une explication scientifique à laquelle je ne prêtai au début qu'une oreille distraite, car je l'avais déjà entendue de la bouche de Maureen, et je luttais de surcroît contre l'engourdissement de la sangria qui avait généreusement accompagné notre repas.

— ... un énorme réservoir de protons et d'électrons, disait-il. Vous rendez-vous compte que chaque jour, la quantité d'énergie qui se déverse du ciel aux deux pôles de la Terre dépasse de loin la capacité totale de production d'électricité des États-Unis? Bien sûr, nous réalisons vous et moi que ces phénomènes se produisent à l'échelle cosmique...

— J'ai observé une aurore boréale à Wabashikokak, dis-je. Je ne suis pas près de l'oublier!

Il ne fit pas mention du fait qu'il se trouvait lui-même à la base militaire à pareille date, et se contenta de m'expliquer que les particules de vent solaire n'étaient pas toutes identiques les unes aux autres. Certaines s'arrêtaient aux couches supérieures de l'ionosphère et produisaient une lumière rouge, en excitant les atomes d'oxygène. D'autres pénétraient plus profondément dans l'atmosphère et se dépensaient en étincelles jaune et vert, à quelque cent kilomètres d'altitude. Les particules les plus énergétiques s'approchaient encore davantage de la surface de la terre, perturbaient les radiocommunications et attaquaient le bouclier d'ozone qui nous protège des rayons ultraviolets, et des effets cancérigènes que ceux-ci ont sur les organismes vivants.

— Cette mécanique du plasma solaire nous est relativement bien connue, dit-il, aussi j'évite de vous importuner avec le détail. Il n'empêche que tout ce savoir ne nous apprend rien sur l'origine des craquements.

— Pouvez-vous répéter ce que vous venez de dire? demandai-je en me redressant.

Cette allusion aux craquements m'avait rendu extraordinairement attentif et, alors qu'il n'avait encore rien révélé du secret Sieber, je fus subitement convaincu que ses paroles n'étaient pas aussi décousues qu'elles en avaient l'air, et convergeaient au contraire vers une révélation cohérente et sensée.

Il m'apprit alors qu'au siècle dernier, certains explorateurs polaires parlaient déjà de ces bruits qui accompagnaient les aurores boréales, et que le même phénomène avait été mentionné depuis lors par de nombreux observateurs. Un chercheur de l'université de l'Alaska, à Fairbanks, rapportait récemment une expérience troublante. Il avait utilisé un magnétophone pour enregistrer ces craquements de l'espace, qu'il entendait distinctement, mais la bande magnétique n'en avait pas gardé la moindre trace.

— Vous connaissez Charles Péguy? me demanda-t-il à brûle-pourpoint. C'est un poète, monsieur. Il a écrit de belles choses sur les enfants qui dorment...

Il me désigna Florence dans l'ombre tamisée des arbres, qui s'était assoupie sur son hamac en tenant contre elle le verre de cristal, qui avait fini sa chanson.

— Je dois vous avertir qu'à partir de maintenant, nous entrons dans la spéculation, dit-il en lorgnant la compote de fruits sur la table. Il faut distinguer par conséquent ce qui est possible de ce qui est probable, pour considérer ce qui est plausible.

Les savants donnaient des vents solaires une définition fondée sur ce que leurs instruments pouvaient en mesurer. Jusqu'à présent, on croyait que les diverses particules qui forment ce plasma étaient arrêtées tôt ou tard par l'atmosphère terrestre. Hnatzynshyn avançait l'hypothèse que des radiations sub-atomiques faisaient partie de ce bombardement. Quelques-unes traversaient la ceinture de Van Allen et frappaient la Terre en ligne droite, mais la plupart étaient prises au filet du champ magnétique qui entourait notre globe et se déversaient aux deux pôles. L'existence théorique des quarks et autres particules plus petites que l'atome était généralement admise, mais nulle preuve tangible n'en avait été apportée.

— Le cerveau humain est un instrument d'une grande sensibilité, dit-il avec une conviction respectueuse. Nous autres savants, nous oublions parfois de l'utiliser, je veux dire au sens littéral. Vous me voyez venir, n'est-ce pas? Les méninges réagissent au passage de la particule Sieber. Les bruits que vous avez entendus ne provenaient pas du dehors, monsieur ! Ils provenaient du dedans.

— Mais j'étais avec le Dr Davis, dis-je, et elle n'a rien entendu !

De toutes mes rencontres avec Hnatzynshyn, je ne l'avais encore jamais vu sourire, aussi l'expression de gaieté espiègle et complice qui détentit subitement sa face ronde me causa-t-elle une vive impression.

— Il était trois heures du matin, monsieur Daniel ! dit-il en m'appelant par mon prénom pour la première fois. Confidence pour confidence, j'étais avec Mlle Kornitchuk. Si j'ose emprunter vos paroles, moi non plus je ne suis pas près de l'oublier !

Il se trémoussa sur son siège et je pensai avec inquiétude qu'il finirait par avoir un coup de sang, s'il continuait à s'empourprer de la sorte. Je lui versai un autre verre de sangria, qu'il but à petites gorgées, en demandant si le Dr Vecchio m'avait parlé de *Jean-qui-rit* et *Max-qui-pleure*.

— Une autre page du testament de Max ? dis-je.

Il approuva ma déduction avec la satisfaction d'un maître d'école pour une bonne réponse. Le fait que les craquements ne fussent pas perçus par la majorité des observateurs signifiait que ceux qui les entendaient avaient dans le cerveau quelque neurone accordé par hasard sur la même longueur d'onde que la radiation Sieber — il parlait par analogie, n'est-ce pas ? Or, Max était en harmonie absolue avec ce résidu mystérieux de vents solaires, et il l'absorbait de la même façon que l'effigie de *Max-qui-pleure* absorbait la goutte d'eau dans les fibres du mouchoir en papier.

— Il se chargeait comme une pile, monsieur — et je vous prie d'excuser cette comparaison qui manque de dignité, mais c'est la meilleure qui me vient. Il puisait son énergie à la source même des aurores boréales.

— Mais ces radiations dont vous parlez ne détruisent pas la matière ?

— Pas plus qu'un coup d'épingle ne dérange un

rhinocéros, je vous le concède, dit-il sentencieusement. Je n'ai malheureusement pas l'oreille musicale. Pouvez-vous m'imaginer en chanteur d'opéra ? C'est une image grotesque, monsieur. Mais pour les besoins de la cause, supposons que Melle Florence fasse chanter son verre, et que je l'accompagne de la voix sur la même note. Que se passerait-il ?

— Je sais, dis-je, le verre se briserait. Et vous croyez que Max...

— Je ne crois rien ! Je spécule dans le plausible, monsieur. Et le plausible me dit que Max irradiait des décharges massives de particules, qui transformaient en passoire les matériaux les plus résistants.

C'était la concentration de ces radiations sub-atomiques qui causait l'effet Sieber. Celles-ci traversaient la matière de part en part sans la toucher, mais en dénouant au passage les liens qui tenaient les atomes ensemble. Ce qui était poussière retournait en poussière.

Il se tut. Je promenai un regard incrédule sur les reliques du déjeuner, la véranda, la pelouse et les arbres, la jetée en contrebas du jardin et le voilier immobile dans le scintillement de la mer. Comment pouvais-je croire un instant que les phénomènes dont parlait mon invité faisaient partie de ce même univers ?

— Mais pourquoi Max ? dis-je à voix basse, et j'ajoutai en pensée : « Et pourquoi Florence ? »

Il fit signe qu'il comprenait le sens de ma question, mais qu'il ne pouvait m'aider à la résoudre. Il s'interrogeait pour sa part sur les raisons qui avaient poussé Wilhelm König à emmener son fils dans le Grand Nord canadien. Était-ce uniquement le hasard ? Se doutait-il des dispositions particulières de l'enfant ? Pouvait-il prévoir la réaction en chaîne que ce voyage allait déclencher ?

Il était relativement aisé de reconstituer ce qui s'était passé à Goose Bay dans la nuit du 28 août, car le même scénario s'était probablement répété dans le blockhaus, après notre visite. Le bombardement des particules solaires avait dû être particulièrement nourri ce soir-là, et Max avait atteint un état de saturation tel que son corps s'était mis à irradier une lumière éclatante.

— L'auréole! m'écriai-je. C'est donc ça que vous avez découvert dans le dessin de Max! Il se représentait lui-même... Pas étonnant que König et le sergent Bédard aient été traumatisés par cette vision! Ils ont dû...

Je m'interrompis en le voyant lever la main en signe de désaccord. Le rapprochement avec l'auréole de l'enfant dans la crèche avait été fait depuis longtemps par l'équipe du Dr Davis, et on s'accordait pour penser que les deux malheureux témoins du phénomène n'avaient pas été perturbés par ce qu'ils avaient vu, autant que par ce qu'ils avaient « entendu » dans les replis de leurs cerveaux.

— *Les orgues de l'Apocalypse*! murmurai-je avec effroi.

— C'est une belle métaphore, dit-il en connaisseur. Je ne vous savais pas poète... Et moi qui vous parlais de M. Péguy ! N'empêche que l'art nous aura été un guide plus utile dans cette affaire que la science.

Il ne suffisait toutefois pas de prétendre que Max avait subi une surcharge de radiations, il fallait encore se demander s'il existait une cause particulière à l'intensité du bombardement des particules Sieber. Il avait alors pensé à la possibilité d'une tempête de vents solaires, semblable à celles qui se produisaient tous les onze ans, et qui correspondaient à l'apparition des fameuses taches à la surface du soleil. Mais pourquoi n'avait-il jamais envisagé une troisième hypothèse?

— Et vous allez voir, monsieur, c'est l'évidence même !

Il se pencha pour tirer un livre de la pile qu'Olivier avait déposée sur le rebord de la fenêtre et me le tendit en me demandant d'examiner le dessin de Max, qui avait été glissé dans l'ouvrage pour marquer l'emplacement d'une page.

— Rappelez-vous : le télescope! poursuivit-il. Alors?

— Il y a une sorte de halo autour de l'étoile de Bethléem... On dirait qu'il est à moitié effacé.

— Et pour cause! Ce n'est pas facile de dessiner quelque chose d'invisible, mais Max était un enfant très ingénieux. Tout de même, l'ingéniosité n'explique pas comment il connaissait l'existence du nuage d'hydrogène autour de la comète. Car il s'agit d'une comète, monsieur !

— Une comète ! Vous ne voulez pas dire... ?

Je levai machinalement les yeux vers le ciel, éprouvant à mon tour la stupeur qui l'avait frappé la veille dans la voiture, à notre retour de St. Matthew. Depuis des mois, le passage de la comète de Halley fournissait la matière d'innombrables reportages dans la presse et à la télévision, encore que l'effort de vulgarisation scientifique semblât avoir été impuissant à contrecarrer la résurgence des superstitions et des peurs immémoriales.

— Ken, épargnez-moi ! suppliai-je, à demi plaisantant. Êtes-vous en train de me dire que la comète a quelque chose à voir avec l'affaire Sieber ?

— Je l'espère, oui ! Je l'espère pour mon confort, car vous le savez, les questions sans réponse ont un effet désastreux sur mon métabolisme. Maintenant, pour être rigoureusement honnête à votre endroit, je dois avouer qu'il s'agit d'une théorie hautement spéculative.

— Est-elle au moins plausible ? demandai-je avec un grain de malice.

— Il est encore trop tôt pour le dire. Par contre, elle a une qualité indéniable, et c'est de rendre tout le reste plausible ! Je veux dire que, grâce à elle, la plupart des choses qui n'ont aucun sens reçoivent une explication rationnelle. Je manque de légèreté, monsieur, on me voit approcher de loin.

— Vous allez me parler des dinosaures, dis-je avec l'impression paradoxale de reprendre pied sur un terrain familier.

— Ce n'est pas par entêtement, dit-il. C'est par nécessité.

Une des nombreuses énigmes qui lui avaient donné des insomnies était le fait que les matières organiques n'étaient pas affectées par l'effet Sieber, à l'exception des produits dérivés du pétrole, qui subissaient le même sort que les matériaux inorganiques. Or, il avait toujours eu l'intuition que cette exception à la règle était aussi la clé du mystère.

Soixante-cinq millions d'années nous séparaient d'un cataclysme à l'échelle planétaire, m'expliqua-t-il avec autant d'assurance que s'il avait été le témoin oculaire du désastre, et les trois quarts des espèces animales et végétales qui peuplaient alors la Terre avaient disparu à jamais. La paléontologie trouvait la preuve de cette extinction massive dans l'analyse des sédiments géologiques. Aux couches crétacées, qui présentaient une abondante diversité de fossiles, succédaient les premières couches de l'ère tertiaire, qui contenaient de fortes quantités d'iridium et presque aucun fossile, suivies d'autres couches où apparaissaient graduellement de nouvelles espèces, en variétés de plus en plus nombreuses. Les causes de cette brisure dans l'évolution fournissaient le sujet de savantes querelles entre physiciens, géologues, paléontologues et astronomes. La théorie la plus en faveur était actuellement celle d'une collision entre la Terre et un météore géant ou une comète. Certains croyaient que la poussière soulevée au moment de l'impact avait obscurci le soleil pendant plusieurs années. D'autres pensaient qu'une vague de chaleur, provoquée par le passage de l'astéroïde dans l'atmosphère, avait enveloppé notre globe et exterminé la plupart des organismes vivants. La majorité s'entendait néanmoins sur l'origine extra-terrestre du cataclysme, en observant que la proportion d'iridium dans les sédiments frontaliers des couches secondaire et tertiaire était de trente à cinquante fois plus élevée que la normale. Je ne fus pas certain de saisir la causalité entre les deux phénomènes, mais décidai de faire confiance à mon invité sur ce point. Toutefois, pour l'empêcher de s'égarer dans une autre strate néozoïque, je lui rappelai qu'il avait prétendu la veille que l'effet Sieber était responsable de la disparition des dinosaures.

— C'était un raccourci, dit-il. Avant de nous y engager, j'aimerais attirer votre attention sur le fait que les comètes brûlent la chandelle par les deux bouts, si j'ose m'exprimer de la sorte. Elles suivent un régime d'amaigrissement...

A son premier passage dans le système solaire, la comète de Halley avait une taille sans commune mesure avec celle qu'on lui connaissait aujourd'hui, et les dimensions du nuage moléculaire qui l'entourait étaient tout simplement gigantesques. Hnatzynshyn ne croyait pas à la nécessité d'évoquer une collision avec la Terre pour expliquer la catastrophe qui avait suivi. Selon lui, les vents solaires subissaient une transformation en traversant ce nuage d'hydrogène, et atteignaient la planète sous une forme nouvelle, qui déjouait les barrières combinées du champ magnétique et de l'atmosphère. Les aurores boréales n'illuminaient plus les cieux polaires, métamorphosées en un souffle mortel qui dévastait la Terre.

— On pourrait dire que le halo de la comète est comme une loupe qui concentre les rayons du soleil, proposai-je, le cœur serré au souvenir de Lotte, qui m'avait montré à notre première rencontre la plaquette de bois sur laquelle Max avait gravé son nom.

— Vous feriez un bon professeur, monsieur. J'aurais pensé à me servir de l'analogie du laser, mais la loupe est une jolie trouvaille !

— Elle n'est pas de moi, dis-je. C'est une autre page du testament.

Il hésita à me poser une question, puis décida de poursuivre son exposé. Pendant plusieurs siècles, peut-être quelques millénaires, la comète était revenue périodiquement accomplir son œuvre de destruction. Pourtant, de la même façon que les microbes élaborent aujourd'hui des défenses contre les antibiotiques, les organismes terrestres qui avaient survécu au cataclysme initial développèrent par mutations successives une immunité complète contre la radiation Sieber. Hnatzynshyn voyait la confirmation de sa théorie dans le fait que les produits dérivés du pétrole se désagrégeaient au contact de l'enfant Sieber, parce que la matière organique qui les constituait provenait d'une époque antérieure à ce processus d'immunisation.

— Vous réalisez que les pouvoirs de la comète se sont

amoindris en même temps qu'elle perdait sa taille, dit-il. J'aime à penser qu'il y a une morale dans cette histoire.

— Et que serait-il advenu de Max s'il ne s'était jamais aventuré dans les territoires du nord ? demandai-je, revenant malgré moi à cette question qui m'obsédait, car elle interrogeait en même temps le destin de ma fille.

— Je présume qu'il se serait chargé lentement, dit-il avec réticence, comme s'il trouvait inconvenant de spéculer sur ce sujet. Le passage de la comète lui aurait donné un fonds de roulement, si vous comprenez ce que je veux dire, et au cours des années, l'activité solaire normale l'aurait progressivement amené à un stade opératoire.

Dans ces circonstances, l'irradiation de Max n'aurait probablement jamais atteint une densité assez forte pour avoir un effet nuisible sur son environnement, mais elle aurait été suffisante pour s'attaquer à des matières inorganiques microscopiques. Avec l'âge, Max Sieber aurait sans doute appris à canaliser cette énergie. Il y avait dans le monde beaucoup de charlatans, mais on trouvait aussi de véritables guérisseurs, doués de pouvoirs inexplicables, qui traitaient les maladies par l'imposition des mains, ou encore...

— ... ou encore accomplissent des miracles, interrompis-je.

— Depuis hier soir, je vous attendais à cette conclusion, dit mon invité avec un soupir de résignation. Et pourtant, je n'ai pas l'intention d'en discuter avec vous, soit dit sans vouloir vous offenser. Nous savons tous les deux que les miracles ne sont pas une fin en soi, mais un moyen pour faire avancer une cause, n'est-ce pas ?

Il me rappela ce qu'il avait dit tout à l'heure de l'art et de la science, et me suggéra de jeter un coup d'œil sur le livre où j'avais pris le dessin de Max et qui était resté ouvert sur la table, à la page d'une reproduction en couleur tirée d'un manuscrit du XVe siècle. C'était une peinture conventionnelle de la Nativité, mais je devinai au premier regard la raison du choix de Hnatzynshyn. L'étoile qui avait guidé les rois mages était représentée ici sous la forme d'une comète, clairement reconnaissable à sa chevelure lumineuse, et ses rayons parallèles descendaient jusqu'au petit enfant de la crèche en passant par une brèche ouverte dans le toit de l'étable. Si ce tableau m'avait été montré quelque huit mois plus tôt, ce détail me serait apparu comme une simple astuce dans la composition de l'œuvre, mais j'avais été mêlé de trop près aux événements de Wabashikokak pour ne pas y voir une illustration frappante et prémonitoire de l'effet Sieber. Les rayons de la comète ne profitaient pas d'une ouverture accidentelle dans la toiture, ils transperçaient la matière pour alimenter l'auréole scintillante où baignait le nouveau-né.

* * *

Je l'avais invité à rester avec nous jusqu'à la fin de la semaine, mais Hnatzynshyn partit le soir même, dans un état de grande fébrilité. Nous laissâmes les enfants devant l'unique cinéma de St. Matthew, et je l'accompagnai au traversier de sept heures, en remarquant avec plaisir qu'il s'était finalement décidé à m'appeler par mon prénom. Je me dis que le tutoiement entre nous d'ici quelques années devait être considéré comme une « hypothèse plausible ».

— Je ne sais toujours pas quelle est cette bonne nouvelle que vous m'avez promise ce matin...

— Mille excuses ! dit-il. Je pensais que vous l'aviez déduite de notre conversation. Il s'agit des travaux du Dr Davis. Si le rôle de la comète devait se confirmer — car ce n'est qu'une spéculation, Daniel — il suffirait de retarder l'aboutissement de nos recherches de quelques mois. Je m'exprime à mots couverts, on ne sait jamais...

Nous nous étions écartés de la foule pour marcher à pas lents jusqu'à l'extrémité de l'embarcadère, mais notre isolement ne le retenait pas de parler à voix basse, ni de jeter des regards soupçonneux sur les mouettes qui volaient alentour avec des cris rauques Il m'expliqua que, même dans les régions polaires, les particules Sieber étaient en temps normal un phénomène relativement rare. La comète augmentait leur nombre dans des proportions considérables, mais seulement pour le temps de son passage. Or, contrairement aux applications militaires, l'usage médical ne requérait pas des doses massives de radiations — à supposer qu'on ait trouvé le moyen de les capter et de les conserver.

— Je comprends bien, dis-je, mais la comète va revenir.

— Dans soixante-quinze ans, dit-il avec solennité. D'ici là, l'humanité aura évolué, Daniel. On saura faire un usage raisonnable de l'effet Sieber.

— J'aimerais partager votre optimisme ! C'est la première fois que je vous entends parler de la sorte... Qu'avez-vous fait de votre amertume ?

Il réfléchit gravement à ma question, puis me confia qu'une partie de lui-même était restée enterrée au pied d'un conifère, dans la région de Hornby Bay, à quelques centaines de mètres d'une épave d'avion.

— Je n'ai pas eu l'occasion d'être longtemps en contact avec l'enfant Sieber, ajouta-t-il avec une émotion sourde, et pourtant il me semble... Ce sont des choses difficiles à expliquer, Daniel.

Le bateau à quai lança trois coups de sirène.

— Je sais, dis-je. C'était bon de vous avoir avec nous. J'aimerais que vous reveniez nous voir.

Il me prit les mains pour les serrer avec maladresse. Au moment de nous quitter, je lui remis une lettre à l'intention du Dr Davis, qu'il mit dans son sac de voyage avec le clin d'œil appuyé d'un entremetteur de vaudeville.

Avant d'écrire ce mot, j'avais interrogé séparément les enfants, pour savoir comment ils réagiraient à la visite de Maureen au cours de l'été. Olivier avait haussé les épaules et laissé tomber que ce n'était pas trop tôt. Florence prit davantage de temps pour répondre.

— C'est elle qui va faire ton café ? dit-elle enfin.

— Non. Personne ne le fera à ta place.

Les dix-huit ans de vie commune avec Sandy m'avaient laissé sur la défensive, et le cœur en écharpe. Paradoxalement, c'étaient les qualités de Maureen, son envergure professionnelle et sa détermination qui m'avaient longtemps retenu. Mon fils avait raison, je ne m'étais pas pressé pour répondre à ce qu'elle ne m'avait pas écrit, et que nous savions l'un et l'autre. Les révélations de Hnatzynshyn sur les manigances dont elle avait été victime et la candeur avec laquelle elle m'avait parlé de la générosité des pouvoirs publics avaient eu brusquement raison de mes dernières craintes. J'étais maintenant impatient de revoir cette femme remarquable, qui avait la grande qualité de n'avoir pas toujours raison.

ÉPILOGUE

Une nuit, alors que je croyais la maisonnée endormie, Florence vint me rejoindre sur le patio, où je travaillais à la pleine lune, dont l'éclat était tel que je n'avais même pas eu besoin d'allumer la lanterne à bateau que j'utilisais au besoin.

— Qu'est-ce que tu fais ? chuchota-t-elle.

— Tu vois, j'écris.

— C'est une autre histoire inventée ?

— Oui, si on veut. C'est une histoire d'enfants pour les grandes personnes.

Sa chemise de nuit brodée à l'échancrure lui arrivait aux chevilles et je sus qu'elle avait grandi. Je posai mon bloc-notes par terre et la tirai à moi, pour l'asseoir sur mes genoux, et je sus qu'elle avait pris du poids. Je me retins de la serrer contre ma poitrine, tant il y avait d'intensité et de sauvagerie dans le sentiment que j'éprouvais pour elle à cette minute.

— Je crois que Max est mort, dit-elle calmement.

— Je le crois aussi, dis-je, soudain en alerte. Pourquoi tu me parles de lui, comme ça maintenant ?

Une fois, à l'hôpital, il l'avait réveillée pour lui montrer les étoiles par la fenêtre, et lui dire qu'elles faisaient de la musique dans le ciel, comme un vrai orchestre.

— Ça se peut pas, affirma-t-elle catégoriquement, en attendant ma confirmation.

— Non, ça se peut pas, dis-je à contrecœur. C'est une image, tu comprends ? Une façon de parler...

— Je le savais, dit-elle. N'empêche que Max et moi, on s'entendait comme les doigts de la main.

Elle se laissa aller contre moi, petit bout de femme et grande séductrice. Il y avait comme ça dans l'existence des moments de bonheur immense, qui survenaient à l'improviste. J'avais appris ma leçon et je me laissai envahir, sans me poser de questions sur la signification des choses et de leur mérite.

— Tu t'es mis du parfum ? dis-je.

— Mais non, c'est rien du tout ! dit-elle en se cachant le visage dans mon cou.

J'aurais dû y penser, elle s'était bien sûr aspergé la tête avec la lotion capillaire de Hnatzynshyn, qu'elle avait surnommé M. Badaboum, Dieu sait pourquoi, et dont la personnalité semblait avoir fait sur elle une forte impression. Au même instant, un souvenir me vint à l'esprit à l'improviste et éveilla aussitôt mon émotion, qui ces temps-ci avait le sommeil léger. Je vis par l'entrebâillement d'une porte ce père assis dans la salle d'attente du cinquième nord, qui accompagnait son garçon de douze ans à la première visite — et c'était après le départ de Max, alors que le Memorial était redevenu un hôpital comme les autres. Je me sentis submergé par la compassion et par la honte à l'égard de cet inconnu, comme si le destin avait pipé les dés en ma faveur. Dans le silence géant de cette nuit d'été, je lui demandai pardon, à lui et à cette foule solitaire de femmes et d'hommes, qui avaient vécu l'horreur et l'injustice d'un enlèvement d'enfant.

J'embrassai la tête de Florence, ma vieille petite fille, respirant un grand coup de patchouli, qui soudain avait l'odeur de la vie. Un souhait absurde monta du tréfonds de mon cœur. J'aurais voulu mourir bientôt, pour être certain de mourir avant elle.

— Max disait aussi que des étoiles qu'on voit briller sont déjà éteintes depuis des milliers d'années, murmura-t-elle au bout d'un moment. (Sa respiration calme m'avait fait croire qu'elle s'était endormie dans mes bras.) C'est encore une façon de parler, dis ?

— Non, cette fois c'est vrai... Mais c'est difficile à comprendre.

— Peut-être qu'elles se rallument, pour nous jouer un tour.

— Peut-être, oui...

Je sentais contre moi son corps encore chaud de la canicule du jour. Dieu, que je l'aimais ! Elle poussa un de ses soupirs de théâtre et reprit en silence sa contemplation du ciel. Je savais déjà que l'homme était capable de continuer à vivre comme si l'espoir éclairait devant lui sa destinée, quand depuis longtemps l'espoir était éteint dans son cœur. Mais Florence venait de me révéler que les étoiles mortes pouvaient se régénérer, et donner naissance à de nouveaux soleils.

Ottawa, 1979-1981.